SAINT PAUL
ÉPITRE
AUX COLOSSIENS

ÉTUDES BIBLIQUES

(Nouvelle série. N° 20)

SAINT PAUL

ÉPITRE

AUX COLOSSIENS

Introduction, traduction et commentaire

de

Jean-Noël ALETTI, S.J.

PARIS

Éditions J. GABALDA ET Cie

18, rue Pierre et Marie Curie

1993

ISBN 2-85021-062-5
ISSN 0760-3541

AVANT-PROPOS

Au Père P. Benoit O.P.
en signe de gratitude.

Les apports de ce commentaire

Le nombre des nouveaux commentaires actuellement sur le marché est impressionnant, et l'on peut se demander à quoi serviront ces monuments, s'il leur arrive même d'être visités par quelques originaux. Disons donc tout de suite, et sans publicité tapageuse, que le présent commentaire fait avancer l'interprétation de l'épître aux Colossiens sur plusieurs points, et de façon décisive.

(a) Moins préoccupé que ses prédécesseurs par l'origine et le milieu de vie de l'erreur de Colosses, pour les raisons que l'on verra, il s'efforce de penser à nouveaux frais l'histoire des concepts et de la christologie du Nouveau Testament. Non que les parallèles possibles, hellénistiques ou autres (qumraniens en particulier) n'aient pas été explorés, mais il a semblé préférable d'aller à la rencontre de l'erreur et de son milieu de vie, seulement après avoir fait une analyse synchronique sérieuse du texte. La prise en considération de la rhétorique du texte, de ses silences, de ses ellipses et de ses répétitions, évite les pièges dans lesquels une lecture en miroir («mirror reading») est souvent tombée. Il est vrai que toute lecture est, jusqu'à un certain point circulaire - selon les lois du fameux cercle herméneutique. Mais, c'est toujours l'exégèse qui, par un processus d'accumulation, détermine, au fur et à mesure que le texte se donne à analyser, la solidité des choix. Et ici, les commentaires n'ont peut-être pas assez mesuré les effets de cette stratification de l'interprétation.

(b) Plus désireux d'écouter les battements et les pulsations de l'argumentation, notre analyse a pu déterminer avec certitude la composition de l'épître, en son ensemble, en ses grandes sections et ses unités littéraires minimales. Le fait d'avoir mis en évidence l'existence d'une *partitio*, en Col 1,21-23, où s'énoncent les grands thèmes (mais non la manière de les traiter, car cette *partitio* n'est pas en même temps une *propositio*), a permis de se prononcer sur l'existence (ou la non-existence) d'un thème central, de déterminer l'importance et la fonction respective des sections. Ces dernières décennies, Col 1,21-23 fut avant tout considéré comme une simple application ou même comme une correction (par un retour à la théologie paulinienne de la croix) de l'hymne précédent (1,15-20), considéré comme trop enthousiaste, effet d'une christologie de la glorification censée refléter la tendance colossienne. Le temps est venu de prendre d'autres options, dont les conséquences apparaîtront aux cours des analyses.

(c) Troisième point sur lequel une avancée est ici faite: le *mystèrion*. Si, ces dernières décennies, l'histoire de la rédaction et de la tradition ont nettement progressé, en montrant les attaches apocalyptiques (et non mystériques, voire gnostiques) du terme, elles n'en ont pourtant pas mis à jour la fonction sémantique: le terme sert d'une part à transformer l'articulation des éléments apocalyptiques auxquels il renvoie; il explique d'autre part l'absence d'argumentation scripturaire et autorise l'emploi de nouveaux concepts théologiques.

Le mode d'emploi du commentaire

(a) Il est difficile de dire comment un commentaire doit être utilisé, car, à la différence d'une monographie ou d'un essai, il n'est jamais lu de façon suivie (sinon par les traducteurs et les recenseurs les plus courageux, espèce en voie de disparition[1]), seulement consulté, pour l'analyse d'un verset ou, au maximum, d'une section. J'ai donc jugé utile de faire quelques répétitions, afin que quiconque voudra savoir comment j'interprète un verset, puisse avoir le bien-fondé de mon exégèse, en fonction du contexte proche et lointain. Le reproche vaudrait s'il s'agissait d'une thèse, où l'argumentation doit être ferme et légère, sous peine de lasser. Au contraire, ceux qui consultent le commentaire sur un point précis, une expression ou un verset, doivent pouvoir y trouver les informations souhaitées. Je conseille vivement à ceux qui ouvriront ce livre pour des informations minimales ou presque (mot, verset) de jeter un coup d'oeil à la présentation de l'unité littéraire environnante, où

---

[1] Ma gratitude n'en est que plus grande pour A. Vanhoye S.J., correcteur du manuscrit.

s'indique souvent la ligne à suivre.

(b) Quiconque écrit un commentaire se doit de consulter ses devanciers, pour présenter les grandes lignes d'interprétation, les débats, etc. La tentation est de procéder par empilage, de déverser son fichier, pour fournir toutes les informations. La longueur des notes suit alors une courbe exponentielle. Il m'a semblé nécessaire de fuir la pure érudition, qui n'arrive pas toujours à cacher ses déficiences relatives à l'intelligence du texte[2]. Les notes en bas de page auront pour fonction de fournir les informations techniques décisives ou les sources auxquelles on pourra se référer. Au lieu de citer tous mes devanciers, j'ai préféré ne mentionner souvent qu'E. Lohse (que tous reprennent, avec ou sans variantes) et J. Gnilka, le premier Protestant, le second Catholique, typiques des commentaires *redaktionsgeschichtlich*, excepté pour Col 2, où une documentation renouvelée s'avérait plus que nécessaire.

Les raisons lointaines du commentaire

Si cette étude est dédiée au Père Benoit, c'est que je l'en crois indirectement responsable. J'ai pu apprécier la beauté et la force de cette épître grâce à ses conseils, lors d'une visite à Jérusalem il y a maintenant dix-huit ans! Cette rencontre fut décisive, pour le choix de ma thèse et pour mes recherches ultérieures. Puissent ces pages, malgré leur technicité, souligner une reconnaissance qui est demeurée vive et continue, même si elle mit du temps pour se réaliser...

Rome, janvier 1993, en la conversion de Saint Paul[3]

---

[2] La liste complète des positions prises perd plus le lecteur qu'elle ne l'aide, surtout lorsque les raisons et les critères de leurs choix ne sont pas mentionnés.

[3] Ce commentaire en français sort presque en même temps que l'édition italienne (aux *Dehoniane* de Bologne), avec des différences somme toute mineures.

Au cours des analyses, la grande majorité des commentaires, monographies ou articles sont mentionnés de façon abrégée et en respectant les dates de publication: pour avoir la référence complète, le lecteur devra consulter la bibliographie en fin de volume.

INTRODUCTION

I - PANORAMA HISTORIQUE

1. La ville et les habitants de Colosses

La ville de Colosses, se trouvait dans la vallée du Lycus, au sud de la Phrygie[1], à environ 150 kilomètres à l'est d'Ephèse, capitale de la Province. Aux environs, se trouvaient les villes plus prospères de Laodicée et de Hiérapolis, mentionnées d'ailleurs par l'Auteur de Col (2,1; 4,13.15; 4,16)[2]. On a de bonnes raisons de penser que les trois villes furent détruites par un tremblement de terre en 60-61 de notre ère: dans sa description de la vallée du Lycus, vers 70, Pline ne mentionne pas Colosses[3]. Selon les témoignages de l'époque[4], Hiérapolis fut reconstruite presque aussitôt, mais Colosses semble être longtemps restée un village sans importance[5]. Ce tremblement de terre a été utilisé par la critique en des directions opposées, soit pour prouver l'authenticité de Col, car Paul dut alors l'écrire avant la destruction de la ville, soit pour appuyer son caractère pseudépigraphe, car, si l'on en croit les tenants de cette hypothèse, adresser une lettre, comme si elle venait de Paul, à une communauté déjà disparue - incapable donc de protester contre son inauthenticité -, constitue la meilleure méthode pour accréditer une lettre comme authentique. L'argument du tremblement de terre peut donc se retourner et n'a rien de décisif.

En cette région, il y avait des juifs, descendants des deux mille

---

[1] Située à l'ouest de l'actuelle Turquie, en Asie Mineure.

[2] Laodicée fait aussi partie des Sept Eglises auxquelles est envoyé le livre de l'Apocalypse. Voir Apo 1,11; 3,14-22.

[3] *Hist. Nat.*, 5,105. Lorsqu'il parle de Colosses, c'est en des passages qui ne s'appuient pas sur sa propre visite (cf. par ex. 5,135). Sur le tremblement de terre en question, voir Tacite, *Ann.* 14,27,1.

[4] Tacite, *ibid.*

[5] Comme cité, elle est de nouveau attestée à partir du règne d'Antonius Pius (138-161), du moins sur des monnaies. Cf. Schweizer, «Zur neueren Forschung», 171.

familles qu'Antiochus III avait déplacées de Babylone en Asie Mineure, et aux environs de l'ère chrétienne, leur nombre semble assez élevé[6]. Mais cela ne signifie pas nécessairement qu'il y avait des croyants d'origine juive dans l'Eglise de Colosses, celle du moins à laquelle s'adresse l'épître, et qui, dans l'hypothèse d'une rédaction pseudépigraphe, ne reflète pas nécessairement la communauté contemporaine de Paul. Il n'est pourtant pas impossible que la présence de communautés juives alentour, avec leurs pratiques ascétiques, ni même que l'apocalyptique juive, florissante en Asie mineure à la fin du I° siècle de notre ère, aient eu leur influence sur une jeune Eglise composée en très grande majorité de convertis du paganisme en recherche de pratiques cultuelles les éloignant de leurs anciens rites[7] ou leur ouvrant la porte de la liturgie céleste. Mais il est difficile d'en dire plus.

La présence des religions à mystères semble également attestée en cette région d'Asie aux I-II° siècles de notre ère, et leur influence sur l'Eglise de Colosses a été invoquée, au niveau des rites et des idées, au point que certains y ont vu l'origine de la doctrine combattue par l'auteur de Col. Avec ces deux milieux religieux, le juif et le mystérique, nous entrons déjà dans la question de l'erreur ou de ce qu'il est convenu d'appeler l'*hérésie* de Colosses.

A la différence d'autres épîtres du NT qui nous donnent de nombreuses informations sur la vie des communautés et des problèmes qui furent les leurs, celle aux Colossiens, nous le verrons, ne permet malheureusement pas de se faire une idée précise du milieu socio-culturel et surtout religieux, et pas davantage de l'organisation ou de la vie des communautés de cette région d'Asie. Nous en apprendrons par contre davantage sur l'évolution du discours néotestamentaire, sur les raisons qui ont transformé le vocabulaire et les différents champs de la théologie, avec les conséquences que cela aura par la suite. Notre enquête s'intéressera donc plus à l'histoire des idées qu'à celle de la vie et des institutions ecclésiales, pour les raisons qui viennent d'être rapidement fournies et que le commentaire vérifiera.

---

[6] Information déduite de Cicéron, *Flacc.*, 28,68.

[7] Que la communauté à laquelle s'adresse Col soit majoritairement ou même exclusivement d'anciens païens, on peut le déduire des données mêmes de la lettre, en particulier 1,21.27; 2,11-13.

2. L'erreur de Colosses

Que l'auteur de Col demande à ses destinataires d'éviter une doctrine qu'il appelle «philosophie» (2,8) avec ses pratiques spécifiques (2,16; 2,18.21), tous les lecteurs le savent. Mais lorsqu'on cherche à déterminer les contours de la doctrine combattue, les difficultés commencent: le caractère générique voire elliptique du vocabulaire rend difficile la détermination de l'origine et de la nature de la «philosophie» incriminée.

Les hypothèses ne manquent pas: cf. déjà J.B. Lightfoot, qui, dans son commentaire, fait état des positions exprimées jusqu'à lui[8]; voir encore N. Foerster, *Die Irrlehrer,* J.J. Gunther, *St Paul's Opponents,* qui en relève une bonne cinquantaine d'hypothèses; R. Yates, *Colossians and Gnosis*; T.J. Sappington, *Revelation,* 15-22; R.A. Argall, *Religious Error in Colossae*; R.E. DeMaris, *Reconstruction*; H.W. House, *Heresies.*

La question ne peut vraiment être traitée à fond dans une introduction, car elle suppose effectuée l'exégèse de Col 2,16-23. Une première approche ne peut que relever brièvement les principales positions prises par les exégètes contemporains.

A - Les grandes orientations de la recherche:

Spatialement, on peut, en un diagramme, mettre en relief les grandes positions relatives aux milieux porteurs de l'hérésie: (i) le paganisme, (ii) le judaïsme, (iii) une gnose d'origine chrétienne, (iv) une sorte de syncrétisme ayant son origine en l'un et/ou l'autre des courants précédents:

---

[8] J.B. Lightfoot, «The Colossian Heresy», in *Colossians,* 73-113. Publié également par F.O. Francis - W.A. Meeks, *Conflict at Colossae,* 13-59.

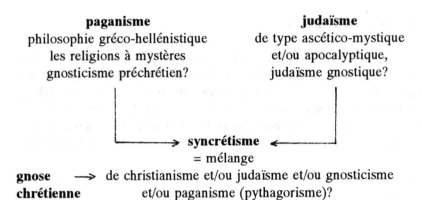

paganisme   **judaïsme**
philosophie gréco-hellénistique   de type ascético-mystique
les religions à mystères   et/ou apocalyptique,
gnosticisme préchrétien?   judaïsme gnostique?

                              syncrétisme
                              = mélange
gnose   ⟶ de christianisme et/ou judaïsme et/ou gnosticisme
chrétienne   et/ou paganisme (pythagorisme)?

Mais les exégètes, soucieux de déterminations directement spécifiques et de classifications *religionsgeschichtlich*, préfèrent parler de gnosticisme, de religions à mystères, etc., sans toujours réaliser que ces catégories sont encore trop génériques et vagues. Les précisions fournies ne suffisent d'ailleurs pas toujours à dissiper les ambiguïtés: quelle différence y a-t-il exactement entre un certain «gnosticisme d'origine juive» et un «judaïsme à tendance gnostique»? Les distinctions donnent souvent l'impression d'être factices et semblent confirmer le dicton «tout est dans tout et réciproquement».

Tenant plus ou moins compte des nuances, regroupons les origines présumées de l'hérésie sous les chefs habituellement utilisés pour les désigner et rien moins que satisfaisants[9]:

1. L'hypothèse gnostique.

L'erreur qui menace les Colossiens serait à la fois gnostique (ou gnosticisante[10]) et juive. Cette hypothèse a d'ailleurs pris deux formes. (a) La première voit dans le judaïsme l'origine du gnosticisme qu'on

---

[9] Mentionnons, hors cadre, la position de M.D. Hooker, «Were there false teachers in Colossae?», selon qui il n'y avait pas de docteurs hérétiques à Colosses.

[10] Le congrès de Messine (1966) a utilement distingué entre gnose et gnosticisme (ce dernier, de l'avis de nombreux spécialistes, ne pouvant avoir d'autre origine que chrétienne). Malheureusement, il est souvent difficile de savoir ce que les exégètes, surtout de langue allemande, mettent exactement sous «gnostique», «gnosticisant».

retrouverait chez les docteurs, qu'ils soient ou non de Colosses[11].
Lightfoot est le premier à avoir systématiquement étudié ces rapports et
relevé les traits qui, en Col, permettent de qualifier l'hérésie de gnostique: le désir de posséder une sagesse supérieure, la spéculation
cosmologique (cf. le terme πλήρωμα), l'insistance sur les êtres ϲélestes
intermédiaires rendant possible le contact de la divinité avec le cosmos,
enfin une forte invitation à l'ascèse pour rejoindre la divinité et échapper
aux forces mauvaises dominant le cosmos. Ces traits gnostiques
cohabitent avec des éléments juifs (l'angélologie, les sabbats, les
néoménies, les fêtes, les pratiques alimentaires) qui renvoient très
vraisemblablement aux communautés des Esséniens[12]. Il est difficile de
savoir comment ces diverses composantes se sont rencontrées: le
gnosticisme aurait-il eu ses racines dans le judaïsme, avant d'émigrer
vers le christianisme au cours du II° siècle? Sur ce point, la réponse de
Lighfoot n'est pas d'une absolue clarté; elle donne néanmoins l'impression de privilégier une origine essénienne sur laquelle se seraient greffés
des éléments gnostiques (mais alors, d'où viennent-ils?).

Le principe du gnosticisme fut repris, avec des variantes plus ou
moins substantielles, par Bornkamm[13], puis dans les commentaires de
C.F.D. Moule, H.M. Carson, R.P. Martin, A. Lindemann, P. Pokorný,
ainsi que les études d'E. Yamauchi[14], E.W. Saunders[15], A. Moyo[16].
(b) D'autres inversent les données du problème: l'erreur se présenterait
comme un début de gnosticisme (enraciné dans le christianisme?) auquel

---

[11] Le texte de Col ne permet pas de déterminer si l'erreur venait de l'intérieur de l'Eglise
locale ou de l'extérieur.

[12] On n'a pas manqué évidemment d'objecter que si l'on a des témoignages sur
l'existence d'Esséniens en plusieurs endroits de Judée, il n'y a rien de tel sur leur
possible migration en Asie Mineure.

[13] Cf. «Häresie».

[14] «Qumran and Colosse». Selon Yamauchi, au niveau des pratiques, l'hérésie de
Colosses ressemble beaucoup à Qumran, mais au niveau des idées, elle s'apparente au
gnosticisme. Il en conclut que la «philosophie» en question représente une étape
intermédiaire entre l'hétérodoxie essénienne et les élaborations de type gnostique.

[15] «The Colossian Heresy and Qumran Theology». Comme Lightfoot, Saunders insiste
sur les affinités de l'hérésie de Colosses avec le milieu essénien.

[16] «The Colossian Heresy».

se seraient agrégées des composantes juives[17].

2. L'origine mystérique

Ceux qui défendent cette thèse s'appuient surtout sur la présence du mot μυστήριον (Col 1,26; 2,2; 4,3) et du verbe ἐμβατεύω (Col 2,18), qui renverraient clairement aux cérémonies d'initiation des religions à mystères, sur d'autres vocables encore[18]. Dibelius fut le premier à défendre cette origine mystérique, plus précisément persane[19]. L'opinion a été reprise par de nombreux exégètes, sous des formes et avec des insistances diverses. Cf. par exemple Lähnemann[20], R.A. Argall[21].

Dans le même sens, mais avec une intégration de nombreuses composantes, signalons ceux qui voient en cette hérésie un type de syncrétisme: Lohse[22], Koester[23], qui préfère appeler les docteurs hérétiques des «syncrétistes judéo-chrétiens». Bornkamm rejoint aussi l'hypothèse du syncrétisme lorsqu'il parle de gnosticisme judaïsant profondément marqué par des idées iraniennes (avec aussi des croyances astrologiques chaldéennes et des pratiques mystériques)[24]. Cette appellation de «syncrétisme» est reprise, avec des différences, énormes d'ailleurs (syncrétisme judéo-essénien, judéo-hellénistique ou païen) dans les commentaires de Conzelmann, Lähnemann, mais aussi les études de

---

[17] Cf. T.H. Olbricht, «Colossians and Gnostic Theology». Si l'on tient compte des recherches contemporaines sur le gnosticisme, cette position est plus mesurée et plus fiable, sans pour autant s'imposer.

[18] Les «éléments du monde» (στοιχεῖα τοῦ κόσμου; Col 2,8.20), les «autorités» (ἐξουσίαι) et les «seigneuries» (ἀρχαί), divinités à se rendre favorables, l'ἀφειδία σώματος, ascétisme nécessaire aux exstases et au périple initiatique.

[19] Idée qu'il publia la première fois en 1917, «Die Isisweihe» (cf. «The Isis Initiation in Apuleius»). L'édition du commentaire Dibelius-Greeven, *Kolosser*, insiste davantage sur les éléments gnostiques.

[20] *Kolosserbrief*, 76-100.

[21] «Error», 6-20.

[22] E. Lohse, *Kolosser*, 186-191, selon qui il existe une différence importante entre l'hérésie de Colosses et le judaïsme, essénien ou non: les pratiques sont en lien avec les anges et les puissances et non avec le Dieu de l'Alliance (p.188).

[23] *Introduction to the New Testament*, Philadelphia 1982, vol.2, 265.

[24] «Häresie».

Schenke[25], Hegermann[26], House[27].

3. Les idées et pratiques juives

C'est autour des années soixante, après la publication des écrits qumraniens, que de nombreuses études ont vu le jour sur la nature juive, de type essénien, de l'hérésie affrontée par les croyants de Colosses. On peut grosso modo diviser ces études en deux familles: (a) Celles qui soulignent l'aspect ascético-mystique de l'erreur: S. Lyonnet[28]; mais surtout F.O. Francis[29], qui s'appuie sur de nombreux textes du judaïsme hellénistique et apocalyptique (Enoch; *TestLévi*; 4Esd; 2Bar; *ApoAbraham*; *Joseph et Aseneth*; les Testaments de Job, d'Isaac, de Jacob; Philon; Tertullien; le *Pasteur* d'Hermas). Selon Francis, le problème à Colosses n'est pas directement christologique, mais concerne plutôt les questions de *pratiques cultuelles et ascétiques*. Ce n'est pas tellement le culte des anges qui menace la foi et la vie de la communauté de Colosses, mais la tendance à vouloir participer au culte céleste des anges à partir de pratiques ascétiques, avec pour conséquence des divisions dans la communauté[30]. Selon d'autres, la doctrine à laquelle Paul s'oppose serait semblable à la foi et la piété des écrits qumraniens[31].

(b) les études, en particulier celles de F.F. Bruce[32], C. Rowland[33], T.J.

---

[25] «Widerstreit».

[26] *Vorstellung vom Schöpfungsmittler.*

[27] «Heresies», 54-59, qui opte pour un syncrétisme, où cohabiteraient traits légalistes juifs et pratiques cultuelles hellénistiques.

[28] «Col 2,18». Tout en montrant l'origine diversifiée (stoïcisme pour πλήρωμα et σῶμα; judaïsme pour ἀρχαί, ἐξουσίαι et ἐμβατεύειν, cf. 2 Mac 2,30) des vocables utilisés pour décrire la philosophie incriminée, Lyonnet pense que le véritable arrière-fond est juif.

[29] «Humility»; Id, «Visionary Discipline».

[30] Voir aussi, avec de légères variations, les études de W. Carr, *Angels*, 66-85; A. Lincoln, *Paradise*, 110-113; C.A. Evans, «Colossian Mystics», 188-205; P. O'Brien, *Colossians*, xxxvi-xxxviii; C. Rowland, «Apocalyptic Visions», 73-83; R. Yates, «Worship», 12-15; J.R. Levison, «Colossians 3:1-6».

[31] W.D. Davies, «Paul and the Dead Sea Scrolls», in Id. (éd.), *Christian Origins and Judaism*, London 1962, 157-159; W. Foerster, «Irrlehrer», 80; P. Benoit, «Qumran», 16-17; N. Kehl, «Erniedrigung». Egalement Yamauchi, déjà mentionné plus haut.

[32] «The Colossian Heresy»; également *Colossians*, 21.

Sappington[34], qui soulignent la parenté de l'erreur qui sévissait à Colosses avec le judaïsme apocalyptique. Sans renier la valeur des recherches effectuées par F.O. Francis et d'autres, qui montrent que les difficultés de Colosses sont liées au rôle des révélations célestes et aux moyens (pratiques ascétiques) de les obtenir, ces auteurs veulent montrer que l'apocalyptique constitue le meilleur arrière-fond de Col (de l'erreur et de la lettre elle-même).

(c) Tout récemment encore, on a soutenu que l'Auteur de Col ne s'opposerait pas à une hérésie de la communauté colossienne, mais mettrait en garde cette jeune Eglise contre les avances et les séductions de la Synagogue, qui avaient eu de si funestes effets en Galatie[35].

(d) Selon d'autres enfin, les éléments juifs de l'enseignement auquel Col 2 s'oppose montrent que les doctrines juives circulaient, mais cela ne suffit pas pour reconstruire exactement le milieu de vie de l'hérésie: missionnaires judaïsants, communauté judéo-chrétienne fixe, etc.? Impossible de le dire[36].

4. Une hypothèse moins diffusée: la philosophie hellénistique. E. Percy[37], E. Schweizer[38], R.E. DeMaris[39]. Selon ces deux derniers auteurs, les spéculations du Moyen Platonisme sur les δαίμονες, en particulier pour les rapports entre les dieux et les hommes (connaissance, exécution des ordres, des punitions, etc.)[40], constitueraient une clé pour interpréter Col 2.

---

[33] «Apocalyptic Visions».

[34] Revelation.

[35] N.T. Wright, «Colossians 1.15-20», 463-464. Mais les différences sont de taille: le mot νόμος n'apparaît pas en Col, et l'on voit mal la Synagogue proposer des pratiques ascétiques sans exiger en même temps la totalité des commandements de la Loi mosaïque.

[36] Position de P. Trebilco, Jewish Communities in Asia Minor, Cambridge 1991.

[37] Die Probleme, 141-142.

[38] «Elemente der Welt», 153-155; Kolosser, 101-102. Selon Schweizer, il s'agirait d'une forme de pythagorisme judaïsé: l'élément juif rend compte de Col 2,16, mais l'erreur de Colosses est foncièrement d'origine païenne.

[39] Reconstruction, 120-163, qui opte pour une tradition platonicienne, plus précisément pour le Moyen Platonisme, lequel inclut des éléments néo-pythagoriciens.

[40] DeMaris, Reconstruction, 128-133.

B - Méthode pour déterminer l'erreur de Colosses.

Le spectre des hypothèses exégétiques invite à la plus grande prudence lorsqu'on veut déterminer l'erreur de Colosses. Il faut d'abord distinguer entre la façon dont l'erreur est stigmatisée par l'Auteur de Col, qui en souligne les conséquences christologiques et sotériologiques et la compréhension qu'en avaient les «hérétiques» (voire les chrétiens) de Colosses, qui ne percevaient certainement pas les enjeux christologiques et donc sotériologiques de l'importance donnée aux puissances supérieures ou célestes et aux pratiques ascétiques qu'ils prônaient? Les insistances de Col ne reflètent donc pas nécessairement celles des docteurs et l'on ne doit pas oublier ce point lorsqu'on affronte la question de la nature de la doctrine que vise la lettre.

Au niveau méthodologique, il faut évidemment tenir compte du vocabulaire (par exemple celui de la connaissance), des affirmations de l'Apôtre en Col 2,6-23, directement polémiques et susceptibles de mieux refléter les problèmes de Colosses[41], mais aussi et surtout de son argumentation: comment repérer les erreurs qu'il combat tant qu'on ne sait pas ce qu'il veut lui-même montrer et comment il le montre[42]? C'est aussi à partir des techniques argumentatives qu'on doit interpréter les affirmations polémiques, qui peuvent certes constituer un point de départ pour caractériser l'erreur de Colosses, mais tout aussi bien venir de l'Apôtre, qui invente parfois des affirmations fausses à des fins pédagogiques (pour prévenir les fausses conclusions de ses correspondants), comme le montre à l'envi l'épître aux Romains: ainsi, de Rm 11,18ss, on ne peut immédiatement conclure que les membres de la communauté romaine convertis du paganisme méprisaient les membres d'origine juive, car le style diatribique n'implique pas nécessairement une

---

[41] En particulier Col 2,16.18.21.23. Ce choix est, entre autres, celui de Sappington, *Revelation*, 144-147.

[42] Je me permets de renvoyer à mon article «La *dispositio* rhétorique dans les épîtres pauliniennes. Propositions de méthode», *NTS* 38 (1992), 385-401, où je montre que la première étape pour approcher l'arrière-fond ecclésial commence par l'étude attentive de la *dispositio*, laquelle permet d'éviter certaines déconvenues et reconstructions fantaisistes. Voir également, dans le même sens, A. Pitta, *Galati*, 62-64.

telle situation[43]. Bref, pour éviter toute conclusion hâtive, l'hypothèse de la *mirror reading* suppose un détour par les mécanismes rhétoriques du texte de Col.

Peut-être même faudra-t-il aller jusqu'à reconnaître non pas l'impossibilité, mais l'inutilité d'une détermination précise de l'erreur. Si tous les mots qui y font allusion ne renvoient pas au même milieu religieux (ce qui explique le succès qu'a connu l'hypothèse du syncrétisme), cela ne vient-il pas de ce que l'Auteur de Col ne vise pas un seul milieu, mais plusieurs, aux pratiques toutes dangereuses pour la foi en Christ et que, pour cette raison il stigmatise dans une même argumentation, sans les nommer ni les désigner nettement, faisant même tout pour que le champ évoqué soit le plus large possible. Mais nous reviendrons sur ce point délicat.

3. La réception de Colossiens au cours des premiers siècles

Dès les Pères Apostoliques, l'hymne christologique de l'épître semble être connu et implicitement cité:
- Ignace d'Antioche, *Tralliens*, 5,2; *Romains* 5,3; *Smyrniotes* 6,1;
- *L'épître de Barnabé*, 12,7c: citation exacte, mais implicite, de Col 1,16 (πάντα ἐν αὐτῷ καὶ δι'αὐτοῦ).

A la suite des Pères Apostoliques, les Apologètes semblent aussi reprendre l'hymne:
- Justin, *Dialogue*: emprunte le titre «premier-né de toute créature» en 84,2; 85,2; 135,3; 138,2. Et il cite (sans dire que cela vient de Colossiens) Col 1,15-17 en 100,2.
- Irénée de Lyon.
Dans l'*adversus haereses*,[44] quelques citations explicites de Col 1,21-22 en V,14,2; de Col 2,11 en IV,16,1; de Col 3,5.9 en V,12,3; de Col 4,14 en III,14,1.[45] On rencontre également des allusions claires à Col 1,15

---

[43] Cf. Aletti, *Comment Dieu est-il juste?*, 191-193.

[44] En I,27,2, Irénée reconnaît explicitement Col comme une des lettres de Paul.

[45] Ce passage de l'*adv. haereses* mérite notre attention, car il suppose déjà une réflexion sur le rapport entre livres du NT et sur leur unité: Irénée prend appui sur la mention de Luc en Col pour montrer que le Luc à qui l'on attribuait déjà à cette époque un des évangiles était un étroit collabo-

en III,16,3 et IV,21,3; à Col 1,16 en I,4,5 et III,8,3; à Col 1,18 en III,15,3; 16,3; 19,3; IV,2,4 et 24,1; à Col 2,9 en I,3,4; à Col 2,14 en V,17,3; à Col 2,19 en V,14,4; à Col 3,9-10 en V,12,4.

Dans la *demonstratio*, on relève aussi quelques allusions à Col 1,15 en 22 et 40; à Col 1,18 en 38.

Pères de la fin du II° et de la première moitié du III° siècle:
- Clément d'Alexandrie, *Ext. Théodote*: 19,4 reprend explicitement Col 1,15.16; et 13,4 fait allusion à Col 1,24.
- Hippolyte de Rome. En quelques fragments de lettres, fait allusion à Col 1,18: *PG* X, 869. Mais surtout dans l'*Elenchos* (de toutes les hérésies), il répète plusieurs fois textuellement Col 1,19 (cf. V,12,5; VIII,13,2); il y a également une claire allusion à Col 2,9 en X,10,4.

Bref, en des situations polémiques, les premiers Pères ont surtout retenu les titres christologiques notifiant la primauté du Christ. Ainsi, c'est pour sa christologie de la préexistence et de la Seigneurie que Col a d'abord été retenue et citée.

Parmi les beaux commentaires de la fin du IV°, signalons les homélies de Jean Chrysostome et de Théodore de Mopsueste.[46]

II - LE TEXTE ET SES PROBLEMES

1. Le texte

Le premier témoin de Col que nous ayons actuellement est le papyrus Chester Beatty p[46], dont la date remonte, selon certains, au début du II°. Quant aux parchemins (manuscrits en onciales), les plus anciens sont le Sinaïticus (S) et le Vaticanus (B), du IV°, tous deux de la famille alexandrine; le Codex Bezae (D), plus récent (VI°), est le plus fameux représentant de la famille occidentale. Viennent ensuite les onciaux de la famille byzantine, dont le plus ancien (IX°) semble être le Codex K.

Le texte est bien attesté en toutes les familles. Certes, comme

---

rateur de Paul.

[46] De ce dernier, seuls quelques fragments grecs demeurent; la version latine reste le seul texte complet que nous ayons de son commentaire sur Col. Pour une liste quasiment exhaustive des commentaires de Col, voir J. Gnilka, *Kolosserbrief*, ix-xii.

pour la plupart des livres bibliques, les variantes sont assez nombreuses, mais il y en a très peu de significatives pour l'interprétation: nous les signalerons lors de l'exégèse des versets.

2. Colossiens et les lettres pauliniennes authentiques

Jusqu'au XIX° siècle, l'origine paulinienne de Colossiens n'a jamais été mise en doute. Il a fallu attendre la critique allemande[47] La question des rapports se pose à plusieurs niveaux: lexicographique, stylistique et théologique[48]. Qu'il y ait des points communs et même des parallèles entre Col et les Homologoumena, nul ne peut le nier, mais l'important est d'en déterminer le sens, autrement dit la fonction, dont les hypothèses relatives à l'authenticité de Col doivent tenir compte, sous peine de perdre leur fiabilité[49].

* La question du rapport de Col aux lettres pauliniennes vient d'abord de l'onomastique et du schéma global de l'épître. (i) Le nom de Paul y est plusieurs fois répété, de l'adresse au salut final, avec d'autres noms, déjà mentionnés dans les Homologoumena[50]. Comme tels ces noms ne favorisent ni l'authenticité ni son contraire: à ce niveau, les arguments peuvent se retourner facilement. (ii) Quant à sa composition, Col a de nombreux points communs avec les autres lettres pauliniennes: adresse, mention d'action de grâces et d'intercession, réflexion théologique, exhortations morales, nouvelles diverses et salut final.

* Sur quelques points jugés mineurs par les uns et majeurs par les autres, la construction des phrases et le style diffèrent[51]. Les oppositions en

---

[47] Le premier, semble-t-il, à la suspecter fut Mayerhoff. Cf. l'état de la question en P. Benoit, «Colossiens», 165-166.

[48] Voir le commentaire de Lohse, *Kolosser*, 133-140 ainsi que les études de E.P. Sanders, «Literary Dependence», et Bujard, *Stilanalytische Untersuchungen*.

[49] Pour une vue synoptique d'ensemble, voir le tableau en fin de volume, p.290.

[50] Paul: 1,1.23; 4,18; Timothée 1,1; Aristarche 4,10; cf. Phm 24; Marc 4,10; cf. Phm 24; Epaphras 1,7; 4,12; cf. Phm 23; Luc 4,14; cf. Phm 24; Dèmas 4,14; cf. Phm 24 (également 2Tm 4,10, mais est-ce le même?); Archippe 4,17; cf. Phm 2. Mais le nom de Tychique ne figure que dans les Antilegomena (Col 4,7; Ep 6,21) et les Pastorales (2Tm 4,12; Tt 3,12).

[51] Il va sans dire que les comparaisons entre livres, de l'Ancien ou du Nouveau Testament, ne peuvent se faire qu'en fonction du total respectif des mots (les problèmes textuels compliquent encore les données): dix occurrences d'une particule en Rm (plus

μὲν...δέ, μὲν... ἀλλά (ou encore μὲν...γὰρ/οὖν...) ont disparu: Col utilise une fois μέν, et seul, en 2,23. De même, peu nombreux sont les δέ adversatifs[52], alors que la proportion des καί est plus forte[53]. Comparée à celle des Homologoumena, le pourcentage des conjonctions finales est également supérieur[54], mais celui des autres conjonctions inférieur. Il y a peu d'infinitifs[55] et ils ne vont jamais par paires, ni ne sont précédés, comme souvent dans les Homologoumena d'une préposition avec l'article[56]. Mais ce qui frappe surtout c'est le grand nombre de participes et de propositions relatives[57], dont la mise en série presque continuelle rend l'une ou l'autre fois ambigu le sens et plus difficile le travail de l'interprète[58]. Les πολλῷ/πόσῳ μᾶλλον, les μὴ γένοιτο, ἄρα οὖν et autres expressions viennent à manquer, ainsi que certains types de raisonnement: entre autres ceux par comparaison[59], para-doxysme[60] et exagération[61], enfin les passages diatribiques et les midrashim des grandes lettres. Col utilise en revanche proportionnelle-ment plus d'adjectifs[62], de syntagmes prépositionnels[63]; la présence

de 7000 mots) n'auront pas la même signification que dix occurrences de la même particule en Col (environ 1575 mots, comme Ph). Il s'agit toujours de *proportions*, évidemment.

[52] Col 1,22.26; 2,17; 3,8. Le dernier δέ, en 3,14, n'a pas cette nuance, semble-t-il.

[53] Tout comme en Ph, on compte 107 καί en Col.

[54] Finales conjonctives Col 1,9.18.28; 2,2.4; 3,21; 4,3.4.8.12.16.17; à l'infinitif: 1,10.22.25; 4,3.

[55] Col 1,10.19.20.22.25.27; 2,1; 4,3.4.6. Ce qui veut dire 0,6% du texte, le plus faible des épîtres pauliniennes.

[56] Cf., par ex., Rm 1,11.20; 3,26; 4,11.16.18; 6,12; 7,4, etc.

[57] Les relatives (au nombre de 42) forment 2,6% du texte, et les participes (73) 4,6%, beaucoup précédés d'un article. Noter l'attraction du pronom relatif en 1,6.9.23 et 1,27 (τοῦ μυστηρίου... ὅ ἐστιν χριστός).

[58] Cas typique, Col 2,12, où le ἐν ᾧ peut renvoyer au Christ ou au baptême.

[59] Cf. la *synkrisis* de la rhétorique ancienne, dont les exemples pauliniens les plus fameux sont Rm 5,12-19; 2Co 3,5-11; Ga 4,21-31.

[60] Cf. quelques paradoxes bien connus: Rm 2,21; 3,27; 5,20; 6,18; 9,30-31; 11,32; 1Co 1,20-25; 3,18; 5,6; 9,19; 9,9-10; 1Co 10,12; 2Co 5,14.21; 8,9; 12,10; Ga 2,19; 4,21; 5,9.

[61] Ne pas oublier que l'*auxèsis* est une technique rhétorique.

[62] Noter surtout le nombre impressionnant d'occurrences de l'adjectif πᾶς (avec ou sans article).

d'appositions[64], les répétitions de mots de même racine[65], l'accumulation des synonymes et des génitifs donnent par ailleurs une nette redondance au rythme phrastique[66].

* Quant aux thèmes, plusieurs ont des accents nettement pauliniens[67], tels ceux de l'héritage[68], de la délivrance et de la rédemption[69], de l'opposition entre deux règnes, avec le transfert des croyants de l'un à l'autre[70], de l'être-avec-Christ des croyants[71]. Malgré tout, les différences ne manquent pas. Le terme πνεῦμα (Esprit) n'apparaît qu'une seule fois (Col 1,8); la racine δικ- (justice, justification, etc.) est pratiquement

---

[63] Cf. surtout les ἐν χριστῷ, ἐν κυρίῳ, repris par les relatives ἐν ᾧ, également les ἐν αὐτῷ.

[64] Cf. Col 1,14 «en qui nous avons la rédemption, la rémission des péchés»; 1,18 «la tête de son corps, l'Eglise»; 1,27 «Christ parmi vous, l'espérance de la gloire»; 1,25-26 «la parole de Dieu, le mystère caché...»; 2,8 «selon une tradition humaine, (autrement dit) selon les éléments du monde»; 2,11 «dans le dépouillement de votre corps de chair, (c'est-à-dire) dans la circoncision du Christ».

[65] Par ex. ἐν πάσῃ δυνάμει δυναμούμενοι (1,11); même jeu de mots en 1,29; 2,11.19. Cette figure existe déjà dans les homologoumena: 1Co 7,20; 10,16; 11,2; 15,1; 16,10; 2Co 1,4; 7,7; 8,24; 11,2; Ga 1,11; 5,1; 1Th 3,9. Cf. Bujard, *Stilanalytische Untersuchungen*, 157.

[66] Ce que Bujard, *Stilanalytische Untersuchungen*, 146 appelle «style plérophorique», spécialement dans les deux premiers chapitres. Il ne recense pas moins de 28 répétitions: d'adjectifs, comme en 1,2 «saints et fidèles» (également, par ex., 1,22; 3,12; 4,9; etc.); de participes, comme en 1,6 «portant-du-fruit et croissant» (voir aussi 1,9.10; etc.); de substantifs, comme en 1,9 «en toute sagesse et intelligence spirituelle» (de même en 1,11; 1,16; 1,26; 2,3; etc.). Les doubles génitifs sont proportionnellement plus nombreux en Col (cf. 1,5.13.27; 2,2.11) que dans les Homologoumena (Rm 2,5; 4,11; 5,17; 8,2; 11,17; 1Co 2,6; 2Co 4,4.6).

[67] Voir, par exemple, l'excursus 1 (pp.211-213), où l'on trouvera formulées nos conclusions.

[68] Illustré par les termes κληρονομία, Col 3,24 et κλῆρος 1,12.

[69] Cf. le verbe «arracher», «délivrer» de Col 1,13; 1Th 1,10; Rm 7,24; 11,26; 15,31; 2Co 1,10. Pour la rédemption (ἀπολύτρωσις; Col 1,14; Rm 3,24; 8,23; 1Co 1,30; repris en Eph 1,7.14; 4,30). Pour la façon dont ces thèmes sont traités en Col, voir l'exégèse des versets.

[70] Règne des ténèbres ou du mal opposé à celui de la lumière ou du bien: 1Th 5,4-5; Rm 13,12; 2 Co 6,14; repris en Eph 5,8.11.

[71] Col 2,12-13; Rm 6,4-5; Ga 2,19-20; etc.

absente[72], ainsi que le thème de la filiation des croyants (υἱοθεσία, l'être υἱοί ou τέκνα de Dieu). De même, la christologie et l'eschatologie de Col vont au-delà de celles des Homologoumena. Pour la première fois, Christ se trouve nommé la tête du Corps, qui est l'Eglise; pour la première fois encore, on dit avec autant de netteté que «par lui tous les êtres furent créés» (Col 1,16)[73], que «par lui et pour lui tous les êtres célestes (y compris les puissances angéliques) et terrestres furent réconciliés» (Col 1,20), que l'Evangile du Christ est *mystèrion* (Col 1,27). Mêmes accents nouveaux dans l'eschatologie de Col: Dieu n'a pas seulement enseveli les croyants avec Christ (Rm 6,4), Il les a déjà ressuscités et mis aux cieux avec lui (Col 3,1-4). Pareille évolution ne s'explique pas nécessairement en recourant à la pseudépigraphie: avant de déclarer Col deutéro-paulinienne, il importe de considérer les raisons logiques, liées au projet de l'épître et à ses nécessités internes.

Voir, en fin de volume, l'index où sont signalés les mots propres à Col et ceux que la lettre a en commun avec les Homologouma.

3. Colossiens et Ephésiens

Entre les deux épîtres, les correspondances sont nombreuses, qu'il s'agisse de mots, d'expressions, de phrases ou d'ensembles plus importants[74]. Les ressemblances les plus significatives seront signalées au cours des analyses.

Parmi les thèmes communs - mais pas nécessairement traités de la même manière - aux deux épîtres, voici les plus en vue:
- le *mystèrion* (Col 1,26.27; 2,2; 4,3; Eph 1,9; 3,3.4.9; 5,32; 6,19);
- la session du Christ à la droite de Dieu (Col 3,1; Eph 1,20), et les

---

[72] Seule exception, l'adjectif δίκαιος en Col 4,1.

[73] La formule brève de 1Co 8,6 (δι'οὗ τὰ πάντα) visait déjà la même médiation créatrice (et pas seulement rédemptrice, comme on l'a prétendu).

[74] Plus d'un tiers des mots de Col apparaît en Eph. Cf. Penna, *Efesini*, 37-40, qui reprend C.L. Mitton, *The Epistle to the Ephesians: Its Authorship, Origin and Purpose*, Oxford 1951, 57. En deux articles consacrés aux rapports entre Col et Eph («Paulinische Theologie in der Rezeption des Kolosser- und Epheserbriefes» et «Eph 4,1-5,20 als Rezeption von Kol 3,1-17»), H. Merklein signale les deux principaux ensembles de correspondances: Col 1,15-23 // Eph 2,11-22, et Col 3,1-17 // Eph 4,1-5,20.

croyants ressuscités avec lui (Col 2,12; 3,1; Eph 2,5-6);
- le Christ tête de l'Eglise (Col 1,18.19; Eph 1,22; 4,15; 5,23); l'Eglise Corps du Christ (Col 1,18.24; 2,19; Eph 1,23; 4.12.16; 5,23.30);
- la pacification par le sang du Christ (Col 1,20; Eph 2,14-15); le thème du plérôme (Col 1,19; 2,9; Eph 1,10; 1,23; 4,13);
- l'opposition entre l'avant de la conversion et le maintenant de la vie en Christ (Col 1,21-22; 3,7-8; Eph 2,1-3; 2,11-13);
- les codes domestiques (Col 3,18-4,1; Eph 5,22-6,9);
- l'insistance sur la connaissance et la sagesse des croyants (Col 1,9.10.27; 2,8; 3,10.16a; Eph 1,8-9.17-18; 3,18-19; 4,14-15.17.23; 5,17);
- une tendance à l'hymnologie (Col 1,15-20; 2,13b-15; Eph 1,3-14; 3,14-21);
- l'invitation à prier continuellement (Col 1,12; 2,7; 3,15.16; 4,2-4; Eph 5,19-20; 6,18-20).

Les exégètes ont déjà mis en relief deux tendances notables en Ephésiens, pour qu'il faille y insister outre mesure:
(1) l'Auteur d'Ep combine quelques thèmes séparés en Col (ce que certains exégètes ont appelé le phénomène de conflation)[75]. Par exemple,

Col 1,14.20 <=> Ep 1,7 (rédemption / par son sang)
Col 1,4.9 <=> Ep 1,15-16 (progrès / Action de grâce)
Col 2,2.19 <=> Ep 4,16 (unité, croissance / dans l'agapè)

(2) l'Auteur développe des thèmes à peine mentionnés en Col:

Col 1,20 <=> Ep 2,11-22 (paix par Christ)
Col 3,5-8 <=> Ep 5,3-14 (conduite hier/aujourd'hui)
Col 3,18-21 <=> Ep 5,22-33 (rapports entre époux)

De ces nombreux rapports, d'où ne sont pas absentes les différences lexicales et conceptuelles, des conclusions divergentes ont été tirées sur l'histoire de la rédaction des deux épîtres:
(a) Pour de nombreux commentateurs, il ne fait aucun doute que la parenté littéraire va de Colossiens vers Ephésiens, autrement dit qu'Ephésiens dépend de Colossiens et lui est donc postérieure[76].

---

[75] Cf. Mitton, *Ephesians*, 63-67.

[76] Cf. par ex. H. Merklein, «Paulinische Theologie in der Rezeption des Kolosser- und Epheserbriefes»; Id., «Eph 4,1-5,20 als Rezeption von Kol 3,1-17». Voir également les récents commentaires de R. Penna et M. Bouttier sur Ephésiens, qui fournissent un bon

(b) Les deux épîtres n'entretiennent aucune relation directe, mais reflètent une source commune dont elles dépendent directement (tout comme Mt et Lc dépendent de Q, dans la théorie des *Deux Sources*).

(c) Les deux épîtres auraient été dictées en même temps et les différences seraient dues à la nécessité d'adapter le message selon les communautés et viendraient de disciples ou collaborateurs de Paul.[77].

(d) Colossiens dépendrait en partie d'Ephésiens, qu'elle imiterait, dans le style et le traitement des grands thèmes[78].

Une réponse fondée suppose terminée l'analyse détaillée de toutes les unités littéraires. Nous reviendrons donc, en fin de commentaire, sur cette question des relations entre Colossiens et Ephésiens.

4. Vers la question de l'auteur

Percy[79] n'est certes pas le premier à avoir étudié systématiquement la question de l'authenticité de Colossiens[80]. Mais le sérieux de ses analyses et ses résultats ont longtemps influencé les études subséquentes, sans pour autant faire cesser les discussions, qui restent vives et contrastées. Mais, au-delà des positions, c'est tout le problème des critères - qui peuvent souvent être retournés - et de leur hiérarchie qu'il convient de reprendre pour faire avancer la recherche; les apports au débat ne peuvent évidemment être fournis qu'à la fin des analyses.

état de la question.

[77] Hypothèse proposée il y a déjà longtemps par M. Goguel, «Esquisse d'une solution nouvelle du problème de l'épître aux Ephésiens», *RHR* 111 (1935), 254-234, et *RHR* 112 (1935), 73-99.

[78] Solution déjà proposée au siècle dernier par E.Th. Mayerhoff, dans son commentaire paru en 1838, *Der Brief an di Kolosser*. Selon cet auteur, Col utilise certains thèmes d'Eph dans sa polémique contre les idées du gnostique Cérinthe, qui, selon la tradition (Irénée, *adversus Haereses*, III,4,4) enseigna à Ephèse. Notons aussi, en 1872, l'hypothèse de H.J. Holtzmann, *Kritik der Epheser- und Kolosserbriefe*, selon qui, dans son état actuel, Col serait la réédition d'un billet antérieur, par l'auteur d'Eph. Sa position fut peu suivie. Voir cependant F.C. Synge, *St Paul's Epistle to the Ephesians*, London 1941, et par Ch. Masson, *L'Epître de St Paul aux Ephésiens*, Neuchâtel 1951.

[79] *Probleme*. Cet Auteur en était arrivé à la conclusion que les différences existant entre Col et les épîtres considérées unanimement comme pauliniennes (et appelées pour cette raison «Homologoumena») ne suffisaient pas pour rejeter la paternité paulinienne de Col.

[80] Cf. Holtzmann, déjà cité.

Qu'il suffise, dans un premier temps, de présenter quelques-unes des positions.

A - Le style, la syntaxe, l'argumentation:

Les études exhaustives de Bujard et Kiley[81] ont évidemment beaucoup fait pour créer, parmi les exégètes, un courant d'opinion toujours plus favorable à la pseudépigraphie de Col.

Malgré tout, en cette matière, les arguments ne sont jamais définitifs, et nombreux sont encore ceux qui optent pour l'authenticité, en rappelant:

1. que l'argument stylistique ne tient pas assez compte de l'histoire de la rédaction. Les différences entre Col et les Homologoumena peuvent d'abord venir de ce que le rédacteur fait davantage usage d'un matériau traditionnel, en particulier dans les passages de facture hymnique (1,12-20; 2,13-15)[82]; ou encore des changements normaux de style qui viennent avec l'âge: la phraséologie des derniers écrits de Platon est plus ramassée et difficile que celle des premiers; pourquoi n'en serait-il pas de même avec Paul? Les ellipses, mais aussi les répétitions de mots et de syntagmes ne deviennent-elles pas (plus) fréquentes avec l'âge?

2. que la finale (4,18) semble indiquer un type de rédaction par secrétaire interposé: les grandes lignes de l'argumentation et l'articulation des thèmes, qui sont de Paul, ont été mis en forme littérairement par un secrétaire, Timothée (cf. Col 1,1) ou un autre, ce qui expliquerait les différences de vocabulaire et de style avec les précédents écrits de l'Apôtre[83].

3. que les techniques rhétoriques de persuasion sont typiquement pauliniennes. Ecrivant à une Eglise qu'il n'a pas fondée et n'a jamais visitée, l'Auteur réagit comme seul l'Apôtre des Nations et nul autre que lui pourrait le faire. Nous verrons d'autre part que les différences rhétoriques - au niveau des arguments et des techniques - viennent

---

[81] W. Bujard, *Stylanalytische Untersuchungen*; M.C. Kiley, *Colossians as Pseudepigraphy*.

[82] Cf. G.E. Cannon, *The Use of Traditional Materials in Colossians*.

[83] Hypothèse de Schweizer, en «Colossians - Neither Pauline nor Post-Pauline?» Il faut cependant distinguer entre secrétaire et tachygraphe (le copiste à qui un texte était dicté): s'il s'agit d'un secrétaire, il a dû être proche de Paul, familier avec sa pensée et son style, et a en tout cas articulé avec son propre génie littéraire et théologique les idées de l'Apôtre.

principalement de la nature même de la lettre: plus que d'argumentation serrée, biblique ou autre, Col se propose avant tout de faire entrer ses destinataires dans la connaissance du *mystèrion*. Ainsi, avant de raisonner en termes d'authenticité, il importe d'examiner les contraintes du discours et les particularités qui en découlent.

Au demeurant, en ces questions d'authenticité, on n'arrive jamais qu'à des présomptions fortes. Si l'on tient compte de la façon dont étaient dictées et rédigées les lettres à l'époque, une certaine flexibilité est requise, et l'authenticité ne doit en aucun cas être comprise selon les critères de notre siècle. Car il est fort probable qu'avant leur rédaction, dictés ou non, les Homologoumena eux-mêmes ont fait l'objet de discussions et de dialogues entre Paul et ses collaborateurs - les passages diatribiques pourraient même refléter les arguments et les objections qui étaient faites par l'un ou l'autre membre du groupe. Voilà pourquoi certains exégètes pensent que Timothée serait le rédacteur de Col, avant la mort de Paul - ce dernier n'aurait alors fait que mettre sa signature (Col 4,17) en signe d'accord complet - ou après sa mort, et dans ce cas, les continuités et discontinuités s'expliquent au mieux[84]. Ceux, assez nombreux, qui, pour la rédaction de Col, parlent d'école paulinienne (analogue à l'école johannique) semblent assez justement tenir compte de cette élaboration collective, laquelle aurait pu se poursuivre après la mort de l'Apôtre, donnant ainsi le jour à Col et à Eph[85].

B - Les thèmes:

Contre l'authenticité, de nombreux exégètes font valoir les différences thématiques importantes, que nous avons relevées plus haut, existant entre les Homologoumena et Col, aux niveaux christologique, ecclésiologique, eschatologique et sotériologique[86].

---

[84] Voir Schweizer, *Kolosser*, 26-27; Ollrog, *Paulus und seine Mitarbeiter*, 226, selon qui, les passages en «nous», proportionnellement plus nombreux en Col que dans les autres lettres pauliniennes, constituent un argument supplémentaire en faveur de cette solution. Lähnemann, *Kolosserbrief*, 181-182, parle aussi d'Epaphras comme éditeur possible.

[85] Sur les écoles philosophiques et théologiques dans l'Antiquité, voir R.A. Culpepper, *The Johannine School. An Evaluation of the Johannine-School Hypothesis on an Investigation of the Nature of Ancient Schools*, Missoula 1975, surtout 258-260.

[86] Ces écarts ont été bien décrits par Bornkamm, «Die Hoffnung im Kolosserbrief», et Lohse, «Pauline Theology in the Letter to the Colossians»; les études récentes (Kiley, Lona, par ex.), n'ajoutent que peu d'éléments au débat.

En faveur de l'authenticité, les exégètes ne manquent pas, même s'ils sont moins nombreux. Leur argument est souvent de convenance: pourquoi interdire à Paul d'évoluer dans sa façon de traiter les questions, parce que la situation ecclésiale a elle-même évolué et qu'elle exige des catégories et des concepts nouveaux[87]. Il importera donc de voir si les orientations théologiques fondamentales de Paul restent les mêmes, de peser l'importance, la nature et les raisons des changements opérés, en particulier pour le *mystèrion* et l'eschatologie de Col, massivement «réalisée», du moins à première vue. Mais, si les questions d'authenticité restent aussi âpres, c'est surtout pour les conséquences qu'on en tire: est-il concevable que l'Eglise ait à ce point erré pour accepter dans le canon, l'écrit d'un faux-Paul, d'un imposteur donc? Col serait ainsi entrée dans le corpus néotestamentaire grâce à l'ignorance des générations post-apostoliques. Le refus de la pseudépigraphie vient souvent de ces peurs inavouées. Il a fallu d'ailleurs bien du temps pour que l'exégèse retrouve des vertus cachées à la pseudépigraphie vétéro- et néotestamentaire. Les mentionner ici constitue plus qu'un devoir, tant les préjugés ont la vie dure[88]. Mais que l'épître soit ou non de Paul, importe moins que de déterminer sa raison d'être: quels problèmes ont rendu nécessaire un tel écrit?

D'ailleurs, les exégètes qui tiennent Col pour un écrit pseudépigraphe n'entendent aucunement nier son caractère inspiré. Très tôt attestée parmi les lettres pauliniennes, l'épître est un des écrits dont la canonicité n'a pratiquement jamais fait problème.

5. La date de rédaction de Colossiens

Ceux qui optent pour l'authenticité indiquent une date antérieure au tremblement de terre; le terminus ad quem de la rédaction de Col

---

[87] Cf. L. Cerfaux, «En faveur de l'authenticité des épîtres de la captivité»; C.H. Buck et G. Taylor, *St Paul: A Study of the Development of his Thought.*

[88] Sur les problèmes de pseudépigraphie (terminologie, phénomène dans l'antiquité, fonction), voir K.M. Fischer, «Anmerkungen zur Pseudepigraphie im Neuen Testament», *NTS* 23 (1976/77), 76-81; R. Penna, «Anonimia e Pseudografia nel N.T. Comparatismo e ragioni di una prassi letteraria», *RivB* 33 (1985), 319-344; D.G. Meade, *Pseudonimity and Canon. An Investigation into the Relationship of Autorship and Authority in Jewish and Earliest Christian Tradition*, Grand Rapids 1986; L.R. Donelson, *Pseudepigraphy and Ethical Argument in the Pastoral Epistles*, Göttingen 1986.

serait alors 61-62.

Dans l'hypothèse inverse, celle de la pseudépigraphie, plusieurs dates ont été proposées. Certains pensent que la lettre a été rédigée avant 70, c'est-à-dire avant la destruction de Jérusalem.

III - DU BON USAGE DE CE COMMENTAIRE

Pour chaque section et sous-section, le développement comprendra les étapes suivantes:

- une traduction aussi proche que possible du grec; lorsque, pour des raisons d'intelligibilité, il n'a pas été possible de suivre exactement le grec, les mots sont mis entre astéristiques et font l'objet, en note, d'une traduction plus littérale. Le lecteur peu familier avec la langue grecque pourra ainsi immédiatement se rendre compte des problèmes posés par le texte et des traductions différentes qui ont été proposées par les Bibles ou les commentaires;
- une brève bibliographie spécifique (monographies et articles relatifs à la section);
- une indication de la composition, suivie d'une analyse synchronique globale, avec, s'il y a lieu, une indication des techniques rhétoriques, pour souligner les grandes articulations du passage et leur progression;
- une exégèse des détails, verset par verset; c'est dans ce paragraphe que l'on aborde les questions relatives à l'établissement du texte grec (divergences entre les témoins), lorsque les différences ont leur importance pour l'interprétation du passage;
- chaque fois que c'est nécessaire, une reprise des grands thèmes théologiques de la section, leur rapport aux Homologoumena et les modifications apportées par Colossiens (aspect diachronique), avec les implications que cela a pour l'interprétation.

LA COMPOSITION DE COLOSSIENS

Bibliographie.

Outre les commentaires, voir P. Lamarche, «Structure de l'épître aux Colossiens»; L. Ramoroson, «Structure de Colossiens 1,3 - 3,4»; P.S. Cameron, «The Structure of Ephesians», in *Filologia Neotestamentaria* 3 (1990) 3-17.

1° DIVISIONS BASÉES SUR DES CRITÈRES THÉMATIQUES[1]

Ce sont les divisions les plus fragiles, car elles buttent sur deux difficultés propres à Colossiens, à savoir les apparentes répétitions constituées par 2,1-5 et 3,1-4 par rapport à ce qui les précède: quel est le rapport entre 1,24-29 et 2,1-5 d'une part, entre 2,20-23 et 3,1-4 d'autre part? faut-il séparer ces petites unités ou au contraire les réunir (1,24--2,5 et 2,20--3,4)? Malheureusement, les commentaires qui s'appuient sur des seuls critères thématiques passent allègrement sur ces difficultés. Plusieurs divisions sont proposées, chaque fois avec des variantes:

En deux parties[2]
partie didactique (1-2)
partie exhortative (3-4),
précédées d'une introduction (1,1-8 ou 1,1-11, selon les commentaires) et suivies d'une conclusion (4,7-18).

Noter la division originale de N.T. Wright[3] qui évite l'habituelle et artificielle composition en parties didactique(ch.1-2) et exhortative (ch.3-4):
Souhait initial 1,1-2
Présentation de Paul et du thème de la lettre 1,3-2,5
Action de Grâces 1,3-8;
Prière et méditation 1,9-23;
Ministère de Paul et ses raisons d'écrire 1,24-2,5;

---

[1] Ainsi en est-il pour la majorité des commentaires.

[2] Cf. par ex., Lohse, *Kolosser*, pp.29-30; Schweizer, *Kolosser*, pp.7-8; Hendriksen, *Colossians*, 40-41.

[3] *Colossians and Philemon*, 44-45.

L'appel à la maturité des chrétiens 2,6--4,6
Introduction: continuez en Christ 2,6-7
Ne laissez personne vous exclure 2,8-23
Bien plutôt, vivez en accord avec le nouvel âge 3,1-4,6
Salut final 4,7-18

Ce schéma, basé sur des critères thématiques, a l'avantage de souligner le lien entre les diverses exhortations, celles de 2,6-23 et celles de 3,1-4,6, qui visent toutes à montrer comment les croyants peuvent et doivent vivre en plénitude l'Evangile (le οὖν de 2,6 semble, comme en l'une ou l'autre lettre paulinienne, donner l'envoi à la partie exhortative)[4]. Il donne néanmoins l'impression, pour la première partie (1,3-2,5), d'identifier le «thème» principal de la lettre et les «raisons» qui l'ont provoquée, mais leur distinction s'avère plus que nécessaire, comme il apparaîtra plus loin.

En trois parties
1. avec une coupure au début de Col 2 («Je veux en effet que vous sachiez»)[5]:
- 1,9-29 Fondement: l'Evangile apostolique et universel;
- 2,1-19 Combat contre l'hérésie;
- 2,20-4,6 Exhortation: l'affermissement de la vie nouvelle.

2. avec une coupure après 2,5 («la solidité de votre foi au Christ»)[6]:
- 1,3-2,5 (avec divers titres);
- 2,6-23 (variante: 2,6-3,4): polémique contre les hérétiques;
- 3,1-4,6 (variante: 3,5-4,6): exhortations.

C'est dans la manière de couper des passages comme 1,24-2,5 ou 2,20-3,4 (faut-il en faire des sections à part, ou rattacher par exemple 1,24-29 et 3,1-4 aux versets qui les précèdent?) que les faiblesses de la division thématique apparaissent symptomatiquement et que la nécessité de critères littéraires fermes se fait le plus sentir.

---

[4] Cf. Rm 12,1; Ph 2,1; 1Th 4,1.
[5] Cf. par ex. J. Gnilka, *Kolosserbrief*, vii-viii.
[6] Cf. les commantaires de Lähnemann et Zeilinger, *ad loc.*

En petites unités thématiques

Cette division, apparemment la moins compromettante, ne fait qu'énumérer les différents sujets traités sans essayer de voir s'ils se rattachent logiquement entre eux et comment; elle ne permet pas au lecteur d'avoir une idée sur le thème principal de la lettre (si ce dernier existe, évidemment):

1. Ainsi, J.B. Lightfoot qui divise Col en cinq parties génériques à mi chemin entre forme de l'expression et forme du contenu[7]:
   1. partie introductive 1,1-13
   2. partie doctrinale 1,13-2,3
   3. partie polémique 2,4-3,4
   4. partie exhortative 3,5-4,6
   5. partie personnelle 4,7-18.

2. ou encore F.F. Bruce, qui, en plus du cadre épistolaire (Col 1,1-2 et 4,18 qui forment respectivement la première et la septième parties), divise également le corps de la lettre en cinq grandes parties, cette fois vraiment thématiques[8]:
   (1. adresse 1,1-2)
   2. la personne et la fonction du Christ (1,3-23)
   3. le ministère de Paul (1,24-2,7)
   4. l'erreur de Colosses et son antidote (2,8-3,4)
   5. la vie chrétienne (3,5-4,6)
   6. nouvelles personnelles (4,7-17)
   (7. salutation finale 4,18)

2° DIVISIONS BASÉES SUR DES CRITÈRES THÉMATIQUES ET LITTÉRAIRES

Cf. par ex. P. Pokornÿ, qui combine les chefs thématiques avec les modèles littéraires (cadre épistolaire, et *dispositio* rhétorique pour Col 2,6-23)[9]:
* Col 1,1-2 ouverture, qui est un formulaire de lettre (modèle épistolaire)

---

[7] Cf. *Colossians*, 126-128.

[8] *Colossians*, 35-36.

[9] *Kolosser*, 19-22.

* I. Col 1,3-23 Action de grâces et Demande (indirectes): Fondement du salut en Christ

> deux sous-sections 1-8 (concentrique); 9-20 (demande)
> 21-22 (application aux destinataires) et 23 (parénèse finale);

* II. Col 1,24--2,5 autorité de l'Apôtre:

> > lien entre salut et annonce apostolique

* III. Col 2,6-23 la *probatio*: fausse et vraie appropriation du salut aux v.12-13, la thèse (entendez: la *propositio*) de Colossiens sur l'être chrétien
* IV. Col 3,1-4,6 l'exhortation: vivre la vie nouvelle
* Col 4,7-18 conclusion: nouvelles personnelles et salutations.

Si le cadre épistolaire constitue un point de référence ferme, la mise en évidence d'une *probatio* en 2,6-23, de soi possible, se heurte à une difficulté de taille: pour être la *propositio* (ou la *prothesis*) de toute la lettre, les v.12-13 devraient engendrer toutes les sections argumentatives, qui devraient en retour les fonder ou les expliquer. Mais ces versets (Col 2,12-13) n'engendrent ni l'argumentation de l'épître ni celle de Col 2,6-23: loin d'engendrer l'argumentation de Col 2, ils la concluent (car les raisons appuyant la position de Paul sont fournies en 2,9-15)! Pokornỳ donne l'impression d'identifier la *propositio*, qui a une fonction rhétorique très précise, et les différentes thèses par lesquelles un auteur peut avancer dans sa démonstration[10]. Que ces versets soient une thèse, cela va de soi, mais à la différence d'une *propositio*, une thèse n'a pas de fonction décisive pour la disposition d'une argumentation, d'un discours, d'une épître.

3° DIVISIONS DE TYPE PRINCIPALEMENT LITTÉRAIRE.

1. Celle de P. Lamarche[11] basée sur les parallélismes lexicographiques, même si le recours à la thématique se fait sentir ici et là. En d'autres termes, la division proposée s'appuie sur des critères qui oscillent entre la forme de l'expression et la forme du contenu:

---

[10] Ainsi, en Rm, 1,16-17 est une *prothesis* (une *propositio*), alors que des affirmations comme 2,6 (sur la rétribution selon les oeuvres) et 2,11 (sur l'impartialité divine) sont des thèses, des axiomes même, mais pas des *protheseis*.

[11] «Structure».

* (1) *Introduction de l'épître* (1,1-20)
Salut initial 1,1-2
Annonce des thèmes:
    a) Action de Grâces (v.3a)
    b) prière (v.3b)
    c) nouvelles reçues par Paul (v.4)
Développement (en ordre inverse)
    C) nouvelles reçues (v.4-8)
    B) prière (v.9-11)
    A) Action de Grâces (v.12-20)
* (2) *fondement de l'épître* (1,21-2,15)
Annonce des thèmes (parallélismes antithétiques)
    a) transformation en Christ 1,21-22
    b) avertissement (1,23ab)
    c) proclamation de l'Evangile (1,23bcd)
Développement (en ordre inverse)
    C) proclamation (1,24-2,3) composition concentrique
        mystère
            destinataires
                  combat
            destinataires
        mystère
    B) avertissement (2,4-8) parallélismes antithétiques
        (négatif/positif/positif/négatif)
    A) transformation en Christ (2,9-15)
    composition en *aba* et parallélismes antithétiques:
    thèse, aux v.9-10;
    a) salut en Christ v.11s
    b) transformation v.13
    a) salut en Christ v.14s
* (3) *applications* (2,16--4,1)
    a) aux pratiques (2,16--3,2)
    b) à la moralité en général (3,3-17)
    c) selon l'état de chacun (3,18--4,1)
* (4) *fin de l'épître* (4,2-18)

Lamarche est vraiment le premier à avoir entrevu l'importance du modèle rhétorique en Col et pressenti l'existence de préparations de thèmes (il relève deux *partitiones*, 1,3-4 et 1,21-23 que nous discuterons), en particulier le rôle essentiel joué par Col 1,21-23, mais il en a sous-estimé la portée[12]. C'est néanmoins dans cette direction qu'il faut aller, en distinguant, plus qu'il ne le fait, les modèles qui régissent la forme de l'expression (chiasmes de vocabulaire), les modèles qui déterminent l'argumentation (modèles rhétoriques) et le cadre épistolaire.

2. Composition basée sur des modèles littéraire (forme du contenu), épistolaire ou rhétorique, également utilisés par Paul:

(a) Le modèle épistolaire, proposé par G. Cannon, selon les principes mis en évidence par J.L. White[13]:

> 1,3-23 Action de Grâces:
>> A. L'Action de Grâces 1,3-8
>> B. L'intercession 1,9-11
>> C. Clôture 1,12-23
> 1,24-4,9 Corps de la Lettre:
>> A. Ouverture 1,24-2,5
>> B. Centre 2,6--4,1
>> C. Clôture 4,2-9
> 4,10-18 Fin de la Lettre:
>> A. Saluts 4,10-17
>> B. Signature 4,18a
>> C. Bénédiction 4,18b

Malheureusement le modèle épistolaire ne peut expliquer tous les phénomènes littéraires de Col et les critères relevés par White pour déterminer le début du corps de la lettre ne suffisent pas à déterminer l'articulation d'ensemble, même si, globalement, la composition retenue par Cannon ne manque pas de pertinence. Mais d'autres modèles entrent en ligne de compte. A ne pas les prendre en considération, le schéma de Cannon revient tout simplement aux divisions thématiques présentées plus haut.

(b) composition littéraire, principalement rhétorique:

---

[12] L'argumentation ne finit pas avec la fin de Col 2, et le cadre épistolaire ne reprend pas en 4,2, mais en 4,7: Col 4,2-6 fonctionne à la manière d'une *peroratio* en bonne et due forme, comme on le montrera.

[13] «Introductory Formulae».

Dans la ligne des recherches précédentes, mais en respectant davantage la distinction des modèles littéraires repris par Col, nous proposons maintenant une division articulant le cadre épistolaire, la composition basée sur les parallélismes (syntaxiques, lexicographiques, sémantiques, etc.) et la *dispositio*[14] rhétorique. La justification se fera en cours d'analyse.

* Cadre épistolaire: salut initial (1,1-2)
* composition rhétorique:
Exordium avec des développements hymniques (1,3-23)
La *partitio* (1,21-23) ou l'annonce des thèmes traités:
      c) l'oeuvre du Christ pour la sainteté des croyants (v.21-22)
      b) la fidélité à l'Evangile reçu (v.23a)
      a) et annoncé par Paul (v.23b)
La *probatio* (1,24-4,1), qui reprend les thèmes en ordre inverse:
A) le combat de Paul pour l'annonce de l'Evangile (1,24--2,5), de composition chiastique;
B) Fidélité à l'Evangile reçu (2,6-23)
 (a) exhortations relatives aux pratiques cultuelles (v.6-8)
 (b) raisons christologiques: Christ et les croyants avec Lui (v.9-15)
 (a') conséquences: reprise des exhortations (v.16-19)
 + les v.20-23, comme *subperoratio*;
C) La sainteté des croyants (3,1--4,1)
 (a) principes (3,1-4)
 (b) état du chrétien et agir éthique/ecclésial (3,5-17)
 (c) application à la vie familiale ou domestique (3,18-4,1)
Exhortations finales à fonction *pérorante* (4,2-6).
* Reprise du cadre épistolaire (4,7-18).
NB: Le genre rhétorique[15] est manifestement délibératif, comme l'indiquent la *partitio* (l'infinitif final de 1,22b; l'invitation de 1,23a à rester fermement enracinés dans l'Evangile reçu) et les nombreux impératifs qui scandent Col 2-3 pour souligner les enjeux pratiques du discours, la décision que l'Auteur de la lettre veut favoriser et voir

---

[14] Sur ce terme, voir le lexique, p.287.
[15] Sur les genres rhétoriques, voir le lexique p.287.

advenir[16].

4° COROLLAIRE: LE THÈME PRINCIPAL DE COLOSSIENS

La composition d'un écrit, en particulier d'une épître, se révèle en général des plus utiles pour en déterminer le thème principal. A partir des propositions faites par les exégètes, la prise en considération de la composition de Col permettra d'indiquer la direction à prendre et les pistes à abandonner.

a. *diverses hypothèses*

- La primauté et l'unique médiation du Christ (cf. 1,15-20; 2,9-15; 3,11.17)[17];
- Faire connaître le *mystèrion*, de nature christique (cf. 1,24-2,5; sans oublier 4,3-4);
- Porter les croyants à la vraie connaissance (γνῶσις)[18],
- La liberté du croyant devant les observances, juives ou autres (Cf. Col 2),
- L'ordre, la paix et l'unité de l'Eglise à promouvoir et protéger. Ainsi, selon F.O. Francis, le problème à Colosses ne serait pas directement christologique, mais concernerait plutôt les questions *cultuelles et ascétiques*. Ce n'est pas le culte rendu aux anges qui menace la foi et la vie de la communauté de Colosses, mais le désir de participer au culte céleste (à la louange angélique) à partir de pratiques ascétiques, avec, pour conséquence, des divisions dans la communauté.

---

[16] Une division de type littéraire, comme celle de Christopher, «Colossians 2:16-3,17», pour qui la partie centrale (2,16-3,17) de Col formerait un chiasme (A = 2,16-19; B = 2,20-23; B'= 3,1-4; A'= 3,5-17) fait fi de tous les critères littéraires et modèles auxquels obéit le texte, en séparant ce qui ne doit pas l'être et vice versa.

[17] Cf. Hendriksen, *Colossians*, 40-41, selon qui toute la lettre trouve son unité autour de la christologie. Noter à ce propos sa division bipartite, de type thématique: Christ, le seul et unique Sauveur, objet de la foi des croyants (Col 1-2), et source de leur vie (Col 3-4). Sans nier l'insistance christologique de Col, il est difficile de résumer la lettre de cette manière.

[18] Sur le nombre et la variété des vocables relatifs à la connaissance en Col, voir *infra*, à propos de Col 1,9-10.

Toutes ces hypothèses relatives au thème principal de Col ont un appui lexicographique solide, mais elles ne sont pas toutes compatibles. Les deux premières, qui retiennent la christologie, vont ensemble et peuvent se conjuguer, mettant d'ailleurs bien en valeur l'importance des développements christologiques en Col. Mais cela suffit-il pour voir dans la christologie le sujet principal de la lettre? Quant aux trois dernières hypothèses, elles mettent en relief les destinataires, c'est-à-dire les croyants, dans leur être (la plénitude reçue en Christ et la liberté qui en découle) et leur agir (la vraie connaissance; la paix ecclésiale). Mais, de ces points, lequel domine? Il nous faut ainsi aborder la question des critères à partir desquels on peut déterminer le thème principal - à supposer qu'il y en ait un - d'une lettre paulinienne.

b. *critères et procédures*

- Le critère des répétitions et des différences entre épîtres, plus précisément entre Col e Ep. On peut ainsi lire synoptiquement les deux lettres pour voir quelles composantes sont développées ou écourtées, voire supprimées. C'est à partir de ces comparaisons que Luz, montre comment la partie parénétique d'Ep, beaucoup plus développée que celle de Col, indique une nette accentuation thématique, plus précisément ecclésiale[19]; c'est sans doute aussi à cause des excroissances christologiques que beaucoup d'exégètes voient le thème principal de Col dans la suprématie du Christ et ses conséquences pour la vie des croyants.
- Les répétitions lexicographiques et les champs sémantiques sont également très précieux, surtout lorsqu'ils sont disséminés tout au long d'une épître, comme par ex., en Col, les répétitions relatives à la connaissance, ou encore à l'action de grâces, qui semble constituer, pour l'Auteur de Col, le sommet, l'élément constant de la prière et de la vie du croyant.
- Mais, au delà des répétitions et des excroissances, c'est aux critères rhétoriques qu'on doit de pouvoir déterminer ce que Paul veut montrer. Lorsqu'il y a une *propositio* principale, on voit clairement le thème qui va dominer; lorsqu'au contraire les *propositiones* sont multiples et non hiérarchisées, il est plus difficile de mettre en évidence le thème qui

---

[19] Cf. U. Luz, «Überlegungen zum Epheserbrief und seiner Paränese».

prévaut. Et si, comme en Col, le lecteur ne dispose que d'une *partitio*, où la thèse de la lettre n'est pas nécessairement ni toujours clairement énoncée, la prudence est de rigueur.

c. *la détermination du thème principal de Colossiens*

- Il importe de bien distinguer entre le thème premier ou dominant de la lettre et ce qui l'a occasionnée, par ex. les difficultés internes de l'Eglise de Colosses; ou, si l'on suit le plan de Wright, les souffrances de Paul au service de la diffusion de l'Evangile; ou encore, avec d'autres, les doctrines, voire les pratiques, dont les Colossiens ne percevaient pas le danger, mais qui constituaient pour l'Auteur de Col une menace pour la foi de cette Eglise et de toutes les autres, parce que formant un seul corps. Le thème dominant n'est jamais identique aux difficultés ou aux événements qui ont provoqué la lettre. L'Apôtre en effet reprend toujours les questions à un autre niveau, montrant les implications et les principes susceptibles d'éclairer les difficultés.

- Comme cela a été dit plus haut, le thème principal d'une épître se donne à reconnaître dans la *propositio* ou la *partitio* principales, s'il y en a. Et comme une telle *partitio* existe en 1,21-23 en Col, son analyse devra déterminer le thème qui détermine la manière dont se développe l'argumentation et le choix même des arguments. On montrera d'ailleurs que Col n'a pas pour but de développer un thème central ou dominant, mais de montrer comment doivent s'articuler les composantes essentielles de la vie des croyants.

COL 1,1-2: LE CADRE EPISTOLAIRE

1 Paul, apôtre de Christ Jésus par (la) volonté de Dieu, et le frère Timothée, **2** aux saints et fidèles frères en Christ (qui sont) à Colosses. A vous grâce et paix de par Dieu notre Père.

1° Bibliographie

G.W. Doty, *Letters in Primitive Christianity*, Philadelphia 1973; A.J. Malherbe, «Ancient Epistolary Theorists», *Ohio Journal of Religious Studies* 5 (1977) 3-17; S.W. Stowers, *Letter Writing in Greco-Roman Antiquity*, Westminster 1986; J.L. White, *The Form and Function of the Body of the Greek Letter*, 1972; ID., «New Testament Epistolary Literature in the Framework of Ancient Epistolary», in *ANRW* II.25.2 (1984), 1730-1756; ID., «Ancient Greek Letters», in D.E. AUNE (éd.), *Greco-Roman Literature and the New Testament*, Atlanta 1988, 85-105.

2° Composition et présentation du passage
La composition est basée sur le type de relation supposée et instaurée.

- v.1: Les expéditeurs (*superscriptio*)
- v.2a: Les destinataires (*adscriptio*)
- v.2b: Le salut (*salutatio*)

Ce cadre épistolaire et sa composition viennent du monde hellénistique ambiant, auquel le judaïsme avait lui-même emprunté les coutumes épistolaires. Mais, au lieu du χαίρειν (=«salut!»), fréquent dans les lettres du monde environnant, ce que L'Auteur de Col souhaite à ses destinataires, c'est la «grâce et la paix de par Dieu...»
    Cette adresse est en tout semblable à celle des autres lettres pauliniennes. Avec celles de 1Th et Ep, c'est une des plus courtes adresses du corpus paulinum, et l'on ne peut déterminer son importance qu'en la comparant à ces autres adresses pauliniennes[1].

---

[1] Noter la même composition (destinateur, destinataire, salut en χαίρειν) de l'adresse des nombreuses lettres consignées dans les livres des Maccabées. Cf. 1M 10,18; 11,30.32; 12,6.20; 13,36; 14,20; 15,16; 2M 1,1.10; 9,19 (avec un ordre inverse: destinataire, salut,

3° Exégèse

v.1

«Paul, apôtre de Christ Jésus par (la) volonté de Dieu, et le frère Timo-thée». Ce verset nomme les «destinateurs».

D'abord Paul, qui se déclare «apôtre du Christ Jésus» = 2Co 1,1 (cf. Rm 1,1 «Paul δοῦλος du Christ Jésus, élu apôtre...; 1Co 1,1 «Paul, élu apôtre de Jésus Christ»; comparer avec Ga 1,1).

Noter que la mention du nom est suivie d'une qualification (ici: «apôtre»; ailleurs également δοῦλος «esclave» ou «serviteur» Rm 1,1), comme dans les Homologoumena.

Le syntagme suivant, διὰ θελήματος θεοῦ (littéralement «par volonté de Dieu»), est identique à celui de 1Co 1,1; 2Co 1,1 (cf. Ga 1,4) et reparaît tel quel en Ep 1,1a (et, plus tard, en 2Tm 1,1). Ce syntagme n'est pas spécialement souligné en Col 1,1: Paul se contente de notifier l'origine (divine), mais il entend signaler que ce n'est pas lui qui s'est conféré le titre («être envoyé»); le choix est gratuit et dépend de Dieu seul.

Ensuite, «Timothée, le frère»: Timothée est déjà inclus dans le salut initial de 1-2Th, 2Co, Ph, Phlm. Même qualification («frère») en 2Co 1,1 et Phlm 1. Rien de spécial donc en Col 1,1.

v.2a

«aux saints et fidèles frères en Christ (qui sont) à Colosses»: mention des destinataires.

Qui sont-ils? τοῖς ἐν Κολοσσαῖς ἁγίοις καὶ πιστοῖς ἀδελφοῖς ἐν Χριστῷ. Cf. Rm 1,7 (τοῖς οὖσιν ἐν Ρώμῃ); 1Co 1,2; 1Co 1,1; Ph 1,1. Formule reprise aussi en Ep 1,1 («à Ephèse», selon l'apparat critique).

Comment traduire le verset? «aux saints de Colosses (premier

destinateur; le salut est aussi plus long: πολλὰ χαίρειν καὶ ὑγιαίνειν καί εὖ πράττειν); 11,16.22.27.34. Voir encore 2Bar 78,2 (début de la lettre de Baruch aux 9 tribus et demie qui sont en déportation): «Ainsi parle Baruch, fils de Néria, aux frères emmenés captifs, que les miséricordes et aussi la paix soient sur vous!» «Miséricorde et paix» n'apparaît pas dans les lettres de Paul, où l'on a «grâce et paix». En 1Tm 1,2; 2Tm 1,2; 2Jn 1,3 on retrouve par contre la formule «grâce, miséricorde, paix».

groupe) et (aux) frères fidèles en Christ (second groupe)» ou «aux saints de Colosses, frères fidèles en Christ» (le deuxième membre étant compris comme une apposition, car il n'y a qu'un seul groupe)[2], ou encore «aux saints (qui sont) à Colosses et frères croyants en Christ»[3], ou enfin «aux saints et fidèles frères en Christ (qui sont) à Colosses»?[4] La première solution suppose l'existence d'un article devant «fidèles», ce qui n'est pas le cas. Quant à la seconde, elle s'appuie sur Col 1,4.12.26 et sur d'autres épîtres (Ph; Ep), où «saints» est précédé de l'article et a la valeur d'un nom («les saints»)[5], mais elle a l'inconvénient d'omettre le καί qui relie «saints» et «fidèles». La troisième solution, matériellement fidèle à l'ordre du grec, n'en est pas pour autant plus claire; elle laisse entendre que les destinataires sont appelés de deux manières différentes et complémentaires (qu'il y a donc deux syntagmes nominaux): «saints» et «frères croyants», les termes «saints» et «croyants» étant alors considérés comme des désignations déjà stéréotypées, presque techniques[6], ce qui n'est pas vrai, nous le verrons, pour l'adjectif πιστός. Le «et» entre «saints» et «fidèles», ainsi que l'absence d'article devant «fidèles» favorise la quatrième solution et invite fortement à rattacher l'adjectif «saints» à ce qui suit, à lire donc l'ensemble comme un seul syntagme nominal: «aux frères en Christ saints et fidèles (qui sont) à Colosses».

C'est la seule adresse initiale du corpus paulinum où l'appellation «frères» est utilisée pour désigner les destinataires de la lettre[7]. Les Homologoumena sont adressées à une ou des «église(s)» (1Th 1,1; 1Co 1,2; 2Co 1,1; Ga 1,2; Phlm 2), et/ou «aux saints» (2Co 1,1; Ph 1,1), ou

---

[2] De nombreuses traductions (BJ, TOB, Lohse, Gnilka, etc.) optent pour cette solution.

[3] Cf. Gnilka, *Kolosserbrief*, 27. L'adjectif «gläubig» signifie «croyant», mais il peut aussi connoter la fidélité. Comme Gnilka semble y voir une désignation stéréotypée des croyants, c'est cette traduction qu'il faut choisir plutôt que «fidèles».

[4] Cf. la RSV, Moule, etc.

[5] Noter cependant qu'en Rm 1,7 et 1Co 1,2 («appelés saints») ἅγιος n'est pas précédé de l'article et n'a donc pas une valeur substantivale.

[6] Cf. Gnilka, *Kolosserbrief*, 29.

[7] Ailleurs, lorsque Paul emploie le terme «frère(s)» dans l'adresse, c'est pour qualifier ses collaborateurs (dans le ministère et peut-être la rédaction de la lettre): ainsi «Timothée le frère» (2Co 1,1; Ph 1,1; Phlm 1; et notre épître, Col 1,1); «Sosthène le frère» (1Co 1,1); «tous les frères qui sont avec moi» (Ga 1,2).

encore «aux bien-aimés de Dieu» Rm 1,7. L'auteur de Col veut-il insister sur la relation fraternelle existant entre membres d'une même Eglise, entre tous les membres du Corps du Christ, entre l'Apôtre et les Eglises? Disons tout de suite que le corps de la lettre ne fournit pas d'indications susceptibles de justifier ce choix. L'absence du mot «Eglise» dans l'adresse ne vient pas en tout cas de ce que l'Auteur de Col n'applique pas le terme aux Eglises locales: Col 4,15.16 prouvent le contraire. Cela ne vient pas davantage de ce qu'il ne connaît pas la communauté à laquelle il écrit, car toutes les lettres envoyées à des communautés fondées et connues de l'Apôtre ne commencent pas nécessairement avec le mot «Eglise», comme nous venons de le constater. De soi, le titre «frères» indique que les croyants se comprennent comme membres de la même famille, celle de Dieu Père, et que la distance relative à l'origine socio-culturelle diverse n'interdit pas ce type de relation; utilisé par l'Auteur de la Lettre, qui est Apôtre du Christ Jésus, l'adresse «frères» indique également que l'apostolat ne crée pas une distance, mais que c'est en frère que l'apôtre parle, reconnaissant ainsi que lui-même et les membres des Eglises sont constitués par cette relation «familiale» fondamentale. Ce trait est commun aux autres lettres pauliniennes, où l'appellation «frères» permet souvent d'amorcer une argumentation ou de la faire rebondir[8]. L'ajout «en Christ» qualifie et souligne la modalité fondamentale de cette relation fraternelle[9].

Le couple «saints» + «fidèles» est propre à Col 1,2 et Ep 1,1. Mais à la différence d'Ep 1,1 et d'autres lettres pauliniennes, la construction de la phrase en Col 1,2 ne permet pas de voir en ces deux adjectifs des termes désignant l'identité chrétienne: «les saints», «les croyants». Ici πιστοί («fidèles») ne désigne pas le groupe des croyants -

---

[8] L'appellation «frères», d'extension plus large que la famille ou le clan, pour désigner les personnes appartenant au peuple d'Israël, devient courante dans les récits deutéroca-noniques (Tb 7,3; 14,4; Jdt 7,30; 8,14.24; 14,1; 2Mac 1,1; 7,36).

[9] En ce début de cette épître, il n'est pas encore possible de saisir toute la portée du syntagme «en Christ», qu'on retrouve par la suite tel quel ou sous d'autres formes: «en Christ» (avec ou sans «Jésus») 1,4.28; le relatif «en qui»: 1,14; 2,3.11.12; le pronom personnel «en lui»: 1,16.17.19; 2,9.10 - et peut-être 2,15; également, mais il faudra vérifier qu'ils renvoient au Christ et non à Dieu le Père, en Col 3-4, les «dans (le) Seigneur» (ἐν κυρίῳ): 3,18.20; 4,7.17.

Paul utilise pour cela le participe πιστεύοντες[10] -, sa fonction est bien plutôt connotative: il peut déjà indiquer, sous forme concise, ce que le reste de l'épître soulignera, à savoir la constance, la persévérance et la fermeté des Colossiens dans la foi[11]. L'appellation «saints» n'est pas sans précédents dans la littérature biblique et juive pour désigner le peuple d'Israël appelé à rien de moins que la sainteté[12]. En cette adresse, il est encore impossible de savoir exactement ce que connote le terme, mais un verset de la *partitio* (l'adjectif apparaît en 1,22 sans l'article) et la section de la *probatio* qui lui correspond (Col 3,1-4,1; cf. en particulier 3,12) permettront d'en dire plus.[13]

v.2b
«(A vous) grâce et paix de par Dieu notre Père»: énoncé du message.

La salutation elle-même, formée par le binôme «grâce et paix», ne diffère pas de celle des lettres antérieures (1Th 1,1; Rm 1,7; 1Co 1,3; 2Co 1,2; Ga 1,3; Ph 1,2; Phlm 3). Après celle de 1Th 1,1, qui finit avec les mots «grâce et paix», c'est la plus courte, car, à la différence des autres épîtres, elle ne mentionne pas le Christ: si Paul dit habituellement «de par Dieu le/notre Père et le/notre Seigneur Jésus Christ», ici l'on a

---

[10] Participe précédé de l'article. Voir en particulier 1Th 1,7; 2,10.13; Ga 3,22; 1Co 1,21; 14,22 (avec le terme opposé, «les incroyants», οἱ ἄπιστοι); Rm 1,16; 3,22; 4,11; 10,4; également Ep 1,19. L'unique exception se trouve en 2Co 7,15 (cependant en ce verset l'opposition πιστός/ἄπιστος doit plutôt être rendue par fidèle/infidèle que par croyant/incroyant).

[11] L'adjectif πιστός, dont le sens premier est «digne de foi», connote la persévérance, la constance, ce qui explique qu'on le traduise habituellement par «fidèle». C'est avec cette nuance que Col l'emploie, en 1,7; 7,7.9, confirmant l'interprétation de Col 1,2a (contre Gnilka).

[12] Cf. en Ex 19,6 l'expression «nation sainte»; voir aussi Lv 11,44-45; 19,2; 20,7.26; 21,6; 22,32, en particulier le refrain «soyez saints, car moi je suis saint». La communauté de Qumran se comprenait comme le peuple des saints de l'alliance (1QM 3,5; 6,6; 10,10; etc.).

[13] La sainteté des frères n'est pas d'abord leur oeuvre; ils sont appelés tels non seulement parce que Dieu les veut tels (c'est le dessein de Dieu et non le leur; Col 1,22; cf. déjà 1Th 4,3; 1Co 1,2; Rm 1,7), mais aussi parce qu'ils ont déjà été sanctifiés par Dieu même (1Co 1,2; 6,11; etc.): si la sainteté est un processus, un continuel devenir, elle est déjà inchoativement donnée dès le baptême.

seulement «de par Dieu notre Père»[14]. Pourquoi seul Dieu le Père est-il mentionné? Cela semble dû à la dénomination «frères en Christ», qui appelle la mention de l'origine paternelle de cette relation. «Dieu notre Père». La littérature chrétienne ne fut pas la première à appeler Dieu ainsi. Les grecs avaient déjà dit de Zeus qu'il était le «Père des hommes et des dieux» (πατὴρ ἀνδρῶν καὶ θεῶν)[15], sans qu'on puisse aisément dire comment ils concevaient cette relation: engendrement des hommes par la divinité, et par là, connaturalité entre les dieux et les hommes? Les écrits bibliques et juifs avaient également reconnu en Yhwh le Père du peuple élu, le Père de David, du Messie...[16], mais ils avaient ôté à la relation tout ce qu'elle aurait pu connoter de panthéiste et ne gardaient évidemment que l'aspect bonté, tendresse (n'excluant pas la fermeté ou la punition), connaissance des faiblesses et des fragilités, miséricorde infinie. C'est sans aucun doute Jésus lui-même qui a demandé à ses disciples de prier Dieu en disant, comme il avait coutume de le faire: «Abba» («papa»), et c'est ce nom que reprit fidèlement l'Eglise naissante, sous cette forme[17] ou d'autres[18]. Pour reprendre aussi massivement ce titre, la communauté n'a pas seulement obéi à l'ordre de son Seigneur, elle a aussi expérimenté qu'avec la venue de Jésus, Dieu s'était pleinement révélé comme Père.

[14] Telle est la leçon courte. De nombreux manuscrits ajoutent: «et du Seigneur Jésus Christ»: on peut y voir un essai d'harmonisation avec les autres adresses.

[15] Homère, *Odyssée* 1,28; *Iliade*, I,544.

[16] Dt 32,6; Ps 88,27-33 LXX (David appellera Dieu son Père); 2R 7,14 LXX et 1Ch 7,14 LXX; Ps 102,13 LXX; Jer 3,4-9; 38,9 LXX; Is 63,16; Mal 1,6; 2,10. Pour le judaïsme, voir J. Jeremias, *Neutestamentliche Theologie. I.* Teil: *Die Verkündigung Jesu*, Gütersloh 1972, 68-72. Au titre «Père» correspond évidemment le titre «fils»: Ps 2,7 (le Messie); Os 11,1 (dans l'hébreu); Dt 1,31; Ex 4,22.

[17] «Abba»: Rm 8,15; Ga 4,6; Cf. Mc 14,36.

[18] (a) «Dieu le Père», «Dieu notre Père», «notre Père» ou encore «(le) Père»: Mt 6,9; Lc 11,2; Rm 1,7; 6,4; 8,15; 15,6; 1Co 1,3; 8,6; 15,24; 2Co 1,2; 6,18; Ga 1,1.3; 4,6; Ep 1,1; 2,18; 3,14; 4,6; 5,20; 6,23; Ph 1,2; 2,11; 4,20; Col 1,2.12; 3,17; 1Th 1,1.3; 3,11.13; 2Th 1,1.2; 2,16; 1Tm 1,2; 2Tm 1,2; Tt 1,4; Phlm 3; Jc 1,27; 3,9; 1P 1,2.17; 2P 1,17; 1Jn 1,2.3; 2,1.14.15.16.22.23.24; 3,1; 4,14; 2Jn 3.4.9; 3Jn 1. (b) «le Père de notre Seigneur Jésus Christ»: Rm 15,6; 2Co 1,3; 11,31; Ep 1,3; 1P 1,3. (c) «le Père de la gloire»: Ep 1,17; Col 1,3. (d) «le Père des lumières»: Jc 1,17.

L'EXORDIUM: COLOSSIENS 1,3-23

Division et composition du passage

(a) A partir du genre littéraire:

Selon la plupart des exégètes, le passage peut alors se diviser en cinq unités: une Action de Grâces (= AG; vv.3-8); une intercession (vv.9-11); une invitation (εὐχαριστοῦντες étant compris comme un impératif par certains exégètes) à rendre grâces (vv.12-14); un hymne christologique (vv.15-20); une application de l'hymne à la situation des Colossiens (vv.21-23).

Mais, si l'on considère le déroulé du passage, on voit que le texte est fluide et passe subtilement d'un aspect à l'autre. Par exemple, entre les vv. 9-11 et 12-14, il y a des indices stylistiques et syntaxiques de continuité, ainsi que le montre une disposition strictement respectueuse de l'ordre syntaxique:

v.9 ... nous ne cessons de prier pour vous et de demander
que vous soyez comblés de la connaissance de sa (= Dieu) volonté) en toute sagesse et compréhension spirituelle,
v.10   pour marcher d'une manière digne du Seigneur,

v.10b par toute oeuvre bonne	portant du fruit	
et progressant	dans la connaissance de Dieu	
v.11ab en toute force	fortifiés selon la vigueur	
v.11c avec joie	rendant grâces au Père	
v.12		vous ayant rendu capables
v.13		qui nous a délivrés
		et nous a transférés... du Fils
v.14		en qui nous avons...
v.15a		lui qui est...
v.18b		lui qui est...

Cette composition en cascade autorise à diviser grosso modo le passage en trois petites unités:

vv.3-8: AG de Paul et ses raisons (fruits spirituels des Colossiens)
vv.9-11b: prière de Paul pour le progrès des Colossiens

vv.11c-14 + 15-20: AG des Colossiens et ses raisons (agir du Père v.12-13, médiation et suprématie du Fils v.14.15-20)[19].

(b) à partir des répétitions de vocabulaire:
Les répétitions sont nettes et autorisent à parler de phénomène «palistrophique»[20], qui n'est pas exactement un chiasme avec un centre bien précis[21], mais la reprise, assez libre, de répétitions lexicographiques, qui renforcent la continuité et les reprises du développement:

```
v.3  rendant grâces au Père
        priant
v.4       ayant entendu
v.5        (que) vous avez alors entendu
v.6          de même que dans le monde entier, il est
                              portant du fruit
                              et croissant
                  de même aussi chez vous
                  depuis le jour où vous avez entendu
v.9       nous avons entendu
          nous ne cessons de prier pour vous
v.12 rendant grâces au Père...
```

Cette disposition met en relief l'efficience de l'Evangile au v.6, verset qui constitue l'explication des attitudes mentionnées dans les versets alentour, à savoir l'AG et la prière de Paul, laquelle finit avec une invitation à l'AG (des Colossiens). Action de Grâces, intercession et développements christologiques sont ainsi reliés les uns aux autres et s'engendrent même les uns les autres, au point qu'il est très difficile,

---

[19] Le syntagme «avec joie» détermine le participe «rendant grâces» et non les substantifs précédents, car: (1) tous les participes des v.10-11 étant qualifiés par un syntagme exprimant la modalité, on conçoit que «rendant grâces» le soit également; (2) la joie est sémantiquement liée à l'AG.

[20] Voir ce terme dans le lexique en fin de volume.

[21] A tort, Dibelius/Greeven, *An die Kolosser*, ad loc., parlent de composition chiastique pour les v.3-9: un chiasme suppose que l'unité ait des contours précis et que l'on puisse l'isoler de ce qui l'entoure, ce qui n'est pas le cas ici, car le v.9 enclenche un nouveau développement: il ne clôt pas une unité, mais en ouvre une autre. On peut faire la même remarque pour le v.12, qui manifestement ouvre un nouveau développement.

pour ne pas dire impossible, de diviser nettement le passage, syntaxiquement et lexicalement, excepté entre les vv.8 et 9, et entre 20 et 21.

(c) à partir de critères rhétoriques:
La proposition de P. Lamarche déjà présentée plus haut[22], voit dans les
vv.3-4a une annonce de thèmes développés aux vv.4b-20:

     a) Action de Grâces (v.3a)
     b) prière (v.3b)
     c) nouvelles reçues par Paul (v.4a),
repris et développés ensuite en ordre inverse:
     C) nouvelles reçues (vv.4b-8)
     B) prière (vv.9-11)
     A) Action de Grâces (vv.12-20).

Cette division n'est pas sans soulever des difficultés. Si les vv. 4-8
forment bien un ensemble, la division entre 4a et 4b (c/C) reste purement
artificielle[23]. Quant aux correspondances entre a/b et A/B, elles ne sont
pas de même nature, et les répétitions lexicographiques
    v.3a nous rendons grâces au Dieu et Père du Seigneur Jésus Christ
    v.3b en priant toujours pour vous,
    v.9   nous ne cessons de prier pour vous demandant à Dieu de ...
    v.12 rendant grâces au Père qui ...
peuvent faire illusion, car, au v.3, on ne peut distinguer deux genres de
prière, une première, d'Action de Grâces[24], et une seconde, de demande:
le syntagme «toujours priant pour vous» du v.3 indique seulement, nous
le verrons, que l'AG est continue; la prière du v.3b est toute d'AG. Au
contraire, la prière du v.9 est une demande: le second participe («demandant») a pour fonction de préciser le premier («priant»), plus générique.
Enfin, le sujet de l'Action de Grâces du v.12 n'est pas le même que celui
de la prière de demande du v.9: la prière de demande du v.9 est faite par
Paul, alors qu'au v.12, ce sont les Colossiens qui doivent rendre

---

[22] Cf. p.36-37.
[23] Cf. Schweizer, *Kolosser*, 40, note 67: «on ne peut séparer 4a et 4b».
[24] Désormais désignée par AG.

grâces[25]. La division du passage se dessine donc ainsi:

A) une mention d'AG de Paul (v.3) pour les bonnes nouvelles des Colossiens (vv.4-8),

B) une mention de prière de demande (v.9a) pour que les Colossiens progressent encore (en oeuvres bonnes, en connaissance, en force, en AG; vv.9b-14),

C) un développement christologique (vv.15-20);

D) l'*exordium* se finit par une *partitio* annonçant les divisions et les thèmes majeurs de la lettre:

    a) statut et agir des croyants (vv.21-22)

    b) fidélité à l'Evangile reçu (v.23a)

    c) et annoncé par Paul (v.23b).

Certes, à cause des amplifications hymniques (n'ayant pas, par nature, de fonction argumentative[26]), les vv.3-23 ne constituent pas seulement un *exordium*[27], autrement dit un exposé de la situation et une *captatio benevolentiae*. Mais ils manifestent une tendance au développement christologique, tendance qu'on retrouve dans le reste de la lettre: sur ce point, ils s'apparentent à un *exordium*. Certains exégètes n'acceptent pas qu'une AG, qu'une prière donc, serve de *captatio benevolentiae*. Ils ont tout à fait raison. N'oublions pas cependant que nos versets ne sont pas une AG, mais seulement une mention d'AG, laquelle, on ne peut le nier, favorise la bienveillance et l'attention des destinataires de la lettre. Il n'y a donc pas de raison pour refuser a priori (et a posteriori)

---

[25] Lamarche, «Structure», 554, propose de traduire de εὐχαριστοῦτες du v.12 par un impératif pluriel à la première personne («rendons grâces»), d'autres par un impératif à la seconde personne («rendez grâces»). L'organisation des v.10-14 (cf. *infra*, p.67-85) interdit pareille coupure: le dernier participe («rendant grâces») doit être rattaché aux trois précédents et être rendu de la même façon dans la traduction.

[26] Si le croyant rend grâces et loue, ce n'est pas d'abord pour argumenter ou montrer la vérité d'une affirmation, mais parce qu'il s'émerveille des bienfaits divins et veut témoigner de la grandeur ou de la bonté du Bienfaiteur. Ceci dit, il faudra vérifier que Col 1,15-20 est de facture hymnique, et non confessionnelle: s'il s'agissait d'une profession de foi, alors la fonction rhétorique du passage n'en deviendrait que plus nette, puisque la christologie constituerait la base sur laquelle l'argumentation de l'épître se bâtirait.

[27] Voir ce terme dans le lexique en fin de volume.

à ces versets la fonction de *captatio benevolentiae*. Nous verrons d'ailleurs comment l'insistance des vv.3-11 sur la connaissance (sagesse; compréhension) permet également de déterminer la situation rhétorique de Col (discernement qui suppose une connaissance vraie de la volonté divine, sans se laisser tromper par la *philosophie* vaine).

A - Col 1,3-8 - L'ACTION DE GRACES DE PAUL

3 Nous rendons grâces au Dieu et Père de notre Seigneur Jésus Christ, *dans notre prière constante pour vous*, **4** *depuis que nous avons-entendu-parler-de* votre foi en Christ Jésus et de l'amour que vous avez pour tous les saints **5** en raison de l'espérance préparée pour vous dans les cieux; (cette espérance) que vous avez autrefois entendue dans la parole de la vérité, l'Evangile, **6** qui est parvenu jusqu'à vous; tout comme il porte du fruit et progresse dans le monde entier, de même (fait-il) chez vous, depuis le jour où vous avez entendu et connu la grâce de Dieu dans (sa) vérité, **7** selon ce que vous avez appris d'Epaphras notre bien-aimé compagnon de service, lui qui nous supplée comme un fidèle ministre du Christ, **8** et qui nous a fait connaître votre amour dans l'Esprit.

* v.3 litt.: «toujours priant pour vous».
* v.4 litt.: «ayant entendu»

1° Bibliographie
P. Schubert, *Pauline Thanksgivings*; M. Del Verme, *Le formule di ringraziamento*; P.T. O'Brien, *Introductory Thanksgivings*; J. Lambrecht, «Thanksgivings in 1 Thes 1-3».

2° Composition et présentation

(a) La question du genre littéraire
     Comment savoir si l'Action de Grâces (AG), nette aux vv.3-8,

inclut l'intercession qui suit, aux vv.9-11? La réponse ne dépend pas que du passage. C'est en examinant les éléments des AG des débuts de lettres que les exégètes ont jusqu'à présent proposé une solution. En réalité, ce passage de Col ne soulève pas de difficulté spéciale: la mention de l'AG faite par le rédacteur a la même facture et fonction que dans les autres lettres.

Avant d'aborder la question du genre littéraire, il importe de faire une remarque d'importance. Les exégètes qui ont étudié ces passages initiaux des lettres pauliniennes les nomment «actions de grâces», indiquant ainsi qu'ils y voient un genre littéraire, celui des AG[28]. Or, cette opinion commune est strictement fausse. En effet, l'AG biblique et juive peut avoir deux formes:
1) «je te rends grâces, Seigneur, toi qui (ou: car)» où l'orant (je/nous) s'adresse à Dieu (en TU);
(2) «rendons/rendez grâces à Dieu, lui qui (ou: car)», avec un impératif (singulier, plus souvent pluriel) adressé aux fidèles comme un invitatoire.

La syntaxe des débuts de lettres montre qu'il ne s'agit pas d'une prière mais seulement d'une mention de prière, ou comme le dit Bruce, d'un «prayer report»: Paul notifie à ses correspondants qu'il ne cesse de rendre grâces, mais cette information n'est pas en soi une prière d'AG.

La même chose peut être dite de la mention d'intercession des vv.9-11: ce n'est pas une prière d'intercession, car elle n'en a pas les caractéristiques formelles («Je te demande, Seigneur, de...»).: aux vv.3-8 et 9-11 il s'agit de mentions, de notifications et non de prières. Pour une semblable mention de prière au début d'une lettre, voir 2Mac 1,1-6.

(b) La composition des vv.3-8

Dans un article récent, qui reprend les recherches de ses prédécesseurs, Lambrecht propose une composition standard des AG pauliniennes, d'utilité limitée pour notre propre analyse, car encore trop formelle[29]:

---

[28] Sur l'AG introductive, on peut consulter la monographie de P.T. O'Brien, *Introductory Thanksgivings*, qui fournit un bon status quaestionis à partir d'une analyse de plusieurs passages (Rm 1,10; Phil 1,9; Phlm 4-6; et Ep 1,16-17; 2Th 1,11), même si elle reste quelque peu minée par l'hypothèse du genre littéraire AG.

[29] *Thanksgivings*, 189.

1 le noyau (présent)
    a «Je rends (nous rendons) grâces à» cf. Col 1,3a
    b «Dieu» Col 1,3a
    c «toujours» (Col 1,3b?)
2 la mémoire (du passé)
    a «pour vous» (Col 1,3b?)
    b «faisant mémoire de vous dans mes prières» Col 1,3b
    c raisons diverses Col 1,4-8
3 la demande (pour le futur) Col 1,9ss.

Pour Col, Lambrecht met entre parenthèses les éléments 1c et 2a, car ils peuvent être rattachés au 2b. Il a tout à fait raison. Au demeurant, cette conflation de certains éléments n'infirme pas l'articulation relevée par lui pour les mentions d'AG pauliniennes[30]. Quant à la difficulté soulevée par certains exégètes sur l'appartenance du troisième élément (la *demande*) à l'AG, elle disparaît dès lors qu'on ne voit pas en cette séquence des genres littéraires: il ne s'agit que de *mentions* de prières (d'AG et/ou de demande) et non de prières proprement dites; en signalant les deux formes principales de prière, l'AG et l'intercession, Paul entend précisément montrer les dimensions multiples d'une attention continue à ses Eglises. Tout en reconnaissant que les mentions d'AG (vv.3-8) et d'intercession (vv.9ss) ne sauraient être séparées, nous les analyserons comme des unités différentes, pour plus de commodité.

    Outre cette composition formelle, il en existe une autre, de type concentrique, pour les vv.4-8, où sont exposées les raisons qui ont occasionné l'AG:

a ayant entendu parler de leur foi et charité	maintenant (vv.4-5a)
b l'annonce de la parole de vérité (Evangile) a permis tout cela	passé (v.5b)
c l'Evangile fructifiant dans le monde entier et à Colosses	maintenant (v.6ab)
b la grâce de Dieu en sa vérité annoncée et enseignée par Epaphras	passé (v.6c-7)
a lequel Epaphras a raconté la charité qui les anime	maintenant (v.8)

La composition montre bien le rapport existant entre la charité, la foi, etc. (en a), et l'annonce de l'Evangile qui les a rendues possibles (en b)

---

[30] Notons en passant que l'élément 2*b* (le «faire mémoire de») n'apparaît pas tel quel en Col 1,3b, car ce verset indique seulement que la prière continuelle de Paul est précisément d'action de grâces.

et montre que les éléments mentionnés en (a) sont des fruits de cette annonce: le passage part donc des fruits de l'Evangile et y revient en passant par l'annonce sans laquelle ces effets n'existeraient pas. Le centre (c) relate l'universalité de l'annonce et des fruits de l'Evangile, indiquant par là que la vérité de l'Evangile se reconnaît à l'extension de ses fruits.

3° Exégèse

v.3

«Nous rendons grâces au Dieu et Père de notre Seigneur Jésus Christ, dans notre prière constante pour vous».

«Nous rendons grâces». La première personne du pluriel vient sans doute de ce que, comme en 1-2Th, Paul veut signaler que Timothée, nommé au v.1, s'associe à son action de grâces[31].

L'AG est adressée à Dieu, comme dans les autres lettres[32]. Pour le titre «Père», voir au v.2. L'originalité de Col 1,3 vient de ce qu'il s'agit de la seule mention d'AG initiale où Dieu est appelé «Père de Notre Seigneur Jésus Christ». Les versets qui suivent immédiatement ne permettent pas de déterminer la raison de cette expansion. A-t-on dès lors affaire à une formule stéréotypée, déjà marquée par la liturgie de l'Eglise primitive, ou faut-il plutôt y voir une préparation des développements christologiques de 1,13-20, où sera mise en relief, pour des raisons qu'il faudra préciser, la relation entre Dieu et Christ? Cette seconde hypothèse semble plus en conformité avec le mouvement palistrophique de ce premier chapitre mentionné et décrit plus haut, dans la présentation des vv.3-23.

Πάντοτε ὑπὲρ ὑμῶν προσευχόμενοι (litt. «toujours pour vous priant»). Le syntagme peut s'interpréter de plusieurs façons selon que l'on rattache le «toujours» à «nous rendons grâces» ou au participe προσευχόμενοι: (a) Paul et Timothée rendent tout le temps grâces,

---

[31] 1Th 1,2; 2,13; 3,9; 2Th 1,3; 2,13. Mais, même si Timothée est nommé dans l'adresse de Ph et Phlm, toutes les autres mentions d'AG sont néanmoins formulées au singulier (Rm 1,8; 1Co 1,4; Ph 1,3; Phlm 4). Comme le dit très justement Lohse, *Kolosser*, 43, pour la mention d'AG et d'intercession, il n'y a pas de différence significative entre le pluriel et le singulier.

[32] «Je rends grâces à mon Dieu» Rm 1,8; 1Co 1,4; Ph 1,3; «nous rendons grâces à Dieu» 1Th 1,2; 2Th 1,3. Seul Ep 1,16, où Dieu n'est pas mentionné, fait exception à la règle.

lorsqu'ils prient pour les Colossiens: cela veut dire que les prières sont alors entièrement dominées par l'AG; (b) ils rendent grâces, toutes les fois qu'ils prient pour les Colossiens: «toujours»[33] est alors explicité par le participe προσευχόμενοι (quand nous prions), autrement dit, toutes les prières de Paul et Timothée comprennent l'AG (mais pas seulement cela)[34]; (c) la prière pour les Colossiens est continuelle, et elle est dominée par l'AG. La syntaxe ainsi que la dynamique des vv.3-8, où sont énumérées les raisons que l'Apôtre a de rendre grâces, favorisent la troisième interprétation, celle d'une AG continuelle. Cela ne veut pas dire que Paul n'adresse pas de prière de demande pour eux (les vv.9ss prouvent le contraire), mais qu'en ce début d'épître il ne veut mentionner que l'AG.

v.4

«depuis que nous avons-entendu-parler-de votre foi en Christ Jésus et de l'amour que vous avez pour tous les saints».

Ἀκούσαντες («ayant entendu parler de»). Le verbe ne dit rien sur les modalités, qui ne seront précisées qu'au v.8 (c'est Epaphras qui a transmis les bonnes nouvelles concernant les Colossiens).

Les deux premières raisons de rendre grâces sont fournies en ce verset: la foi et la charité des Colossiens. Que la foi des communautés soit l'occasion de l'AG de Paul, Col n'est pas la première lettre à le signaler[35]. Mais le syntagme «en Christ Jésus» qui suit «votre foi» (τὴν πίστιν ὑμῶν ἐν Χριστοῦ Ἰησοῦ) désigne-t-il le contenu de cette foi ou, au contraire, indique-t-il son milieu de vie[36], sa source ou même sa

---

[33] Selon certains, l'adverbe πάντοτε (qu'on retrouve en 1Th 1,2; 1Co 1,4; Rm 1,10; Ph 1,4; 2Th 1,3; Phlm 4) renvoie aux temps de prière prescrits dans le judaïsme et le christianisme primitif (matin, midi et soir). Cf. Lohse, *Kolosser*, 44. Ces temps de prière font évidemment partie du «toujours», mais le texte insiste (avec ou sans exagération, peu importe) sur le fait que la prière de Paul pour ses destinataires est de tout instant.

[34] Pour la première solution, voir Lightfoot, Hugedé, Gnilka; pour la seconde, Abbott, Lohmeyer, Lohse.

[35] Cf. Rm 1,8; 1Th 1,3; Phlm 5. Voir encore Ep 1,15; 2Th 1,3.

[36] Comme en 1Co 12,9; Ep 1,15 (où la formulation est quasiment celle de Col 1,4); et en 1Tm 1,14; 3,13; 2Tm 1,13; 3,15, où la formule est plus claire, car il y a un article en plus (ἐν πίστει τῇ ἐν Χριστῷ Ἰησοῦ), «la foi, celle dans le Christ Jésus» 1Tm 3,13; ἐν πίστει καὶ ἀγάπῃ τῇ ἐν Χριστῷ Ἰησοῦ, «dans la foi et la charité chrétiennes» 2Tm 1,13).

qualification, si bien qu'on pourrait aujourd'hui paraphraser ainsi l'expression: «votre foi comme communauté chrétienne»? Il serait tentant d'opter pour la première hypothèse et de discerner en ce verset deux dimensions complémentaires de la vie croyante, comme en Phlm 5: la foi ayant pour objet le Christ, et la charité ayant pour destinataires les frères[37]. Mais, selon les exégètes qui défendent la seconde hypothèse, lorsque Paul veut désigner le contenu de la foi, il utilise le génitif ou d'autres prépositions[38]. Le corps de la lettre aux Colossiens semble confirmer leur opinion, puisque le contenu de la foi y est rendu à l'aide de la préposition εἰς en 2,5 (τὸ στερέωμα τῆς εἰς Χριστὸν πίστεως ὑμῶν, «l'affermissement de votre foi au Christ»), et par un génitif en 2,12 (συνηγέρθητε διὰ τῆς πίστεως τῆς ἐνεργείας τοῦ Θεοῦ, «vous avez été ressuscités avec lui, parce que vous avez cru en la force de Dieu»).

«L'amour (ἀγάπη) que vous avez pour tous les saints». L'agapè ne touche pas seulement l'un ou l'autre frère, elle embrasse l'ensemble des frères, appelés les saints. Et qu'elle touche l'ensemble des chrétiens, sans exclusion aucune, s'explique par sa nature, qui est d'unir, et d'unir parfaitement, comme le dira Col 3,14. L'Auteur ne dit pas que l'amour des Colossiens se prodigue à tous les hommes, et l'on pourrait s'étonner de voir son extension réduite à l'Eglise: Jésus n'a-t-il pas dit qu'il fallait aimer jusqu'aux ennemis[39]? Ce silence n'a rien d'exclusif. Le verset insiste en effet uniquement sur les fruits qui constituent la communauté colossienne comme témoin de l'Evangile: et c'est bien par la foi et l'amour qu'il ont les uns pour les autres que les chrétiens portent témoignage à la parole de vérité, l'Evangile[40].

---

[37] Cf., entre autres, Gnilka, *Kolosserbrief*, 32.

[38] Cf. Lohse, *Kolosser*, 46. Voir la préposition πρός, en Phlm 5. Pour le génitif, voir Ga 2,20 («la foi au fils de Dieu»), Ph 1,27 («la foi en l'Evangile»); voir également 2Th 2,13 (πίστις ἀληθείας). Par contre, le syntagme πίστις Χριστοῦ ou πίστις Ἰησοῦ en Ga 2,16; 3,22; Rm 3,22.26; Ph 3,9, invite à la prudence, car il ne renvoie pas toujours à Jésus Christ comme objet de la foi; si l'on ne doit pas exclure ce sens en Ga 2,16, il est plus difficile de l'admettre pour Rm 3,22.26, comme Hays l'a montré dans sa thèse *The Faith of Jesus Christ*. Voir également Aletti, *Comment Dieu est-il juste?*, 94-98.

[39] Cf. Mt 5,44 et par.

[40] Ce verset n'est pas sans ressemblances avec Jn 13,34-35.

Dans ses lettres, Paul associe plusieurs fois la foi et l'agapè[41], et l'on en perçoit aisément la raison, selon ce qu'il dit lui-même en Ga 5,6, en 1Co 8,1 et 13,2: la foi ne aurait être le seul fruit de l'Evangile. Mais, dans les listes analogues à Col 1,4-5, la foi est, à une exception près, toujours mentionnée la première, car elle constitue la base de tout, reliant, par l'annonce de l'Evangile, le croyant à l'événement-Christ, et lui donnant son identité[42].

v.5

«en raison de l'espérance préparée pour vous dans les cieux; (cette espérance) que vous avez autrefois entendue dans la parole de la vérité, l'Evangile».

Comme dans l'AG initiale de 1Th, l'Auteur mentionne ensuite l'espérance[43]. Le sens et la fonction du syntagme «en raison de l'espérance qui vous est préparée dans les cieux» (διὰ τὴν ἐλπίδα τὴν ἀποκειμένην ὑμῖν ἐν τοῖς οὐρανοῖς) ne vont pas de soi. L'expression se rattache-t-elle aux verbes «nous rendons grâces» et «priant» («nous rendons grâces en raison de l'espérance qui vous est préparée ...»), ou bien détermine-t-elle les substantifs qui la précèdent, à savoir la foi et l'agapè («votre foi et votre amour pour les saints ont pour raison l'espérance qui vous est préparée dans les cieux»)? Dans le premier cas, il s'agit d'une raison supplémentaire d'AG liée à la dignité eschatologique de la communauté; dans le second cas, le texte souligne les motivations des Colossiens, qui n'ont rien d'humain, mais sont liées à un objet attendu[44] et de nature céleste. Même si la première solution est possible, la syntaxe ne la favorise pas, car le διὰ ἐλπίδα se trouve loin du verbe «nous rendons grâces», trop loin peut-être pour qu'on l'y

---

[41] Foi et charité seules, en 1Th 3,6; Ga 5,6; 2Co 8,7; Phlm 5; également Ep 6,23; 2Th 1,3. Ou avec d'autres substantifs que l'espérance, dans les Pastorales: 1Tm 4,12; 6,11; 2Tm 2,22; 3,10.

[42] L'exception se trouve en Phlm 5; cela vient de ce qu'en ce billet Paul veut justement amener Philémon au sommet de l'agapè.

[43] Cf. 1Th 1,3. Egalement Ep 1,15.18. Dans le corps des lettres pauliniennes, la triade foi-agapè-espérance apparaît en Rm 5,1-5; 12,6-12; 1Co 13,7.13; Ga 5,5-6; 1Th 5,8 (citation d'Is 59,17), et Ep 4,2-5.

[44] Le verbe ἀπόκειται («être préparé») s'appliquait à ce que l'on attendait, comme le montrent les textes grecs recensés par Lohse, *Kolosser*, 48.

rattache. Mais l'une et l'autre solution doivent affronter la question du sens de ἐλπίς, car on a affaire à un trope, plus précisément à une métonymie (l'action pour l'objet de l'action): par «espérance», il faut entendre l'objet que l'espérance fait entrevoir (la *spes quae speratur*)[45]. Mais quel est donc cet objet? La gloire, récompense eschatologique pour l'agapè et les bonnes oeuvres, ou encore le trésor céleste dont parlent certains livres du NT et du judaïsme intertestamentaire[46]? L'espérance céleste des Colossiens n'est-elle pas plutôt le Christ, leur Seigneur, qui est précisément aux cieux, «espérance de (leur) gloire» (Col 1,27)[47]? Col 1,5 ne donne pas suffisamment d'indices pour autoriser une réponse nette[48]. Si l'on considère le reste de la lettre, il appert que si l'objet de l'espérance des Colossiens n'est pas séparable du Christ, il ne lui est pourtant pas directement identifiable. Car, en Col 1,27, sur lequel s'appuie Lohse, nous avons un autre trope de type métonymique (l'action pour la raison de l'action), lequel ne doit pas nous leurrer: c'est la gloire qui constitue l'espérance ultime des croyants, une gloire dont le Christ représente les prémices; en 1,27, le Christ n'est pas l'objet de l'espérance, bien plutôt ce qui la fonde et lui donne sa raison d'être. Col 3,1-4 confirme d'ailleurs cette interprétation, puisque les chrétiens sont déjà aux cieux avec le Christ, sans séparation aucune, et y attendent de «paraître avec lui *en pleine gloire*».

Dans les Homologoumena, l'espérance est dirigée vers le futur, vers la rédemption finale: elle fonde la persévérance et la patience des croyants. La triade foi-charité-espérance épouse ainsi la totalité du temps chrétien, qui va de l'adhésion de foi en l'Evangile, dans le passé, à l'attente de la rédemption finale, en passant par l'amour fraternel au quotidien. De l'avis de nombreux exégètes, Col 1,3 (et Col en son entier,

---

[45] Cf. Lohse, *Kolosser*, 47, qui reprend Bornkamm, «Hoffnung im Kolosserbrief».

[46] Cf. le status quaestionis en Lohse, *Kolosser*, 47-48 et Gnilka, *Kolosserbrief*, 33. Voici quelques parallèles néotestamentaires mentionnés par Gnilka (Mt 6,19-21; 2Tm 4,8 avec le même verbe ἀπόκειται qu'en Col 1,5) et juifs (2Mac 12,45 avec le participe ἀποκειμένον; 4Esd 7,14; 7,72; *ApoBaruch* 14,12; Philon, *praem.* 104).

[47] Solution proposée par Lohse, *Kolosser*, 48, et refusée par Gnilka, *Kolosserbrief*, 33.

[48] On peut toutefois reconnaître ici une technique rhétorique fréquente dans les Homologoumena, et qui consiste à procéder par précisions successives: une première affirmation, brève et souvent elliptique, se voit progressivement étoffée et éclairée. Il en est de même en Col 1,3-8, qui, pour cette raison, a les caractéristiques d'un exorde.

surtout 3,1-4) marquerait un déplacement de l'espérance: ce que le croyant attend ne serait plus dans le futur mais dans l'espace, aux cieux. On passerait donc d'une eschatologie temporelle à une eschatologie de type spatial[49]. Il est évidemment trop tôt pour se prononcer sur l'eschatologie de Col. Mais, avant de tirer une quelconque conclusion, il importera de ne jamais séparer les affirmations eschatologiques de leur fonction argumentative ni de l'ensemble de la théologie de Col, dont elles ne forment qu'un élément[50].

«(Cette espérance) que vous avez autrefois entendue dans la parole de vérité, l'Evangile». Paul ne dit pas que l'espérance définisse exhaustivement l'Evangile[51], mais que la première annonce de l'Evangile a déjà donné aux Colossiens les traits distinctifs de l'espérance chrétienne. C'est sans doute la première fois que Paul nomme ainsi l'Evangile[52]. Comme l'expression se trouve dans l'exorde, on peut supposer qu'elle vise déjà à opposer l'Evangile à l'erreur combattue au chapitre suivant, mais il est difficile, impossible même, de le montrer, car le terme «vérité» ne réapparaît plus après 1,6.

v.6

«qui est parvenu jusqu'à vous; tout comme il porte du fruit et progresse dans le monde entier, de même (fait-il) chez vous, depuis le jour où vous avez entendu et connu la grâce de Dieu dans (sa) vérité»

Le v.6ab expose quelques traits essentiels de l'Evangile: (a) ce n'est pas nous qui allons à Lui, mais c'est lui qui vient à nous et reste présent parmi nous[53] (dynamique et stabilité); (b) il est fait pour tous et doit être annoncé au monde entier (extension universelle de l'an-

---

[49] Cf. Lohse, *Kolosser*, 48.

[50] Méthode analogue à celle de Lona, *Eschatologie*, 81-82, selon qui il faut analyser les représentations eschatologiques (a) en fonction de toute la lettre, (b) et donc seulement comme élément d'une conception théologique globale, (c) en tenant également compte des conditions de production du texte (de la situation ecclésiale de Colosses).

[51] Contre Lohse, *Kolosser*, 48.

[52] Si Col est antérieure à Ep, ce qu'il faudra examiner. On retrouve l'expression en Ep 1,13. Dans les Homologoumena, Paul l'appelle «parole de Dieu» (2Co 2,17; 4,2; Ph 1,14; 1Th 2,13), «parole du Seigneur» (1Th 1,8), «parole de réconciliation» (2Co 5,19), «parole de vie» (Ph 2,16).

[53] Comme l'indique le participe présent παρών (ici au génitif).

nonce), (c) et porte du fruit (qualité et croissance), (d) partout où il a été annoncé (extension universelle de la croissance). Extension et croissance en qualité se trouvent déjà en plusieurs mentions d'AG des Homologoumena[54], mais Paul en parle à partir des effets, autrement dit à partir de la foi et de la charité des Eglises (sans d'ailleurs nommer l'Evangile), alors que Col 1,6 considère cette extension et cette progression qualitative à partir de la cause (sans parler des messagers ni des Eglises), assimilant en quelque sorte la croissance théologale des communautés à l'Evangile (cf. le participe αὐξανόμενον).

Le binôme «porter du fruit et croître», employé ici en un sens figuré[55], pourrait déjà préparer, avec sa reprise en 1,10, un des thèmes principaux de la lettre, celui de la croissance et de la plénitude des croyants en Christ.

Le v.6c fournit un autre trait de l'Evangile: (e) sa croissance n'est pas d'hier, éphémère et irrégulière, mais remonte au temps de l'annonce et dure continûment: la force de l'Evangile se reconnaît aussi à cette constance dans la progression. Selon certains commentateurs[56], les deux propositions en καθώς («tout comme il porte du fruit et progresse dans le monde entier, de même fait-il chez vous») du v.6 interrompent le fil du discours: on pourrait les sauter aisément, en lisant le texte comme suit: «(cette espérance) que vous avez autrefois entendue dans la parole de vérité, l'Evangile, selon ce que vous avez appris d'Epaphras notre bien-aimé compagnon de service». Il s'agirait donc d'un excursus. En réalité, la composition concentrique montre à l'évidence que pour l'Auteur de Col, les vertus déployées par les Colossiens manifestent la vérité et la force de l'Evangile. C'est l'Evangile qui explique la situation des Eglises et donne le goût de l'AG. Loin d'être un excursus, le verset prépare au contraire le corps de la lettre, où le combat pour l'Evangile et sa croissance apparaît décisif.

---

[54] Rm 1,8 (extension: la foi des Romains est connue de tous); 1Co 1,5-6 (qualité des dons reçus par les Corinthiens); Ph 1,5-7 (qualité de l'accueil et de l'aide des Philippiens); 1Th 1,3 (qualité de la foi et de la charité des Thessaloniens).

[55] Dans l'AT, hébreu et grec, l'emploi n'est pas figuré (excepté en Jer 2,21 pour l'adjectif καρποφόρος, en un oxymore bien connu: Israël, la vigne καρποφόρος, n'a rien donné). Dans le NT, l'emploi de «porter du fruit» est figuratif: Mt 13,23; Mc 4,20; Lc 8,15; Rm 7,4.5; Col 1,6.10. Pour l'évolution de l'emploi des termes, cf. Lohse, *Kolosser*, 50.

[56] Dibelius, Gnilka.

«Depuis le jour où vous avez ... connu la grâce de Dieu dans sa vérité». Faut-il rattacher ἐν ἀληθείᾳ («en vérité») au verbe «connaître» («vous avez connu en vérité») ou plutôt au substantif χάρις («la grâce de Dieu en sa vérité»)? La seconde solution se recommande de l'ordre syntaxique - sinon, «en vérité» précéderait plutôt le verbe - ainsi que de la composition concentrique des vv.4-8, en particulier du parallèle entre «la parole de vérité» (v.5) et «la grâce de Dieu en vérité» (v.6). Si, en début d'épître, il est difficile de dégager les connotations du verbe ἐπιγινώσκειν, qui n'apparaîtra plus par la suite, il importe néanmoins de déjà souligner que les termes relatifs à la connaissance sont assez nombreux en Col[57]. En revanche, le lien entre l'AG (au v.3) de Paul et la grâce de Dieu (v.6) faite aux croyants est manifeste: l'eucharistie (l'AG) reconnaît ce qui est grâce, don de Dieu. On voit ainsi le lien existant entre AG et vie chrétienne et sur lequel insistent Colossiens et Ephésiens. Mais quelle est donc «la grâce de Dieu» reconnue comme vraie par les Colossiens? Le parallélisme entre «l'Evangile, parole de vérité» (v.5) et «la grâce de Dieu en sa vérité» (v.6) montre que l'Auteur désigne encore ainsi l'Evangile: l'Evangile est la parole de vérité, mais aussi la grâce par excellence, par laquelle nous pouvons rendre continûment grâces. Comme cela a été dit à propos du v.5, on peut supposer que le syntagme en alètheia vise déjà à opposer l'Evangile à l'erreur combattue au chapitre suivant, mais il est impossible de le montrer, car le terme «vérité» ne réapparaît plus ensuite.

v.7
«Selon ce que vous avez appris d'Epaphras, lui qui nous supplée comme un fidèle ministre du Christ».
   Le verbe «apprendre» (μανθάνειν) renvoie-t-il à l'annonce de l'Evangile ou bien à l'enseignement qui l'a suivi? Le texte ne permet pas de distinguer deux temps ou deux manières d'introduire à l'Evangile,

---

[57] Pour un relevé des termes, voir *infra* l'exégèse du v.9. A propos de notre v.6, les commentateurs rappellent que l'expression ἐπίγνωσις ἀληθείας («la connaissance de la vérité») est typique des écrits deutéropauliniens (1Tm 2,4; 4,3; 2Tm 2,25; 3,7; Tt 1,1). Certes, mais, comme nous l'avons indiqué, en Col 1,6 le terme «vérité» se rapporte à «grâce»charis et non à «connaître».

l'annonce (par qui?) et l'enseignement (par Epaphras)[58]: c'est d'Epaphras que les Colossiens ont «appris» l'Evangile. Ce verbe n'est assurément pas utilisé dans les Homologoumena pour décrire comment l'Evangile fut accueilli. Mais, comme Rm 16,17 et Ph 4,9 le montrent, il élargit le champ d'une évangélisation qui n'est jamais ponctuelle et comprend toujours une part d'enseignement.

Epaphras est nommé le «bien-aimé compagnon-de-service» (ἀγαπητὸς σύνδουλος) de Paul et Timothée[59] et «ministre du Christ». La progression de la présentation saute aux yeux:
(i) Epaphras désigné en relation à Paul (co-serviteur) + bien-aimé,
(ii) ensuite désigné en relation au Christ (ministre) + fidèle.

Le composé συν-δουλος («co-esclave» ou «co-serviteur») connote une certaine égalité en même temps qu'il insiste sur la fonction humble[60]. Paul ajoute un autre titre, toutefois sa formulation est différente: il ne dit pas qu'Epaphras est «co-ministre» (συν-διακονος) ou ministre comme lui-même et Timothée[61], mais qu'il est «ministre du Christ» (πιστὸς διάκονος τοῦ Χριστοῦ) à sa place ou en son nom[62]. Avec Epaphras, c'est donc Paul lui-même qui évangélisait les Colossiens. Les deux titres connotent le service (δουλεύειν et διακονεῖν) et soulignent que servir le Christ (et non la dignité personnelle ou l'exercice du pouvoir) est l'unique et ultime finalité du ministère d'évangélisation. Dans son rapport à Paul et à Timothée, Epaphras est bien-aimé; dans son rapport au Christ

---

[58] Seule l'insertion d'un καί après le καθώς en quelques témoins, au demeurant peu fiables sur ce point, autoriserait une telle distinction.

[59] Comme Tychique en 4,7, lui aussi appelé «frère bien-aimé, fidèle ministre et compagnon-de-service en Christ»; le terme σύνδουλος n'est employé qu'en Col.

[60] En ce sens «mon/notre collaborateur» (Rm 16,3.9.21; Ph 4,3; 1Th 3,2; Phlm 1.24) est plus neutre.

[61] Cf. 2Co 11,23. Sans le génitif χριστοῦ, mais employé seul ou avec d'autres déterminants, le titre s'applique à Paul et d'autres. Cf. 1Co 3,5 (Paul et Apollos sont seulement ministres); 2Co 3,6 (nous sommes ministres de la nouvelle alliance); 1Th 3,2 (Timothée ministre de Dieu); Col 4,7 (Tychique); Rm 16,1 (Phoebe).

[62] On suit ici la leçon ὑπὲρ ἡμῶν («en notre nom»), qui est celle des manuscrits les plus nombreux et les plus fiables (p[46] S B A D˙ etc.). Avec C 044 33 etc., la Vulgate a préféré la leçon ὑπὲρ ὑμῶν («à votre place»: dans ce cas, Apaphras vient aider l'Apôtre au nom de la communauté; «pour votre bien»: voir alors Col 4,12).

qu'il sert, comme représentant autorisé de Paul, il est fidèle. D'un διάκονος, on exige uniquement qu'il soit fidèle, avait déjà affirmé Paul en 1Co 4,2: l'adjectif indique ici laconiquement qu'Epaphras est ce qu'il doit être. La salutation finale (Col 4,12-13) reparlera de ce compagnon en termes aussi chaleureux que ceux de l'exorde et répétera qu'il est serviteur/esclave en ajoutant une précision qui manque ici: «serviteur du Christ Jésus», comme Paul se définit plusieurs fois lui-même[63]. En le nommant ainsi, Paul ne montre pas seulement son affection ou sa confiance à un homme qui fut prisonnier avec lui (Phlm 23), il reconnaît en lui un homme accrédité, ayant autorité, comme Timothée et lui-même. En reliant Epaphras à Timothée et à lui-même, Paul indique que l'annonce et l'enseignement d'Epaphras ne sont pas différents des leurs, en d'autres termes, que l'Evangile est le même, d'origine apostolique et d'inspiration paulinienne, qu'il mérite donc bien le nom de «parole de vérité»: les Colossiens n'ont pas été sous-évangélisés. On doit voir en cette présentation une préparation (rhétorique) lointaine de Col 2,6-29, où sera combattue une tradition déclarée tout humaine et n'ayant que l'apparence de la vérité[64].

v.8

«et qui nous a fait connaître votre amour dans l'Esprit».

«(Epaphras) nous a fait connaître». Comme l'indique avec raison Lohse[65], les nouvelles transmises par Epaphras soulignent indirectement que Paul est (et est reconnu comme le) responsable de l'Eglise de Colosses[66].

«Votre amour dans l'Esprit». Ici les destinataires de l'agapè ne sont pas nommés, mais il ne saurait s'agir de leur amour pour Paul, bien plutôt de l'amour que les Colossiens ont les uns pour les autres, comme le suggère la composition concentrique, autrement dit le parallèle entre les vv.8 et 4. L'expression «amour dans l'Esprit» souligne qu'il ne s'agit

---

[63] Rm 1,1; Ga 1,10; Ph 1,1.

[64] Raison supplémentaire pour préférer la leçon ὑπὲρ ἡμῶν, qui va dans le sens de l'épître et justifie ce couplet sur Epaphras.

[65] *Kolosser*, 54.

[66] Les commentateurs notent d'ailleurs que Paul a utilisé le verbe δηλοῦν dans une situation analogue (les envoyés de la maison de Chloé lui ont raconté, car il est le responsable de la mission, ce qui se passe dans la communauté de Corinthe).

pas de sympathie simplement humaine, mais d'une relation animée par
l'Esprit[67]. La mention de l'Esprit divin est la seule de la lettre; sur ce
point, Col diffère des Homologoumena, où l'Esprit (Saint) a un rôle
d'importance. Il faudra revenir sur cette absence, qui vient sans aucun
doute de ce que la christologie est dominante en Col[68].

B - Col 1,9-14: L'INTERCESSION DE PAUL

9 Voilà pourquoi, quant à nous, depuis le jour où nous l'avons appris,
nous ne cessons de prier pour vous et de demander que vous soyez
remplis de la connaissance de sa (= Dieu) volonté en toute sagesse et
intelligence spirituelle, **10** pour que vous meniez une vie digne du
Seigneur et qui (lui) plaise en tout, en portant du fruit par toute sorte
d'oeuvre bonne, et en progressant dans la connaissance de Dieu, **11** en
étant *pleinement* fortifiés selon la vigueur de sa gloire, en vue
d'(obtenir) toute endurance et patience, avec joie **12** en rendant grâces au
Père qui vous a rendus capables *d'avoir part à l'héritage* des saints
dans la lumière, **13** Lui qui nous a délivrés de l'autorité de la ténèbre et
nous a transférés dans le royaume *de son Fils bien-aimé,* **14** en qui
nous avons la rédemption, le pardon des péchés.

* v.11 litt.: «en toute force».
* v.12 litt.: «pour la part du lot»
* v.13 litt.: «du Fils de son amour»

1° **Bibliographie**
B. Antonini, «Volontà di Dio»; Z. Kiernikowski, «Vita cristiana», qui
coupe malheureusement entre Col 1,11 et 1,12.

---

[67] Cf. Gnilka, *Kolosserbrief*, 38.

[68] Pour l'autre occurrence de πνεῦμα en Col 2,5, voir à ce verset. L'adjectif πνευματικός apparaît deux fois en Col (1,9; 3,16).

2° **Composition et présentation**

Syntaxiquement, le passage est structuré assez simplement, grâce aux verbes: l'objet de la demande («connaissance de la volonté de Dieu») se voit justifié par sa finalité («mener une vie digne du Seigneur»), elle aussi explicitée par les quatre modalités qui la mettront en oeuvre[69]:

* objet et/ou finalité de la demande:
  (i) «que vous soyez remplis de la connaissance de sa volonté» (v.9b)
  (ii) «afin que vous meniez une vie digne du Seigneur...» (v.10)
* les quatre modalités de la vie chrétienne:
« - par toute oeuvre bonne en portant du fruit» (v.10b)
 - et en progressant dans la connaissance de Dieu (v.10c)
 - en toute force étant fortifiés selon la vigueur... (v.11a)
 - avec joie rendant grâces au Père (v.12a)
* raisons de l'AG des Colossiens:
                            qui nous a rendus capables
                            qui nous a arrachés.. du Fils (v.13)
                            en qui nous avons la rédemption..» (v.14)

L'architecture syntaxique (avec son alternance de syntagmes prépositionnels et de participes)[70] montre bien la gradation des modalités par lesquelles s'exprime la conduite qui plait à Dieu: d'abord l'agir éthique parfait, ensuite la progression dans la connaissance de Dieu, puis la constance à toute épreuve, enfin, comme sommet de tout, l'attitude d'action de grâces qui donne sens aux trois éléments précédents et donne aussi sa raison d'être au développement christologique des vv.15-20. Quant aux vv.13-14, ils se présentent comme un développement syntaxiquement

---

[69] Cf.,*supra*, p.49, le passage tel qu'il se présente à l'intérieur de la composition en cascade des v.9-20.

[70] Si εὐχαριστοῦντες n'était pas accompagné d'un syntagme prépositionnel comme les précédents, on pourrait discuter sur son rattachement à ce qui précède; mais la construction actuelle ne laisse pas de doute sur ce point. Noter d'ailleurs que les quatre participes sont au nominatif, alors qu'ils devraient normalement être à l'accusatif, à cause de leur place dans une infinitive finale: cela indique un lien syntaxique plus lâche avec περιπατῆσαι. Voir l'exégèse de Col 1,12 pour une plus ample justification du lien entre 1,12 et 1,9-11.

rattaché aux vv.9-12, auxquels il doivent donc être rattachés, mais il sont sans rapport direct avec les modalités que ces versets énoncent.

Comme dans les autres lettres pauliniennes - la composition palistrophique le soulignait à sa manière -, la mention de la prière d'intercession est reliée fermement à la mention d'AG, de la même façon que le pas-encore (le futur, qui va vers la plénitude à tous les niveaux) de la vie des croyants de Colosses trouve sa dynamique dans le déjà-là (les fruits existants: la foi, l'agapè, l'espérance). Au «déjà là» des Colossiens correspond l'Action de Grâces de Paul, et à leur «pas encore» son intercession.

Si l'on considère l'ensemble des vv.3-12, c'est toute la dynamique de la vie chrétienne qui est en quelque sorte esquissée, de la proclamation de l'Evangile à la gloire céleste, en passant par la réalisation et la croissance actuelles[71]

3° Exégèse des versets

v.9

«Voilà pourquoi, quant à nous, depuis le jour où nous l'avons appris, nous ne cessons de prier pour vous et de demander que vous soyez remplis de la connaissance de sa volonté en toute sagesse et intelligence spirituelle».

«Voilà pourquoi» (διὰ τοῦτο). L'expression souligne, comme cela vient d'être notifié dans la présentation des vv.9-14, le lien ferme entre l'AG et la prière de demande.

«Quant à nous, nous ne cessons de prier» (καὶ ἡμεῖς οὐ παυόμεθα προσευχόμενοι). Les Bibles et les commentaires sont divisés sur la fonction du καί. Beaucoup rattachent la particule à «nous» (ἡμεῖς) et traduisent «(voilà pourquoi), nous aussi, nous ne cessons de prier», d'autres au verbe, et comprennent ainsi: «(voilà pourquoi) nous ne cessons aussi de prier», d'autres enfin (comme la RSV) omettent tout simplement la particule. En s'appuyant sur un certain nombre de passages des Homologoumena, Lohse a voulu montrer que le καί se

---

[71] Cf. Kiernikowski, «vita cristiana», passim.

rattachait au verbe[72]. Le problème ne peut être résolu sinon par un examen attentif du contexte. En effet, lorsqu'il veut clairement rattacher la particule καί au verbe, Paul omet tout simplement le pronom, comme en Rm 5,3, ou même, comme en Rm 9,24, sépare le καί du pronom; mais en d'autres cas, tel Rm 15,14, le καί met en relief le sujet («moi-même»; «vous-mêmes») et non le verbe. Il en est de même en Col, où l'Auteur peut parfois rattacher le καί au verbe, comme le montre à l'évidence Col 1,8 («lui [Epaphras] qui nous a également [καὶ] notifié votre agapè»). Pour Col 1,9, Lohse a raison de ne pas traduire ce καί par «aussi», car cela supposerait que soit mentionnée auparavant la prière d'autres croyants, à laquelle s'ajouterait celle de Paul, ce qui n'est pas le cas. On ne doit pas pour autant séparer le καί du pronom ἡμεῖς, d'abord parce que le pronom colle à la particule et que le syntagme verbal «nous ne cessons de prier» en est au contraire syntaxiquement distant: comme en d'autres passages, le καί a une force désignative et se rattache manifestement au pronom[73] ou au substantif[74]. Ensuite parce que le texte souligne ici le changement de sujet, autrement dit notifie qu'on passe d'une information sur un acteur, Epaphras - de ce qu'il est, a fait et a dit - à un autre, le «nous» constitué par Paul (et Timothée), ce que veut précisément indiquer la traduction du καί par «quant à nous»[75].

«Nous ne cessons de prier pour vous et de demander..» Après l'Action de Grâces (AG) continuelle pour les fruits de l'Evangile, vient la demande, elle aussi continuelle, pour que les Colossiens arrivent à la

[72] *Kolosser*, 56. Voici les passages sollicités et la manière dont il les traduit: Rm 3,7 «Pourquoi alors (καί) suis-je encore jugé comme pécheur?»; Rm 5,3; 8,11.24; 9,24; 13,6; 15,14.19; 1Th 2,13 «pour cette raison nous rendons aussi grâces»; 3,5. Il renvoie également à Ep 1,15.

[73] Voir Col 3,4.7.8; 4,1.16 où l'on doit traduire «vous aussi»; encore en 4,16 «à Laodicée aussi». Pour les relatives (Col 1,29; 2,11.12; 3,15; 4,3), on pourrait discuter certains passages, tels Col 2,12 où, à la traduction «en qui aussi vous fûtes ressuscités», on préférera (toujours avec Lohse) «en qui vous fûtes aussi ressuscités», car les verbes forment une suite (ensevelis avec lui, ressuscités *aussi* avec lui).

[74] Ainsi, en Col 2,5: «si en effet, en ce qui concerne la chair, je suis absent, par l'esprit au contraire je suis présent»; en effet, par leur position en début de proposition, les substantifs «chair» et «esprit» sont en position emphatique, ce que le «et» devant «chair» souligne nettement.

[75] Ou «de notre côté», avec la TOB.

perfection. Le participe αἰτούμενοι a pour fonction de spécifier le précédent, en indiquant de quelle prière il s'agit. Si les deux verbes apparaissent dans les Homologoumena, les combinaisons syntaxiques de Col 1,9 semblent nouvelles[76].

Le verbe «être rempli» (πληροῦσθαι)[77] donne certainement l'envoi au thème de la plénitude des croyants, plénitude liée en Col 2 à celle du Christ. Mais il faudra revenir sur la façon dont le thème est traité, car la cohérence ne semble pas totale; en effet si, en 1,9, l'Apôtre prie pour que les Colossiens soient comblés dans leur connaissance de la volonté divine (ce qui veut dire qu'ils n'ont pas encore atteint cette plénitude), comment peut-il leur déclarer ensuite qu'ils sont déjà comblés (2,10)?

L'objet de la demande («que vous soyez remplis de la connaissance de sa[78] volonté en toute sagesse et intelligence spirituelle») n'est pas globalement nouveau. On peut même, sans hésitation, dire que le modèle conceptuel de Col 1,9 vient des livres bibliques et juifs, où plusieurs passages insistent déjà sur le rapport entre la connaissance de la volonté divine et le comportement éthique des croyants: comment agiront-ils correctement s'ils ne savent pas ce que Dieu veut d'eux?[79]

---

[76] Luc emploie παύομαι + le participe (cf. Lc 5,4; Ac 5,42; 6,13; 13,10; 20,31), mais pas Paul; la voie moyenne αἰτούμενοι ne se trouve qu'ici et en Ep 3,20 (mais l'actif αἰτεῖν en 1Co 1,22; Ep 3,13); de même on a ici le seul emploi de αἰτεῖν + ἵνα dans le NT - mais ἵνα est fréquent après les verbes de demande (cf. Mc 7,26; Lc 7,36; 16,27; Jn 4,47; etc.). Il faudra attendre la fin de la lettre pour voir si de telles différences minent la thèse de l'authenticité; l'argument des changements syntaxiques ou stylistiques reste en effet fragile, car d'une part, on peut imaginer que si l'Auteur n'est pas Paul et veut pourtant se faire passer pour lui, il a tout intérêt à reprendre des expressions familières de l'Apôtre sans les modifier; mais d'autre part, répéter servilement n'est pas le meilleur moyen de faire vrai.

[77] Ce passif (πληροῦσθαι) suivi d'un génitif en Rm 15,13.14 et d'un datif en Rm 1,29; 2 Co 7,4; mais d'un accusatif en Ph 1,11 et Col 1,9. La souplesse avec laquelle le passif est utilisé interdit qu'on parle trop vite pour Col 1,9 de construction non paulinienne.

[78] A qui renvoie le génitif αὐτοῦ? A Dieu ou au Christ? Comme l'AG du v.3, la demande du v.9 s'adresse sans aucun doute à Dieu, qui est donc le référent du pronom.

[79] Les livres bibliques emploient le singulier («la volonté de Dieu») ou le pluriel «les volontés», lequel équivaut alors à «commandements» (de la Loi). Cf. Ps LXX 1,2; 15,3 (pl.); 39,9 (en parallèle à «Loi»); 102,7 (pl. en parallèle à «voies»); 102,21 («faire sa volonté»); 110,2 (pl.); 142,10 («enseigne-moi à faire ta volonté»); Is 44,28 (pl.); 2Mac 1,3 (pl.).

Modèle repris dans le judaïsme dit intertestamentaire, en particulier qumranien[80], et sans doute par Jésus lui-même[81]. Et cette connaissance, nul ne peut se la donner; elle doit se demander, car elle est une grâce, la plus grande peut-être[82]. De la même façon, les trois dons (divins) mentionnés en Col 1,9, la connaissance (ἐπίγνωσις), la sagesse (σοφία) et l'intelligence-compréhension (σύνεσις) se trouvent aussi en 1QS 4,3[83], tout comme la mention de l'Esprit Saint nécessaire à leur obtention[84]. Autre point commun avec la tradition biblique: tous sont invités à connaître la volonté divine, car, pour ce faire, point n'est besoin d'efforts surhumains (cf. Dt 30,11-14 qui a fait l'objet de tant de réflexions successives, jusqu'à l'époque du NT): Dieu l'accorde à quiconque la désire vraiment et la Lui demande. Voilà pourquoi Paul la demande pour tous les croyants, pas seulement pour quelques initiés; c'est donc que tous peuvent et devraient l'obtenir: il n'y a là rien d'élitiste ni d'ésotérique. Bref, ce verset reprend seulement un thème essentiel pour le judaïsme et pour l'Eglise; à le lire on ne peut encore préjuger de la façon dont le thème de la connaissance sera traité dans le cours de la lettre.

Sans nier les parallèles grecs (les exégètes citent surtout Aristote, *Eth. Nic.* 1,13, selon qui la σοφία, la σύνεσις et la φρόνησις sont les vertus les plus hautes) et hellénistiques, ni même une dépendance à leur égard des écrits bibliques tardifs (comme Sg), le modèle le plus direct pour Col 1,9 est biblique et juif.

[80] Lohse, *Kolosser*, 57, montre l'importance du thème de la connaissance de la volonté divine (afin de l'exécuter) pour la communauté qumranienne (voir en particulier 1QS 1,5; 3,1.9.20; 5,10; 8,9-10.18.21; 9,6.8-9.13.19).

[81] Cf. Mt 6,10; Mt 7,21; 12,50; Lc 12,47; etc.

[82] Cf. encore les écrits qumraniens: 1QS 3,15; 4,27; 5,11; 11,17-18, etc.

[83] Sur les dons d'intelligence et de sagesse, nécessaires pour un agir éthique qui plaise à Dieu, les écrits bibliques, en particulier Pr 1-9 s'étaient déjà prononcés. On trouvera σοφία et σύνεσις en Pr 1,7; 2,2.3; 9,10; Si 1,4.18-19; 14,20; 15,3; 24,25-26; 37,22-23; 39,6; 50,27; Jb 12,13. Hors des livres sapientiaux, voir 1Ch 22,12; 2Ch 1,10.12; Dn 1,17. Le terme ἐπίγνωσις n'apparaît qu'en Pr 2,5, mais le verbe ἐπιγινώσκειν est employé deux fois en Pr et cinq en Si. Pour les trois substantifs σοφία, σύνεσις et γνῶσις ensemble, voir Pr 2,6; Sg 6,22.

[84] 1QH 12,11-12; 14,25. Pareil lien entre l'obtention de la sagesse et le don de l'Esprit divin est en continuité directe avec la Bible, comme le note Lohse, *Kolosser*, 57, et n'est pas une christianisation du thème par Paul. Cf. Ex 31,3; 35,31; Dt 34,9; Is 11,2; 29,14; Si 39,6.9-10; Sg 9,17.

v.10

«Pour que vous meniez une vie digne du Seigneur et qui (lui) plaise en tout, en portant du fruit par toute sorte d'oeuvre bonne, et en progressant dans la connaissance de Dieu».

L'infinitif aoriste περιπατῆσαι («marcher», «se conduire») a un sens final; ici se donne clairement à entendre que la connaissance de la volonté divine dont parle le v.9 n'est pas spéculative: elle a pour but la conduite morale et religieuse, comme l'indique le verbe περιπατεῖν, qui a le sens figuré de «mener telle ou telle vie», «se conduire»[85]. Dans les Homologoumena comme dans les Antilegomena, il est d'ailleurs toujours accompagné d'un adverbe ou d'un équivalent[86].

Qui est le Seigneur (κύριος): Dieu le Père ou le Christ Jésus? De même, nous avons traduit l'expression εἰς πᾶσαν ἀρεσκείαν par «qui LUI plaise en tout», laissant entendre qu'il fallait plaire au Seigneur. Mais on peut traduire de manière plus neutre: «pour plaire en toutes choses», sans autre précision, laissant ainsi entière la question: à qui faut-il plaire, au Père, au Christ, aux frères croyants, au monde? Si l'on prend en considération les parallèles juifs[87] ou pauliniens[88], il semble que le Seigneur du v.10 soit Dieu le Père, et que l'on ne doive plaire qu'à

---

[85] De tous les emplois vétérotestamentaires, seuls trois ou quatre ont ce sens: 4R 20,3 LXX; Pr 8,20; Ps 11,9 LXX; et peut-être Is 59,9. Pour les passages qumraniens semblables, cf. Lohse, *Kolosser*, 59.

[86] (1) par un adverbe: ἀξίως..1Th 2,12; εὐσχημόνως Rm 13,13; 1Th 4,12; οὕτως 1Co 7,7; Ph 3,17; πῶς 1Th 4,1 (comment se conduire). (2) par un syntagme prépositionnel: κατὰ σάρκα/πνεῦμα Rm 8,4; 2Co 10,2.3; διὰ πίστεως 2Co 5,7; κατὰ ἄνθρωπον 1Co 3,3; voir encore Rm 6,4; 14,15; 2Co 4,2. (3) par un datif ou un accusatif: 2Co 12,18; Ga 5,16; Ph 3,18. Pour les Antilegomena, voir Col 1,10; 2,6; 3,7; 4,5; Ep 2,2.10; 4,1.17; 5,2.8.15.

[87] Lohse, *Kolosser*, 60, fournit un certain nombre de passages de Philon (*fug.* 88; *spec. leg.* 1,176; 1,297; 1,317; *congr.* 80); il ajoute, très justement d'ailleurs, que cet auteur omet le mot "Dieu", lorsque le contexte y renvoie assez clairement pour qu'on n'ait pas besoin de le mentionner.

[88] 1Th 2,12 "mener une vie digne de Dieu"; 1Th 4,1: "comment il faut vous conduire et plaire à Dieu". Egalement, Rm 8,8 ("plaire à Dieu"); 1Th 2,15 (ne plaisant pas à Dieu). Par contre le référent de αὐτός en 2Co 5,9 ("lui plaire": le pronom reprend le κύριος du verset précédent) et de κύριος en 1Co 7,32 ("comment plaire au Seigneur") reste difficile à déterminer.

lui[89]. Le reste de Col confirme également que le référent n'est pas humain, puisque l'exhortation aux esclaves de 3,22 l'exclut expressément: «servez [vos maîtres] non parce qu'ils vous regardent, comme si vous cherchiez à plaire aux hommes (ὡς ἀνθρωπάρεσκοι)». Restent Dieu-le-Père et le Christ. Or, si l'on prend Col en son entier, on note assurément que le Christ reçoit le titre de κύριος[90], mais jamais Dieu. «Seigneur» ne s'applique donc pas nécessairement au Père en 1,10, et l'on doit avoir la même réserve en tous les passages de Col où κύριος est employé seul[91]. Cela n'encourage-t-il pas à distinguer deux référents au v.10a, et à comprendre ainsi: «pour mener une vie digne du Seigneur Jésus, en vue de plaire (à Dieu) en toutes choses»? Quelques indices favorisent cette interprétation: d'abord l'omission de celui ou de ceux à qui il faut plaire, ensuite l'emploi du mot «Dieu» à la fin du même v.10, donnant ainsi à penser qu'en ce verset, le κύριος de 10a et le Θεός de 10c ont deux référents différents[92], enfin l'exhortation de Ph 1,27, «conduisez-vous d'une manière digne de l'Evangile» (et donc du Christ), qui semble constituer un passage relativement proche, et autoriserait à voir le Christ désigné par le κύριος de Col 1,10a. Bref, si des parallèles comme 1Th 2,12 et 4,1 suggèrent de reconnaître Dieu dans le κύριος de Col 1,10a, une part d'incertitude demeure, qu'il faut se garder d'ignorer.

Avec la participiale «en portant du fruit par toute sorte d'oeuvre bonne»[93], le texte passe aux modalités par lesquelles se reconnaît une vie qui plaît au Seigneur. Le verbe καρποφορεῖν («porter du fruit») est

---

[89] La Vulgate a compris ainsi: «ut ambuletis digne DEO per omnia placentes».

[90] Ainsi, «Notre Seigneur Jésus Christ» en 1,3 et 2,6; le «Seigneur Jésus» en 3,17; le «Seigneur Christ» en 3,24b.

[91] Cf. Col 1,10; 3,13 (certains témoins ajoutent «χριστός ou Θεός); 3,16 (si l'on suit les témoins qui lisent «la parole du Seigneur»); enfin Col 3,18.20.22.23.24a; 4,1b.7.17.

[92] Au v.12, le titre est «Père», et l'on pourrait, en exploitant le même argument, conclure que πατήρ et Θεός ont deux référents différents. Le cas est cependant différent, car, en employant «Père» au v.12, l'Auteur enclenche un autre type de relation, celui entre Père (v.12) et Fils (v.13).

[93] A propos du nominatif des quatre participes pluriel des v.10-12, voir ci-dessus la présentation générale des vv.9-14.

le même qu'en Col 1,6[94]; avec le syntagme prépositionnel qui l'accompagne[95], il souligne encore une fois l'importance accordée par l'Auteur à la conduite des croyants comme lieu où se vit et se donne à reconnaître la vérité de l'Evangile. Noter qu'à la différence du v.4, le destinataire de l'agir n'est pas mentionné; cela signifie seulement que le v.10 considère la quantité de la production plus que sa finalité: le croyant ne peut pas ne pas produire beaucoup[96] de fruits. Col reviendra sur les oeuvres, plus précisément sur les oeuvres mauvaises, en 1,21; 3,7.17, pour opposer le maintenant de la vie du croyant à l'autrefois de sa situation pécheresse. Comme Col 1,10 ne met pas les oeuvres bonnes en relation stricte avec la foi, certains commentateurs ont vu là un glissement vers le protocatholicisme, avec une importance grandissante accordée aux oeuvres et une mise sous le boisseau de la foi paulinienne. Cette interprétation est erronée: la progression rhétorique des vv.10-12 montre que les oeuvres ne sont que le premier signe d'une vie croyante digne de l'Evangile. N'oublions pas d'autre part que les bonnes oeuvres dont parle Col 1,10 sont le fruit de la grâce divine et ne sont que la manifestation de sa puissance opérant dans le croyant (v.11); elles ne sont en rien l'effet des forces humaines et n'ont pas pour fonction de faire acquérir des mérites. Rien ici à voir avec une quelconque idée de performance. La coloration du thème en Col - où il reste d'ailleurs embryonnaire - est typiquement paulinienne.

De l'agir du croyant, le texte passe à sa connaissance. La seconde modalité présentée en Col 1,10c est la progression (cf. αὐξανό-μενοι[97]) dans la connaissance de Dieu. Les expressions «connaissance

---

[94] Pour plus d'information, se reporter à ce verset, dont Col 1,10a dépend très certainement - il est par contre impossible de montrer que Col 1,10a (et déjà Col 1,6) constitue une reprise de Rm 7,4(5).

[95] L'expression «par toute oeuvre bonne» est certes paulinienne, comme en témoigne la présence du même vocabulaire en Rm 2,7.10; 13,3; 2Co 9,8; Ga 6,10; Ph 1,6; voir aussi Ep 2,10 et le syntagme presque identique de 2Th 2,17 (ἐν παντὶ ἔργῳ καὶ λόγῳ ἀγαθῷ); noter aussi la présence massive du binôme «oeuvre bonne» (au sg. ou au pl.) dans les Pastorales (1Tm 2,10; 5,10; 2Tm 2,21; 3,17; Tt 1,16; 3,1). Mais on rencontre aussi des expressions analogues dans le judaïsme d'alors (cf., par ex., 1QS 1,4-5).

[96] Cf. l'adjectif «tout», répété d'ailleurs cinq fois en ces versets: «toute sagesse», «plaire en tout», «toute oeuvre bonne», «toute force».

[97] Le verbe αὐξάνω est utilisé en ce sens par Paul (2Co 10,15; également Col 1,10; Ep 4,15) et d'autres auteurs du NT (1P 2,2; 2P 3,18).

de la volonté (de Dieu)» du v.9 et «connaissance de Dieu» du v.10c sont-elles équivalentes? Il ne semble pas, car la première vise moins Dieu que ce qu'Il veut de nous, dans un agir qui lui plaise, alors que la seconde a Dieu pour objet direct; certes, le texte n'en dit pas davantage, mais les versets qui suivent (vv.12-20), où est décrite l'oeuvre créatrice et rédemptrice de Dieu le Père, avec la médiation du Fils bien-aimé, donneront des précisions sur ce que l'Auteur entend par connaissance de Dieu, une connaissance constitutive de l'être chrétien.

v.11

«en étant pleinement fortifiés selon la vigueur de sa gloire, en vue d'obtenir toute endurance et patience».

Après avoir énoncé deux éléments par lesquels s'exprime la conduite agréable (à Dieu), à savoir l'agir et le connaître, le texte va en présenter deux autres, temporellement plus orientés, le premier allant vers le futur (l'endurance et la patience), et le second vers le passé (le rappel, par l'AG, des bienfaits reçus). Il parle de la puissance divine d'une manière qui rappelle certains écrits juifs[98].

L'expression pléonastique «en toute force étant fortifiés»[99] souligne bien la gradation rhétorique déjà signalée pour les quatre participes. Et le syntagme prépositionnel qui suit, «selon la vigueur de sa gloire»[100], ajoute que la puissance du croyant vient de Dieu seul et que cette vigueur de la gloire divine doit se manifester en chaque croyant. Cela signifie-t-il que les croyants sont appelés à jouir d'une vie facile, d'où tout problème et adversité seraient exclus? Doivent-ils être

---

[98] Voir Lohse, *Kolosser*, 63, qui renvoie lui-même à son propre article «Christologie und Ethik», 167, et à de nombreux passages qumraniens.

[99] Le verbe δυναμοῦν («fortifier») n'apparaît qu'ici dans le NT (voir aussi les variantes de lecture en Ep 6,10; He 11,34), mais l'on trouve ἐνδυναμοῦν en Rm 4,20; Ph 4,13; Ep 6,10; voir aussi les Pastorales (1Tm 1,12; 2Tm 2,1; 4,17). Ailleurs dans le NT: Ac 9,22 et He 11,34. L'AT insistait déjà sur le fait que Dieu donnait la force à son peuple; cf. l'affirmation symptomatique du Ps 67,36 LXX: «mais le Dieu d'Israël donnera la force (δύναμιν) et la puissance (κραταίωσιν) à son peuple».

[100] Il s'agit d'un sémitisme à traduire «selon sa puissante gloire». Les mots κράτος et δόξα apparaissent en quelques doxologies néotestamentaires: 1P 4,11; Jude 25; Apo 1,6; 5,13. Pour κράτος, seul ou avec d'autres substantifs, cf. Ep 6,10, et les doxologies de 1P 5,11; 1Tm 6,16 (τιμή + κράτος). La formule d'Ep 1,19 (κατὰ τὴν ἐνέργειαν τοῦ κράτους τῆς ἰσχύος αὐτοῦ) ressemble à celle de Col 1,11.

puissants aux yeux du monde pour montrer que l'Evangile est puissance de Dieu? Que l'existence des croyants n'ait rien de triomphaliste, la suite de la phrase le prouve: la vie chrétienne n'est pas absente de souffrances ni de difficultés, puisque les forces reçues ont pour but de favoriser «toute endurance et patience», lesquelles supposent en général une situation qui n'est pas aisée; la force puissante reçue de Dieu n'agit pas comme un talisman qui écarterait toute tribulation, elle donne toutefois au croyant de pouvoir rester inébranlable dans les tourmentes. Quant au sens des substantifs ὑπομονή et μακροθυμία dans le corpus paulinien, les commentateurs pensent que le premier suppose une attitude d'hostilité à l'égard des croyants[101], elle est une réponse non violente à la violence, et que la patience (μακροθυμία) est une réaction de compréhension, de tolérance, d'indulgence à l'égard de membres de la communauté[102]. Les deux mots choisis ici pourraient donc aussi avoir les mêmes connotations et indiquer que les difficultés viennent de l'extérieur et de l'intérieur de l'Eglise, mais qu'en toute épreuve les Colossiens seront forts et constants.

v.12

«(avec joie) rendant grâces au Père qui vous a rendus capables d'avoir part à l'héritage des saints dans la lumière».

L'Action de Grâces constitue le quatrième élément par lequel la vie des croyants plaît au Seigneur. La plupart des commentateurs séparent ce verset des précédents, auquel il serait «rattaché de façon lâche» et ils y voient une exhortation[103]. En réalité, comme cela déjà été dit dans la présentation des vv.9-14, on aplatit la fonction de ce participe si on le sépare des précédents, qu'il prolonge et auxquels il donne sens. Il importe aussi, avant de déterminer la fonction du participe

---

[101] Le contexte d'inimitié n'apparaît pas clairement en tous les passages où Paul utilise le substantif (Rm 2,7; 5,3.4; 8,25; 15,4; 2Co 1,6; 6,4; 12,12; 1Th 1,3; 2Th 1,4) ou le verbe (Rm 12,12; 1Co 13,7).

[102] Cf. par ex., le verbe en 1Co 13,4 et 1Th 5,14, et le substantif en Ga 5,22, Ep 4,2, avec, chaque fois, un contexte strictement communautaire. En revanche, le contexte n'est pas clair en 2Co 6,6 et Col 1,11. Gnilka, *Kolosserbrief*, 43, signale que le substantif et le verbe apparaissent dans les livres sapientiaux; ainsi Pr 19,11; 25,15; Si 2,4; 5,11; 18,11; 29,8.

[103] Cf. Lohse, *Kolosser*, 66, où l'on trouvera une bibliographie sommaire et un exemple, Rm 12,9. On pourrait ajouter Rm 12,10-13; Ep 5,21, etc.

«rendant grâces», de considérer l'usage que Col fait des participes. Or, leur fonction est bien plutôt modale, ainsi que le montrent Col 2,6b-7; 3,9-1O; 3,12; 3,16; 4,2 et 4,5 où un impératif est chaque fois suivi de plusieurs participes qui en précisent les motivations, les conditions ou les modalités:

	Col 2,6-7	Col 3,9-10	Col 3,12s	Col 3,16	Col 4,2	Col 4,5
Impératif	marchez	pas mentir	revêtez	qu'habite	persévérez	marchez
Participes	enracinés	dépouillant	supportant	instruisant	veillant	effectuant
	fondés	revêtant	grâciant	avertissant	priant	
	affermis			chantant		

On l'aura noté, la syntaxe de ces passages ressemble à celle de Col 1,10-11. A la suite des Bibles et commentaires, on peut évidemment traduire certains participes par des impératifs, mais cela n'est pas sans inconvénient pour l'intelligence de leur fonction. Car Col entend précisément souligner que l'exhortation à agir ne se comprend qu'en fonction (1) de la situation nouvelle du croyant (cf. 2,6b-7; 3,9-10), (2) ou des modalités qui l'explicitent (3,12-13; 3,16; 4,2)[104].

L'AG se rend dans la joie. On dira assurément que l'Auteur formule ici un truisme (peut-on rendre grâces dans la tristesse et la désolation?). En réalité, le syntagme a sa raison d'être dans le possible contraste avec les expressions précédentes, l'endurance et la patience, qui supposaient une situation difficile et pouvaient mener le lecteur à penser que la communauté avait peu de consolations. L'invitation à l'AG ôte tous les doutes à ce sujet. Le destinataire de l'AG[105] des Colossiens est Dieu le Père, comme celle de Paul au v.3, avec toutefois une différence

---

[104] Pour 3,16 seul il est plus indiqué de traduire les participes par des impératifs, car le sujet change.

[105] Les exégètes sont divisés sur l'emploi de «rendre grâces» (εὐχαριστεῖν): selon certains (Bornkamm), il s'agit d'un verbe indiquant clairement une confession de foi christologique; de nombreux exégètes ont contesté cette opinion, pour une raison majeure: l'emploi (technique) pour la confession de foi ne semble pas caractéristique du NT (Gnilka, *Kolosserbrief*, 45), (2) d'autant plus que l'Auteur aurait pu utiliser εὐλογεῖν ou (ἐξ)ομολογεῖν; cf. Deichgräber, *Christushymnus*, 145; O'Brien, *Introductory Thanksgivings*, 73-74. La détermination du genre a évidemment son importance pour la division du passage: tandis que Bornkamm rattache les v.12-14 à 15-20, les autres les séparent.

de taille: le mot «Dieu» a été omis[106], et, après «Père», l'Auteur n'ajoute pas «de notre Seigneur Jésus Christ», sans doute parce qu'il garde la mention du «Fils bien-aimé» en réserve pour le v.13. Le texte ne dit pas davantage «rendant grâces à NOTRE Père», et pour les mêmes raisons: il insiste sur le rapport Père/Fils bien-aimé. Cela signifie-t-il que l'AG à laquelle les Colossiens sont conviés n'implique pas une attitude filiale? Certainement pas, car alors la formulation du verset serait incohérente: pourquoi demander aux croyants de rendre grâces «au Père» s'il n'est pas le leur? En supprimant le possessif «notre» et le complément «de N.S.J.C.», l'Auteur laisse bien plutôt au titre son extension maximale (Père de J.C. et notre Père). L'AG au Père appelle les croyants à vivre et réagir en fils reconnaissants de ce que le(ur) Père a fait pour eux. L'attitude filiale est ici indissociable de l'AG.

Les motivations de l'AG mentionnées aux vv.12-13 ne viennent plus de la situation ou l'agir des croyants, mais de l'oeuvre salvifique du Père lui-même en leur faveur: «(le Père) qui vous a rendus capables d'avoir part à l'héritage des saints dans la lumière». Il est intéressant de noter que le verset ne parle pas d'abord de la relation (r)établie entre le Père et les croyants (du type «Il nous a réconciliés avec Lui»; ou «Il nous a rendus saints en sa présence»), mais de ce que cet agir a mis les croyants en rapport avec un autre groupe - les «saints» -, auquel ils appartiennent pleinement, par statut, comme l'indique l'expression «avoir part à l'héritage», qui rappelle un thème paulinien, celui de l'être-héritiers[107], mais dont la formulation semble beaucoup plus proche de celle des écrits bibliques et juifs (intertestamentaires)[108]. Que désigne l'expression «la part du lot»: l'élection, la filiation, le Christ, la gloire céleste, le salut final? Le contexte proche n'autorise pas de conclusion

---

[106] Plusieurs témoins (peu fiables d'ailleurs) lisent «au Dieu (et) Père». L'absolu «au Père» est très rare dans le corpus paulinien (Rm 6,4; Ep 2,18; ailleurs il y a toujours «à Dieu»).

[107] En Rm 4,13.14; 8,17; Ga 3,29; 4,1.7, Paul dit aux croyants qu'ils sont héritiers parce que fils.

[108] Le terme κλῆρος au v.12b est un *hapax* du corpus paulinien. Pour le binôme μερίς + κλῆρος, voir l'AT: Ps 15,5 LXX; Nb 18,20; Dt 10,9; 12,12; 14,27.29; 18,1; Si 24,12; 45,22; Za 2,12(16); Sg 2,9. Pour les parallèles qumraniens, voir Lohse, *Kolosser*, 70-71. Les termes juridiques μερίς («part») et κλῆρος («lot») désignent ce qui est assigné à quelqu'un: part de terrain, etc.; au sens figuré: rétribution positive ou négative, comme en Is 57,6; Jer 13,25; Dn 12,13 (Theod.).

ferme, simplement des présomptions. On peut d'abord se demander s'il n'existe pas un parallélisme entre les vv.12 et 13, selon un mouvement qui irait du plus générique (le v.12) au plus spécifique (v.13), «la part du lot des saints dans la lumière» étant ainsi interprétée ou précisée comme «transfert dans le Royaume du Fils bien-aimé». Le lot serait alors le Royaume du Fils, auquel chaque croyant aurait désormais part. On peut aussi, avec beaucoup d'exégètes, tenter de comprendre l'expression «part du lot» en relation aux saints (οἱ ἅγιοι): déterminer ce que désigne ce dernier terme ne permettrait-il pas en retour de préciser ce qu'est «la part du lot»[109]? Qui sont donc les saints au lot desquels les croyants[110] ont eu part? Les commentateurs oscillent généralement entre deux hypothèses: (i) les anges, (ii) tous ceux qui, depuis le commencement, ont été les amis de Dieu et règnent désormais avec lui aux cieux. (i) Les exégètes qui optent pour les anges, s'appuient sur les similarités nombreuses existant entre Col 1,3-13 et les écrits qumraniens[111]. Certains passages de Col, tel 3,1-4, semblent même appuyer cette hypothèse: ressuscités avec le Christ, les croyants n'habitent-ils pas aux cieux, comme les anges? (ii) Mais on peut aussi, parce que les livres bibliques et le reste de Col recommandent davantage cette interprétation, voir dans les saints du v.12 tous les fidèles des temps passés, d'Abraham

---

[109] Le syntagme prépositionnel «dans la lumière» se rapporte à «lot»: les croyants sont dans la lumière (et non plus dans les ténèbres: cf. le verset suivant, et, dans les Homologoumena, 2Co 6,14; 1Th 5,4-5. Voir encore Ep 5,8).

[110] Noter le pronom «nous», indiquant bien qu'il ne s'agit pas seulement des Colossiens, mais de tous les croyants, parmi lesquels Paul se range.

[111] Cf. Lohse, *Kolosser*, 71; Gnilka (qui y ajoute les chrétiens déjà décédés: *Kolosserbrief*, 47); Deigräber, *Christushymnus*, 80-81; etc. Voici les passages auxquels on renvoie généralement: 1QM 10,12; 12,1; 1QS 11,7-8; 1QH 3,21-22; 4,25; 11,11; 1QSb 3,26. On pourrait ajouter 1En 14,25; 60,4; etc. Certains mentionnent encore Ep 1,18 et Ac 26,18 (par ex. Lohse, *Kolosser*, 71), mais ils vont un peu vite, car le participe parfait passif ἡγιασμένοι d'Ac 26,18 ne peut désigner les anges: il faut lire la suite: «(sanctifiés) par la foi en moi»! Comme ailleurs en Ac (cf. aussi 20,32, assez proche lexicographiquement de Col 1,12), ce genre de participe renvoie à la sanctification par le baptême. Nous reparlerons d'Ac 26,18 en analysant Col 1,13-14. Quant à Ep 1,18, son interprétation ne peut se faire indépendamment de celle de Col 1,11, dont il est verbalement très proche. Noter quelques passages de 1En qui vont dans ce sens: 39,4-5 (où la distinction saints/anges est patente); 48,3 (où «saints» est en parallèle avec «justes»); 100,5 (Dieu «donnera à tous les justes et tous les saints une garde de saints anges»).

au dernier des justes, qui partagent maintenant la gloire divine[112]. Le verset prend alors le sens suivant: le Père nous a mis en mesure d'avoir le sort lumineux qu'Il a déjà offert aux saints de tous les temps, à savoir la gloire ou la participation au Royaume. On rejoint ainsi ceux qui voient dans le v.13 une spécification du v.12.

L'expression «en vue de la part du lot des saints dans la lumière», proche de Sg 5,5-6, et d'autres, aux vv.13 et 15-20, qui ne sont pas sans rappeler aussi certaines expressions de Sg[113], pourraient faire croire à une influence de ce livre en Col 1,12-13[114]. En réalité, cela semble très improbable, car l'oeuvre de libération attribuée à la Sagesse par Sg 10,6-15 l'est ici à Dieu le Père (et non au Fils). Les similitudes de vocabulaire en Col 1,12-14 et Sg renvoient à un même milieu (juif), mais les différences militent contre une influence directe de Sg sur Col 1,12-14.

v.13

«Lui qui nous a délivrés de l'autorité de la ténèbre et nous a transférés dans le royaume de son Fils bien-aimé».

Après avoir, au v.12, décrit la situation des croyants en termes de compétence («rendus capables de») et par une image positive (celle du sort lumineux qu'ils ont obtenu), l'Auteur va donner des préci-

---

[112] (a) L'AT (les références qui suivent viennent de la LXX): Ps 15,3; 33,10; Ps 82,4 (ton peuple // tes saints); Ps 88,6. En Tobie, il y a une distinction entre «les saints» et «les saints anges»; cf. Tb 8,15: «que te bénissent tes saints, et toutes tes créatures, et tous tes anges, et tous tes élus, qu'ils te bénissent pour tous les âges»; également Tb 11,14 «tes saints anges»; 12,15 «l'un des sept saints anges, ceux qui font monter les prières des saints». La persécution des saints dont parlent Dn 7,8.21 et 8,25 est évidemment celle du peuple d'Israël; noter en Dn 7,18, qui parle encore des fidèles d'Israël, une formulation proche de Col 1,11-12: «les saints du Très Haut recevront la royauté et l'auront en possession pour toujours». Encore plus proche - dans le temps - du NT, Sg 5,5 qui affirme du juste ignoblement mis à mort qu'il est «compté parmi les fils de Dieu, et a son lot avec les saints»; en Sg 18,9, les saints sont manifestement les Israélites. Voir encore Lv 11,44.45; 19,2; 20,7.26; Nb 16,3.5; Esd 8,28; Jb 5,1; Si 42,17; Za 14,5. Les données montrent que les écrits de la période hellénistique ont vu «le sort des saints» comme «la récompense ultime offerte par Dieu aux justes». (b) Col: les autres occurrences de ἅγιοι s'appliquent toutes aux croyants; cf. 1,2.4.12.26; 2,6.

[113] Cf. au v.13 «il nous a arrachés», «autorité» et «royaume», qui rappellent Sg 10,6-15.

[114] Cf. Feuillet, *Christ Sagesse*, 172-173.

sions[115] sur la situation elle-même et sur les modalités de son apparition. Le verset, divisé en deux parties contrastées, est syntaxiquement très régulier:

13a Il nous a libérés de l'empire de la ténèbre
13b et a transférés dans le royaume du Fils de son amour.

Le vocabulaire est traditionnel, même s'il n'est pas sans rappeler certains thèmes pauliniens. Comme habituellement dans la LXX et le NT, le verbe «délivrer» (ῥύομαι) exprime ici l'intervention salvifique de Dieu[116]. L'expression «délivrer des ténèbres» se trouve aussi en l'un ou l'autre des écrits juifs intertestamentaires[117], ainsi que l'opposition déclarée entre lumière et ténèbre, termes qui symbolisent deux sphères d'influence supérieures, deux pouvoirs en constante lutte jusqu'à la fin, celui du mal[118] et celui de Dieu[119]. Plus d'ailleurs que ces échos bibliques et juifs, un autre fait a attiré l'attention des exégètes, à savoir la similarité existant entre ce passage et Ac 26,18:

---

[115] Sur la fonction du v.13, cf. *supra*, l'exégèse du v.12.

[116] Même usage chez Paul. Cf. Rm 7,24; 11,26; 15,31; 2Co 1,10; 1Th 1,10. Dieu ou le Christ sont toujours les sujets explicites ou implicites du verbe. Voir aussi 2Th 3,2; 2Tm 3,11; 4,17.18.

[117] Voir *Joseph et Aséneth* 15,13 (Aséneth s'adresse à l'ange): «Béni soit le Seigneur Dieu qui t'a envoyé me délivrer des ténèbres et me conduire à la lumière. Béni soit son nom à jamais».

[118] Expressions semblables à Qumran, où l'empire est celui de Bélial: 1QS 1,18.23-24 (péchés commis sous l'empire de Bélial); 2,5.19 (le temps de la domination de Bélial); voir également le premier verset du règlement de la guerre (1QM 1,1), connu de tous: «La conquête des fils de lumière sera entreprise en premier lieu contre le lot des fils de ténèbres, contre l'armée de Bélial». Pour d'autres textes, consulter Lohse, *Kolosser*, 72-73.

[119] Voir, entre autres, 1QM 1,11; 14,9; 17,5-6. Ce dernier passage vaut la peine d'être cité: «Ce jour-ci est son (= Dieu) heure pour courber et pour abaisser le Prince de l'empire de l'impiété; et au lot qu'il a [ra]cheté Il enverra un secours décisif grâce à la puissance du grand ange, au serviteur (= Israël) de Michel grâce à la lumière éternelle». Le grand ange pourrait être le «prince de lumière», chef des anges de lumière; quant à Michel, il est l'ange protecteur d'Israël.

Col 1,12b-14	Ac 26,18
part au lot des saints	
	qu'ils se détournent de la ténèbre
dans la lumière	vers la lumière
arrachés à l'autorité de la ténèbre	et de l'autorité de Satan
remis en royaume du Fils	vers Dieu
nous avons le pardon des péchés	qu'ils aient le pardon des péchés
	et un lot avec les sanctifiés

Ces parallèles autorisent à formuler au moins trois hypothèses: (a) les deux passages peuvent tout simplement refléter une tradition commune qu'ils auraient reprise soit directement du judaïsme (en la christianisant, pour Col 1,13b), soit par l'intermédiaire de l'Eglise primitive (Paul ou une tradition ecclésiale quelconque), tradition qui aurait des connotations baptismales[120]; (b) comme nous retrouverons d'autres points communs entre Lc/Ac et Col, faudra-t-il plutôt conclure que Col est un écrit lucanien, (c) ou au contraire que le rédacteur des Actes a repris des passages de Col? A ce point de l'analyse, aucune de ces hypothèses ne s'impose encore[121].

La seconde partie du verset signale quelle est la situation actuelle des croyants: les libérer de l'emprisonnement (ou de l'esclavage) n'aurait aucun sens s'ils devaient indéfiniment errer, sans lieu où vivre leur libération. Le v.12 les mettait en relation avec les saints et bienheureux (appartenance à un groupe); celui-ci va plus loin, puisque l'être-croyant est mis en relation avec un Roi qui est Fils de Dieu. Certes, les croyants quittent l'autorité oppressante de la ténèbre et en retrouvent une autre (celle d'un Roi tout-puissant), mais celle-ci n'a rien d'opprimant: en 13b, l'Auteur ne parle d'ailleurs pas en termes d'ἐξουσία («autorité»), même si le mot βασιλεία («Royaume», «Règne») implique une relation roi/su-

---

[120] Selon plusieurs commentateurs (Lohse, *Kolosser*, 74; Gnilka, *Kolosserbrief*, 48-49), la façon dont le verset énonce les composantes de l'oeuvre salvifique indique une connotation baptismale; cf. le transfert d'une seigneurie à l'autre, le contraste entre la nouvelle vie et l'ancienne, le pardon péchés.

[121] Les sémistismes des vv.11 («vigueur de sa gloire») et 13 («Fils de son amour») semblent interdire une écriture lucanienne. Non que Luc ne sache pas, pour faire vrai, imiter le langage de la LXX et ses expressions sémitisantes, mais c'est le plus souvent en des cantiques, ou des discours adressés à des juifs.

jets; le transfert apparaît ainsi comme une mise à l'abri, une mise en sécurité, en un Royaume fondé par l'amour.

Jamais les Homologoumena ne parlent du royaume du Christ[122], mais uniquement Col 1,13 et Ep 5,5 (βασιλεία du Christ et de Dieu); mais, avec des termes différents, une idée analogue est exprimée en 1Co 15,23-28, voire en Rm 7,4, où il est dit que les croyants appartiennent au Christ ressuscité[123]. A vrai dire, Paul n'emploie que l'expression «Royaume de Dieu», et il lui donne une connotation future, car il l'entend comme devant encore advenir[124]; mais Col 4,11 («... seuls à travailler avec moi en vue du [εἰς] Royaume de Dieu») implique le même type d'eschatologie, non réalisée; ce dernier verset montre que le Royaume du Fils ne se substitue pas en Col à celui de Dieu ni ne semble lui être totalement identique. Le terme βασιλεία indique certes que le Fils règne (au présent, à cause de sa résurrection; cf. 1,18) avec puissance, et que les croyants bénéficient de son pouvoir royal, mais on ne saurait conclure de là qu'il y a une concurrence entre les deux Royaumes, celui du Christ et celui de Dieu son Père, puisque c'est le Père lui-même qui a transféré les croyants dans celui de son fils: le laconisme des formules doit être respecté! Pour la même raison, s'il y a lieu de voir ici un arrière fond apocalyptique, avec l'idée d'un règne messianique, on ne saurait parler d'un *inter-règne*[125]. L'expression «royaume du Fils bien-aimé» confirme l'impression laissée par les précédentes, sur la libération, sur l'opposition ténèbres/lumière, sur l'appartenance des croyants au Christ: les mêmes idées sont énoncées dans les Homologoumena, même si le vocabulaire et l'arrangement des syntagmes varient. Comment expliquer ces différences? Avant d'avancer des hypothèses sur l'authenticité de Col, il faut prendre en considération la dimension rhétorique des affirmations: sans aucun doute en soulignant que le Père lui-même a voulu mettre les croyants sous l'autorité du Fils, d'un Fils qu'il aime plus que tout, le verset prépare les Colossiens (et le lecteur croyant) à reconnaître qu'ils ne dépendent que du Christ pour leur protection (cf. Col 2,6-23).

---

[122] Christ est nommé «le Bien-Aimé» en Ep 1,6.

[123] Voir également 2Co 5,15.

[124] Cf. 1Co 6,9-10; 15,50; Ga 5,21; 1Th 2,12 (avec l'équivalence «Royaume»/«gloire»).

[125]Cf. Lohse, *Kolosser*, 74.

v.14

«(le Fils) en qui nous avons la rédemption, le pardon des péchés».

On vient de le voir, ce verset a un élément en commun avec Ac 26,18, à savoir le pardon des péchés. Et cet élément se trouve en apposition à un autre, absent d'Ac 26,18, la rédemption (ἀπολύτρωσις), qui se voit ainsi spécifiée comme pardon des péchés[126]. Le passage procède donc par précisions successives: le v.13 affirmait que les croyants avaient été arrachés au pouvoir du mal, celui-ci précise qu'il s'agit de rédemption, plus précisément de pardon. Le terme ἀπολύτρωσις semble avoir, comme dans les Homologoumena, où son emploi est assez souple[127], une connotation eschatologique. Quant au syntagme «pardon des péchés» (ἄφεσις τῶν ἁμαρτιῶν), il n'apparaît pas dans les Homologoumena, mais seulement en Col 1,14 et Ep 1,7 (légèrement différente: ἄφεσις τῶν παρατωμάτων), mais on le retrouve tel quel en plusieurs passages du NT, et, sous une forme équivalente, à Qumran[128]. Avec le pardon des péchés, on arrive ainsi au sommet de l'unité, dans la mesure où le pardon constitue l'essentiel de l'oeuvre divine: le pardon donne toute sa force au terme ἀπολύτρωσις qui, de soi, désigne seulement la délivrance (de l'emprisonnement ou de l'esclavage). A quoi servirait-il en effet aux croyants d'être délivrés, s'ils restaient dans leurs péchés, s'ils n'étaient changés intérieurement? Comme le notent les commentateurs, la mort de Jésus doit vraisemblablement constituer l'arrière-fond du verset[129]; le verset n'en dit pourtant mot, car l'insis-

---

[126] Cf. Lohse, *Kolosser*, 67.

[127] Selon Rm 8,23, nous attendons encore la rédemption de notre corps; elle n'est donc pas effectuée et semble coïncider avec la résurrection finale. Selon Rm 3,23 au contraire, elle est déjà présente, puisque par elle s'est opérée la justification gracieuse; noter l'ajout: «la rédemption qui est en Christ Jésus»: comme Rm 3,23, Col rattache la rédemption à Jésus: «en qui nous avons la rédemption». En 1Co 1,30, le lien entre la rédemption et Christ devient encore plus étroit: «Christ qui est devenu pour nous ..., justice, sanctification, rédemption» (comme en Rm 3,23, le rapport entre justice/justification et rédemption connote le pardon gracieux).

[128] Cf. Mt 26,28; Mc 1,14; Lc 1,77; 3,3; 24,47; Ac 2,38 (τῶν ἁμαρτιῶν); 5,31; 10,43; 13,38; 26,18. En Rm 3,25, l'expression diffère: il s'agit de la πάρεσις τῶν προγεγονότων ἁμαρτημάτων. Noter qu'en Ac 5,31; 26,18, la justification et/ou le salut sont associés au pardon des péchés - comme la rédemption et le pardon en Col 1,14. Pour Qumran, voir Lohse, *Kolosser*, 76, qui fournit une bonne vingtaine de références.

[129] Au point que certains manuscrits ont ajouté «par son sang» après «rédemption».

tance n'est pas encore mise sur le «comment» - sur la médiation du
Christ - mais sur les effets de l'agir du Père pour les croyants: on ne doit
pas oublier que l'AG des vv.12-14 rend grâces au Père pour ce qu'Il a
fait, Lui (et non le Fils). Il est néanmoins clair que, même si ces versets
décrivent l'oeuvre salvifique du Père en faveur des croyants, cette oeuvre
elle-même est une progressive mise en rapport des croyants avec le
Christ: le passage ne dit rien sur la relation nouvelle existant entre les
croyants et le Père (qu'ils sont devenus ses fils, réconciliés avec Lui,
etc.), et le poids du texte se déplace nettement de l'agir du Père à ce que
les croyants ont reçu en Christ. L'Apôtre est ainsi prêt à amorcer la
section christologique de l'exorde.

4° Col 1,9-14 et la théologie paulinienne

En ces versets, les analyses l'ont montré, nombre de thèmes ne
sont pas sans rappeler les Homologoumena, même si, souvent, l'agencement syntaxique est nouveau et la formulation traditionnelle, proche des
écrits intertestamentaires, en particulier qumraniens, mais aussi, aux
vv.12-14, de l'écriture lucanienne.

Beaucoup d'exégètes ont, dans le passé, insisté sur les différences
existant entre l'eschatologie du passage, déjà réalisée et en tension vers
les cieux, spatialisée donc, et celle des Homologoumena, encore en
tension vers le futur et non réalisée. Mais l'exégèse qui vient d'être faite
a montré qu'on ne peut voir dans les v.12-14 une eschatologie différente
de celle de Paul; certes, l'accent est mis sur le déjà-là de l'oeuvre
salvifique divine en faveur des croyants, mais cela vient du genre
littéraire AG (on rend grâces pour des bienfaits déjà reçus!).

L'abondance du vocabulaire de la connaissance aux vv.9 et 10b
a au moins permis d'en chercher les raisons, sans qu'une réponse ait été
encore possible. C'est sans doute un des points forts de Col d'avoir perçu
que la connaissance, en rien abstraite ou théorique, de Dieu (et de son
Fils), la compréhension de ses voies, de sa volonté, sont le moyen
privilégié, indispensable, peut-être le seul susceptible d'empêcher les
croyants de succomber aux pièges de doctrines séduisantes mais erronées.

C - COL 1,15-20: L'EXPANSION CHRISTOLOGIQUE

15 Lui qui est image du Dieu invisible, premier-né de toute créature, **16** parce que c'est en lui que furent créées toutes choses, celles dans les cieux et celles sur la terre, les visibles et les invisibles, aussi bien les trônes, les seigneuries, les principautés que *les puissances*, toutes choses ont été créées par lui et pour lui, **17** et lui-même est par devant toutes choses, et toutes choses subsistent en lui, **18** et lui-même est la tête du corps, (c'est-à-dire) de l'Eglise, lui qui est principe, premier-né d'entre les morts, afin qu'il devienne, lui, en tout premier, **19** parce que c'est en lui que (Dieu) se plut à faire habiter toute la plénitude, **20** et par lui à réconcilier toutes choses pour lui, *ayant pacifié* par le sang de sa croix, par lui, aussi bien celles sur la terre que celles dans les cieux.

* v. 16e, litt.: «les autorités».
* v.20: deux lectures sont possibles,
(a) avec le participe εἰρηνοποιήσας employé absolument:
«et par lui réconcilier tous les êtres pour lui [incise: en faisant la paix par le sang de sa croix, par lui], soit ceux sur la terre, soit ceux dans les cieux».
(b) ou bien avec le v.20c comme complément d'objet:
«et par lui réconcilier tous les êtres pour lui, en pacifiant par le sang de sa croix, par lui, soit ceux sur la terre soit ceux dans les cieux».

1° Bibliographie

J. Gabathuler, *Christushymnus* (histoire de l'exégèse depuis Schleiermacher); E. Schweizer, «Christ in the Letter tu the Colossians»; J.-N. Aletti, *Colossiens 1,15-20*; J. Habermann, *Präexistenzaussagen*, 225-266; N.T. Wright, «Colossians 1.15-20»; Fowl, *Hymnic Material*, 103-121; L.R. Helyer, «Recent Research on Colossians 1:15-20 (1980-1990)», *GTJ* 12(1991), pp.51-67 (qui ne mentionne pas ma monographie).

2° Présentation et composition du passage

- Développement hymnique ou confession de foi?
La présentation d'ensemble des vv.3-23 a déjà exposé les raisons pour lesquelles les vv.15-20 forment une unité analysable pour elle-même: le genre littéraire, les parallélismes et les répétitions du vocabulaire, enfin la disparition du mot θεός, qui souligne l'exclusive coloration christologique du passage.

Les commentaires parlent unanimement (ou presque) de passage hymnique. On peut malgré tout s'interroger sur cette appellation, car, si l'on en croit certaines études récentes, le passage a des traits confessionnels: il faudrait y voir la proclamation croyante du Christ médiateur de la création et de la rédemption, sur le modèle des confessions monothéistes de l'AT et des écrits juifs intertestamentaires[1]. Que l'hymnologie de l'AT et du NT s'appuie sur le monothéisme, en particulier sur le binôme création/rédemption, cela a depuis longtemps été reconnu par la critique, mais les confessions de ce type n'en constituent pas pour autant le modèle littéraire du passage. Car, à ce niveau, il n'y a aucun doute possible: le type d'agencement des unités sémantiques n'est pas confessionnel (ou, comme disent les théologiens, homologétique), mais hymnique. L'homologèse néotestamentaire, la plupart du temps très embryonnaire[2], procède par simple mise en série ordonnée des éléments à confesser (cf. 1Co 8,6; 15,2-7). Et s'il est parfois difficile de distinguer entre confession de foi et louange[3], Col 1,15-20 suit par contre clairement le modèle de quelques louanges vétérotestamentaires, où les titres divins alternent avec leur justifications[4]. Sans préjuger pour le moment de la composition du passage, nous pouvons ajouter qu'à cette distinction

---

[1] Cf. Wright, «Colossians 1.15-20», passim. L'important est d'évaluer - ce que Wright ne fait pas - l'importance du genre du passage pour sa fonction dans l'argumentation de Col.
[2] Outre le «Ecoute Israël», mentionné en Mc 12,29.32, voir quelques confessions christologiques telles que Rm 10,9; Ph 2,11; 1Jn 4,2-3.15.
[3] En 1Tm 3,16; Heb 1,3-4, par exemple.
[4] Les éléments hymniques peuvent s'organiser de différentes manières. En de nombreuses louanges, on a la séquence, simple ou répétée, *invitatoire(s) + raisons* (Ps 100; 117; Tb 11,14-15; etc.); en quelques rares, la séquence est différente: *titres divins + raisons* (Ps 8; 93); la plupart combinent les invitatoires, les titres divins et leurs justifications (Ps 97; 99; 103; 104; etc.).

s'en superpose une autre, dont il faudra apprécier la pertinence, celle entre attributions et désignations[5]:
attributions (v.15) + désignations (vv.16-18a)
attributions (v.18b) + désignations (vv.18c-20).

- *Histoire de la rédaction et interprétation*
Jusqu'à récemment, l'interprétation du passage se faisait exclusivement en fonction de l'histoire de la rédaction. Les exégètes voyaient en effet en ces versets la reprise d'un hymne christologique (peut-être créé par les docteurs de Colosses) sur la suprématie et la médiation cosmique du Christ ressuscité, hymne qui visait à exorciser l'angoisse de l'homme grec confronté aux forces naturelles, animées par des puissances spirituelles hostiles[6]. Grâce à une série d'ajouts, en 18b (τῆς ἐκκλησίας), en 20b (διὰ τοῦ αἵματος τοῦ σταυροῦ αὐτοῦ) et surtout en 21-23, le rédacteur de Colossiens aurait corrigé la christologie de cet hymne, uniquement cosmique et glorieuse - à l'eschatologie réalisée, la réconciliation cosmique étant totalement effectuée -, pour tout remettre sur une base paulinienne, celle de la théologie de la croix. Une analyse serrée du passage, spécialement du v.20b, et du reste de la lettre n'autorise pas une telle conclusion[7]. Si la reprise, en totalité ou en partie,

[5] Sur cette distinction, voir Aletti, *Colossiens 1,15-20*, 37-42 et 46-47. Les attributions ne sont pas précédées de l'article: «il est image, premier-né de toute créature» (v.15); «il est principe, premier-né d'entre les morts» (v.18b). Quant à l'insistance désignative (équivalent à «lui et lui seul, nul autre»), on peut la repérer (i) grâce à l'article qui précède un titre, comme en 18a: «et lui-même est LA tête du corps», (ii) ou à la place des pronoms au début des propositions: «parce qu'en LUI toutes choses furent crées» (v.16a), «parce qu'en LUI il a plu (à Dieu) de faire habiter la plénitude» (v.19), «et par LUI de réconcilier toutes choses» (v.20a), (iii) ou encore à la répétition emphatique du pronom αὐτός, toutes les fois où sa présence n'est pas indispensable pour la compréhension: «afin qu'il fût en tout, LUI, premier» (v.18c), «par le sang de sa croix, par lui» (v.20b), (iv) ou, enfin, grâce au procédé de l'énumération (ainsi en 16b-e).
[6] Sur cette exégèse, voir Col 2,8 (les éléments du monde étant les esprits qui président à leur fonctionnement) et 2,18 (où les anges seraient objet de vénération): mettant en série ces différents versets, de nombreux commentateurs traitaient l'épître comme réponse à la peur (et aux moyens qu'ils se donnaient pour y remédier) des croyants devant les puissances spirituelles hostiles.
[7] Cf. l'exégèse de ce verset et Aletti, *Colossiens 1,15-20*, 98-111.

d'un hymne préexistant est tout à fait possible[8] - à condition de ne pas vouloir à tout prix en préciser les contours exacts (car aucun des critères utilisés pour cette reconstruction n'est pleinement satisfaisant) -, il est par contre impossible de montrer que Col 1,20b (spécialement le syntagme διὰ τοῦ αἵματος τοῦ σταυροῦ αὐτοῦ) est un ajout, et donc une correction à l'hymne primitif. Nous montrerons aussi que les vv.21-23 n'ont pas pour fonction de corriger l'eschatologie réalisée de l'hymne primitif, mais qu'ils constituent la *partitio* de l'argumentation subséquente. Deux interprétations, compatibles d'ailleurs, restent alors possibles: (a) les vv.15-20 visent à préparer l'argumentation christologique du ch.2, (b) ou bien ils constituent une excroissance gratuite venant de la dévotion christique de l'Auteur de Col.

- Composition du passage[9]

Comme les commentaires ont beaucoup parlé de la composition des vv.15-20 en relation à l'hypothèse d'un hymne primitif, les deux questions ne peuvent être considérées l'une sans l'autre, même si la tendance actuelle est de privilégier l'aspect synchronique[10].

Le style rythmé des vv.15-20 a poussé évidemment les commentateurs à parler de strophes, et plusieurs découpages ont jusqu'à présent été suggérés, la division en stiques dépendant souvent de la façon dont

---

[8] Gnilka, *Kolosserbrief*, 57, va plus loin: «Que l'on ait affaire à un hymne préexistant ne devrait plus être contesté».

[9] Voici, pour faciliter la lecture des divisions proposées par les différentes études, comment sont découpés les stiques: 16a «en lui furent créées toutes choses»; 16b «dans les cieux et sur la terre»; 16c «les visibles et les invisibles»; 16d «aussi bien trônes, seigneuries»; 16e «principautés qu'autorités»; 16f «toutes choses par lui et pour lui ont été créées»; 17a «et lui-même est par devant tout»; 17b «et toutes choses en lui subsistent; 18a «et lui-même ... de l'Eglise»; 18b «lui qui ... d'entre les morts»; 18c «afin qu'il ... premier»; 20a «et par lui ... pour lui»; 20b «ayant pacifié... par lui»; 20c «aussi bien celles sur la terre que celles dans les cieux».

[10] Pour la reconstruction de l'hymne primitif, la dernière étude en date, celle de Wright, admet qu'il y a un texte antérieur, mais qu'il est quasiment impossible d'en retrouver la composition et l'extension, car si les auteurs raisonnent généralement en termes d'additions, il faut aussi supposer de possibles suppressions: mieux vaut donc traiter le passage comme il est actuellement. Cf. son article «Colossians 1.15-20», 445, dont la discussion se fera dans la section réservée à l'approche synchronique. Pour une présentation quasi-exhaustive des plans de composition proposés sur Col 1,15-20 (ou 1,13-20, voire 1,14-20), cf. Aletti, *Colossiens 1,15-20*, 21-24.

on reconstruit l'hymne originel (dont l'écriture est supposée régulière)[11]:

(a) deux strophes, avec des variations:
    vv.15-17 + 18-20[12];
    vv.15-18a + 18b-20[13];
(b) trois strophes, ici encore une certaine diversité:
    vv.15-16e + 16f-18a + 18b-20[14];
    vv.15-16f + 17-18a + 18b-20[15];
(c) quatre strophes:
    vv.15-16a + 16b-e + 16f-18a + 18b-20[16];
    A vv.15-16 + B v.17ab + B v.18ab + A vv.18c-20[17];
(d) cinq strophes:
    vv.15-16b + 16c-16f + 17-18 + 19-20a + 20bc[18].

---

[11] Les strophes sont ici signalées sans les stiques qui les forment. La disposition des stiques multiplie évidemment le nombre des propositions de division à l'intérieur de chaque strophe.

[12] Dibelius, *Kolosser*, 10-11; Robinson, «Colossians 1,15-20», 275-281.

[13] Käsemann, «Taufliturgie», 37, selon qui, «de l'Eglise» (v.18a) et «par le sang de sa croix» (v.20b) ne font pas partie de l'hymne primitif; Jervell, *Imago Dei*, 199; Eckart, «Exegetische Beobachtungen», 106; Bammel, «Col 1,15-20», 94-95; Hegermann, *Schöpfungsmittler*, 92-93; Ellingworth, «Colossiens 1,15-20», 252; Schenke, «Christologie», 401; Deichgräber, *Christushymnus*, 150; Norden, *Agnostos Theos*, 252; Lähnemann, *Kolosserbrief*, 38; Ernst, *Kolosser*, 175-176; O'Brien, «Col 1,20», 46; Conzelmann, *Kolosser*, 182-184.

[14] Ainsi, Schille, *Frühchristliche Hymnen*, 81-82. Gabathuler, *Jesus Christus*, 130-131; Lamarche, «Structure», 456; Wengst, *Christologische Formeln*, 174-175.

[15] Cf. Schweizer, *Kolosser*, 52; Lohse, *Kolosser*, 82; Kehl, *Christushymnus*, 44; Schnackenburg, *Christushymnus*, 33; J.T. Sanders, *Christological Hymns*, 12-13; Benoit, «L'hymne christologique», 237-239; récemment, Patzia, *Colossians*, 27-29. Patzia représente un bon échantillon de ces auteurs, et de beaucoup d'autres, lorsqu'il interprète l'hymne comme s'il y avait seulement deux développements: la prééminence du Christ (i) dans le cosmos: image du Créateur (v.15a), agent de la création (vv.15b-16), instrument de cohésion (v.17) et (ii) dans l'Eglise: sa tête (v.18a), son Seigneur (vv.18b-19), son réconciliateur (v.20). A quoi servent les trois strophes, si l'interprétation peut s'en passer? De plus, les éléments censés résumer la seconde strophe ne sont pas tous pertinents, car le Christ n'a pas réconcilié que l'Eglise, mais tout l'univers.

[16] Pöhlmann, «Kol 1,15-20», 56 («de l'Eglise» est ajouté par l'Auteur de Col).

[17] Wright, «Colossians 1.15-20», 447-451.

[18] Masson, *Colossiens*, 105; Hugedé, *Colossiens*, 48-49.

Les critères selon lesquels ces divisions sont opérées ne sauraient être présentement discutés en détail[19]. Comme le montre le tableau des découpages, la majorité des auteurs s'appuient sur le double ὅς ἐστιν + ὅτι, non parce que la syntaxe constitue le critère absolu des divisions, mais parce qu'ici les autres correspondances, lexématiques et thématiques, lui sont associées:

A   ὅς ἐστιν (v.15) = attributions
B   ὅτι (v.16) = désignations (vv.16-18a)
A'   ὅς ἐστιν (v.18b) = attributions
B'   ὅς (v.19-20) = désignations.

Mais quelques petites anomalies compliquent ce schéma alterné. Ainsi, les propositions des vv.16f-18a ne sont pas causales, mais indépendantes, et semblent former un ensemble que certains ont appelé, non sans raisons, «strophe intermédiaire», même si, comme le montre la division en trois strophes, ils ne lui pas donnent pas tous les mêmes frontières:

a   toutes choses par lui et pour lui furent créées (v.16f)
b   et lui-même est par devant tout (v.17a)
a'   et toutes choses en lui subsistent (v.17b)
b'   et lui-même est la tête du corps, de l'Eglise (v.18a).

On ne saurait nier les régularités syntaxiques susceptibles d'appuyer l'existence d'une telle unité littéraire. Néanmoins, toujours au niveau syntaxique, le v.16f est difficilement séparable des précédents. En effet, l'absence de la particule «et» (καί) montre que le «toutes choses» du v.16f reprend la liste 16b-e, laquelle précise l'extension du «toutes choses» du v.16a et provoque un effet de contraste entre *lui* (lui seul) et *toutes choses* (autrement dit, tout le reste). De même que les derniers mots du v.16a, «toutes choses», avaient engendré la liste 16b-e, de même les premiers du v.16f reprennent cette liste, en même temps qu'il répètent le verbe «créer», au parfait cette fois:

«c'est en lui que furent créées *toutes choses*   v.16a
             (liste)   v.16b-e
toutes choses par lui et pour lui ont été créées»   v.16f

---

[19] Pour une critique approfondie, voir Aletti, *Colossiens 1,15-20*, 26-42.

Ainsi, bien qu'elles puissent être indépendantes, les propositions des
vv.16-18a sont rattachées à la causale du v.16a, et, comme elle, insistent
sur la désignation. Mais si le v.16f fait le lien avec les précédents, le
v.18a ne semble pas séparable des suivants. En effet, le relatif ὅς («lui
qui») du v.18b a manifestement comme antécédent immédiat ou «relais»
le pronom αὐτός du v.18a: même si les relatives des vv.15 et 18b
doivent être mises en parallèle[20], la lecture continue du passage fait que
les césures sont en quelque sorte gommées. Une disposition, en quatre
strophes disposées chiastiquement, semble respecter à la fois l'autonomie
et le lien des vv.17-18a avec ceux alentour[21]:

> A vv.15-16
> B v.17
> B v.18a
> A vv.18b-20

Les deux premières sections ou strophes (A+B) parlent en effet
de la médiation créatrice du Christ, et les deux suivantes (B+A) de sa
médiation rédemptrice. Les sections en A sont syntaxiquement et
thématiquement parallèles (avec des différences d'ailleurs), même s'il est
plus aisé de repérer une structure rythmique dans la première section en
A que dans la seconde, où les stiques sont plus longs (et ne pourraient
être raccourcis - car on ne peut retrouver un hypothétique original - sans
qu'on fasse violence au sens)[22]. La difficulté vient plutôt des vv.17-
18b[23], nommés de la même manière (B+B), sans autre explication, alors
qu'ils n'ont apparemment rien en commun: identifier les éléments
littéraires ne suffit pas; il importe aussi d'en déterminer la fonction
respective. En réalité, la composition du passage ne dépend pas

---

[20] Comme les relatives de 1,23: «l'Evangile, (i) que vous avez entendu..., (ii) dont je suis,
moi Paul, devenu le serviteur».

[21] Disposition proposée par Wright, «Colossians 1.15-20».

[22] «Colossians 1.15-20», 451. Tous les efforts pour considérer certains mots du v.20b
(«par le sang de sa croix» ou «par lui») ou même ce v.20b en sa totalité comme des
ajouts se révèlent vains. Voir plus loin l'exégèse de ce stique.

[23] Le tout se présente comme une paire de distiques, 17a/17b et 18aα/18aβ (à savoir: «et
il est, lui, la tête»/«du corps, de l'Eglise»). La disposition est en partie basée sur le
nombre de syllabes (en grec évidemment: 8/11 et 9/9).

seulement de parallélismes lexicographiques et syntaxiques, il faut aussi tenir compte de l'alternance entre les attributions et les désignations, qui constitue le phénomène linguistique le plus massif et qui a son rôle à jouer dans l'interprétation. On ne doit jamais oublier que la valeur d'une hypothèse relative à la composition d'un passage ou d'un livre se mesure à ses effets sur l'interprétation[24].

Outre le contraste entre attributions et désignations christologiques, il faut noter que Dieu, l'auteur des actions de création, de réconciliation et de pacification, est passé sous silence[25]. Aux vv.16a et 16f, le verbe est simplement au passif, sans complément d'agent. Au v.19 également, Dieu n'est pas nommé. L'accent n'est donc pas mis sur l'action divine et son auteur, mais sur l'unique médiateur grâce à qui ces actions furent possibles, par qui et pour qui elles furent réalisées. Tout est ainsi centré sur la relation entre «lui» et «toutes choses». Mais, à la différence d'autres passages du NT[26], où l'agir du Christ est mentionné, ici au contraire, l'insistance est sur la médiation, comme en témoignent la répétition des prépositions «en», «par», «pour»: tous les êtres sans exception dépendent du Christ à tous les niveaux, et cela même explique les attributions des vv.15 et 18b. L'exégèse devra donc examiner surtout le rapport entre les attributions et leurs justifications, exprimées à l'aide de désignations. Car toute la rhétorique du passage met en valeur la primauté du Fils sur tout le créé à l'aide de titres originaux, en montrant qu'il est le seul à les mériter.

- Logos incréé et Logos incarné?

Comme le passage n'emploie que les pronoms ὅς ou αὐτός, on peut supposer que le référent est chaque fois le même, le Fils bien-aimé du v.13. Mais comme certains Pères de l'Eglise, et quelques exégètes contemporains à leur suite, pensent que les vv.15-17 parlent du Fils

---

[24] Or, l'interprétation de Wright n'est en rien déterminée par la composition qu'il propose, mais par l'hypothèse de Burney, sur laquelle il faudra revenir.

[25] Le mot «Dieu» apparaît dans le seul v.15a, et au génitif, comme complément de «image». Sur le référent (le Père ou le Christ) du «pour lui» (εἰς αὐτόν) au v.20a, voir ci-dessous l'exégèse de ce verset.

[26] Cf. Ph 2,6-11; 1 P 2,21-24; Heb 1,3-4.

comme Logos incréé et les vv.18-20 du Logos incarné[27], la question vaut d'être au moins posée. La syntaxe ne permet toutefois pas de faire une telle distinction: le verbe des titulatures est au présent et non au passé; il rapporte ainsi les titres des vv.15 et 18 au Fils, sans distinguer entre Logos incréé et Logos incarné, tout comme Heb 1,2-4. Le Fils est à la fois celui par qui tout a été créé, celui qui a tout pacifié par le sang de sa croix et celui qui a été enlevé dans la gloire. C'est donc au Fils éternel, né, mort et ressuscité, que le passage donne les titres d'image, principe, premier-né de toute créature et d'entre les morts.

3° Exégèse des versets

v.15

«(Lui) qui est image du Dieu invisible, premier né de toute créature».

Le passage commence avec deux attributions (titulatures sans articles) qui, par leur agencement, ont poussé beaucoup d'exégètes du passé à voir en ce verset une reprise des premiers chapitres de la genèse, en particulier une allusion au premier Adam, créé à l'image de Dieu et première des créatures, quant au temps et quant à la dignité (Gen 1,26-27), et à penser que le passage faisait du Christ l'Adam ultime. Depuis quelque temps au contraire, on a tendance à voir en ces titres une allusion à la figure de la sagesse. Voyons pourquoi.

Le Fils est d'abord nommé «image du Dieu invisible»[28]. Les commentateurs admettent tous qu'une influence platonicienne directe est

---

[27] Il s'agit principalement de l'interprétation des Pères des trois premiers siècles (entre autres, Irénée, Tertullien, Origène), pour les raisons que l'on sait. Pour un résumé sur la façon dont les Pères appliquent les titres de Col 1,15-20, voir Feuillet, *Christ Sagesse*, 178-185, et Schweizer, *Kolosser*, 184-192. L'interprétation des Pères a été suivie, il y a quelques décades, par Schattenmann, *Prosahymnus*, p.18.

[28] Cf.H. Willms, *Eikôn*; Lohse, «Imago Dei»; Eltester, *Eikon im NT*, 130-152; Jervell, *Imago Dei*, 197-213; Larsson, *Christus als Vorbild*, 114-187; Festorazzi, «L'uomo immagine di Dio»; Feuillet, *Christ Sagesse*, 148-158 et 166-175; Kehl, *Christushymnus*, 52-81; Schwanz, *Imago Dei*; Vanni, «Immagine di Dio invisibile»; Fowl, *Hymnic Material*, 104-107.

exclue[29], même si les concepts de la philosophie grecque ont marqué le judaïsme[30]. L'influence du judaïsme hellénistique, en particulier la littérature sapientielle, est par contre de plus en plus admise[31]; deux passages, souvent cités, semblent confirmer cet avis: Sg 7,26, où la Sagesse est dite image de la bonté divine, et *leg. alleg.* 1,43, qui la décrit comme «principe, image et vision de Dieu»[32]. L'analyse du texte va dans le même sens. On pourrait en effet croire que le titre procède implicitement par contraste, entre l'image, réalité *visible*, et Dieu, *invisible*. Or, ce n'est pas évident, car le terme εἰκών n'exprime pas ici la visibilité de l'image elle-même: le Seigneur ressuscité n'est pas visible, de la même façon que la Sagesse est dite image de la bonté divine, sans être visible elle-même. L'image de Col 1,15 ne connote pas la visibilité, même si elle manifeste et reflète Dieu[33]. Si le créé, en particulier l'homme, fait également connaître Dieu, comme le dit Sg 2,23[34], la

---

[29] Le *Timée* (92c) dit que le monde est le vivant visible enveloppant tout, Dieu sensible image du Dieu intelligible (εἰκὼν τοῦ νοητοῦ θεὸς αἰσθητός). Or, l'hymne applique le titre au seul Fils, qui est nettement distinct de «toutes choses», du monde donc. On ne peut d'autre part parler d'un transport des attributs platoniciens du cosmos sur le Fils, puisque chez Platon, le concept d'image exprime une participation indirecte et imparfaite. Cf. Eltester, *Eikon im NT*, 29-30 et 147.

[30] Pour Philon, voir Eltester, *Eikon im NT*, 30-42; et pour Sg, Larcher, *Sagesse*, 201-236 et 378-382.

[31] Une influence directe de Philon est impossible à démontrer. Il est en tout cas sûr que Paul et Philon reflètent des idées ayant cours dans le judaïsme hellénistique d'alors. Cf. Eltester, *Eikon im NT*, 131. Quant à une possible utilisation de Sg par Paul et Col 1,15 en particulier, elle n'apparaît nulle part absolument certaine, comme le dit Larcher, *Sagesse*, 29.

A propos de Col 1,15-20, trop d'exégètes (Käsemann, Lohse, etc.) ont renvoyé au thème de la sagesse retournée aux cieux - parce que n'ayant pas trouvé de place sur terre - et en voie de réapparaître à la fin des temps, lorsqu'elle habitera dans le Fils de l'Homme (1En 42,1-2; 49,1-4). On ne trouve rien de tout cela en Col 1,15-20!

[32] En grec: ἀρχὴ καὶ εἰκὼν καὶ ὅρασις θεοῦ. Voir également *leg. alleg.* 1, 22 et 71. Ailleurs, Philon semble donner à la Sagesse la même dignité qu'au Logos (cf. *conf. ling.* 146-147, le logos, qui est «invisible et plus ancienne image de Dieu»), qu'il considère, comme la Sagesse, la voie parfaite qui mène à Dieu (cf. *mig. Abr.* 175; *deus immut.* 142-143).

[33] Le terme ὁμοίωμα indique par contre la perceptibilité et la tangibilité de la représentation. Cf. U. Vanni, «Immagine», 101, et «Homoiôma», 342.

[34] «Car Dieu créa l'homme incorruptible et Il le fit image de sa propre nature-éternelle (ἀιδιότης)». Voir aussi Si 17,3.

manifestation opérée par le Fils diffère de celle-là en ce qu'elle vient de sa participation, comme médiateur, à l'oeuvre de création (vv.16-17). Col 1,15a se situe donc bien dans la même ligne que Sg 7,22-26, où εἰκών est lié à la fonction cosmique de la sagesse, comme manifestation de Dieu par participation à son activité créatrice[35]. Dès lors, aucun être céleste, a fortiori l'homme, ne mérite comme le Fils le titre d'image du Dieu invisible, qui ne renvoie donc pas à Gn 1,27[36]: le passage entier est en effet centré sur les rapports entre le Fils et tout le créé, en particulier les puissances célestes, et c'est en fonction de cette problématique qu'il doit être interprété. On objectera sans doute que la seconde occurrence de εἰκών en Col 3,10 cite Gn 1,27 et que l'interprétation adamique de Col s'en trouve renforcée. Il est vrai qu'en certains textes pauliniens où il est question de la conformité des croyants à l'image du Christ, en opposition à l'image du terrestre, εἰκών renvoie à la typologie Adam/Christ[37], mais cette série de textes doit être distinguée de l'autre, avec 2Co 4,4 et Col 1,5, où le Christ est présenté comme image de Dieu. Le Christ est «image du Dieu invisible», celui par la médiation créatrice de qui Dieu se fait connaître.

Le Fils est ensuite nommé «premier-né (πρωτότοκος) de toute créature»[38]. On a relevé cinq grandes lignes d'interprétation, des Pères à l'exégèse contemporaine[39]:

(a) «premier-né» indiquerait l'origine; il faut alors sous-entendre deux mots en 15b: «premier-né de *Dieu avant* toute créature»;

(b) «premier-né» connote le commencement d'une série: le Fils est alors le numéro un de la série des créatures (créature hors du commun, mais

---

[35] En disant que la sagesse est image de la bonté divine, Sg 7,26 inclut aussi l'aspect salvifique, comme le montrent les versets suivants.

[36] Il faut absolument refuser l'interprétation adamique, même celle appuyée sur une supposée *gezerah shawah* (Gn 1,27 lu à travers Pr 8,22-31) par Manns, «Colossiens 1,15-20», et Wright, «Colossians 1.15-20».

[37] Rm 8,29; 1Co 15,49; 2Co 3,18.

[38] On peut traduire de deux manières différentes πάσης κτίσεως: par un distributif «toute créature», ou par un collectif «toute la création». Les deux solutions sont grammaticalement correctes et défendables par le contexte; que l'on choisisse l'une ou l'autre, l'interprétation reste pratiquement inchangée. Cf. Aletti, *Colossiens 1,15-20*, 59.

[39] A. Hockel *Christus der Erstgeborene*, 31-33. Pour l'éventail des positions contemporaines («premier-né» connotant l'antériorité, ou l'excellence, ou les deux à la fois), voir Aletti, *Colossiens 1,15-20*, 63-64.

créature tout de même);
(c) «premier-né» ne désigne pas le Christ préexistant, mais le Christ incarné: il ne peut alors s'agir que d'un titre d'excellence, non d'antériorité;
(d) «premier-né» désigne le Préexistant, mais ce n'est pas un titre d'origine, seulement d'excellence;
(e) «premier-né» se décompose en deux parties, «premier» (πρωτο) et «né» ou «engendré» (τοκος) et le v.15b se lit «engendré avant toute créature». Position semblable à la première, mais qui ne considère que le rapport Christ/créé.

La difficulté du titre vient de ce qu'il semble faire du Fils une créature: la première certes, mais créature, comme le suggère la seconde interprétation (b). On peut faire remarquer, avec St Jean Chrysostome, dans ses homélies sur Col, que «premier-né» (πρωτότοκος) ne veut pas dire «premier-créé» (πρωτόκτιστος)[40], il n'en demeure pas moins vrai qu'une ambiguïté subsiste, car «premier-né» désigne l'aîné qui, par son statut d'aîné, est le principal héritier et jouit d'autorité sur ses frères[41], mais sans pour autant le faire sortir de l'humaine condition. Certes, le terme fut appliqué à d'autres qu'à l'aîné: Israël, par exemple, appelé premier-né sans que cela signifie une antériorité temporelle par rapport aux autres peuples; le terme connote alors la préférence, l'élection[42]. Mais ici encore, comme titre d'excellence, «premier-né» ne fait pas de soi sortir du statut de créature. On ne peut éclaircir la difficulté qu'à l'aide de la structure du passage, plus précisément le rapport attribution/désignation. En effet, la particularité du titre de Col 1,15b vient de ce qu'il ne se trouve tel quel nulle part ailleurs. Si, dans l'Ecriture, «premier-né» est appliqué à Israël, au Messie, et, dans la littérature juive, à la Torah, il n'en reste pas moins que la juxtaposition «premier-né»/«toute créature» est unique. Cela même explique que la seule analyse lexicographique ne suffit pas à déterminer son arrière-fond littéraire. Or

---

[40] Homélie III,2 (*PG* 62, col.318).
[41] Cf. Dt 21,15-17; 2Ch 21,3. Noter en Gn 49,3 LXX deux titres que l'on retrouve en Col 1,15.18: «Ruben, toi mon premier-né (πρωτότοκός μου), et le commencement (ἀρχή) de mes enfants».
[42] Cf. Ex 4,22; Jr 31,9; Si 36,11; PsSal 18,4. Par la suite, le roi, représentant d'Israël, reçut le titre (Ps 88,28 LXX) qui fut, après l'exil, interprété messianiquement. La littérature ancienne étend ce même titre à Adam et à la Loi.

le contexte (les vv.16-17) montre que «premier-né de toute créature» doit être compris en fonction de la médiation unique du Fils dans l'oeuvre de création: il n'est pas question de la création du Fils, mais de celle de tout le créé, des êtres les plus humbles aux plus hauts en dignité. Le titre ne parle donc pas du Fils comme première des créatures!

Certains commentateurs expliquent le titre «premier-né» à partir de l'influence sapientielle, en particulier Pr 8,22[43]. Mais les écrits bibliques ne disent pas que la Sagesse est «première-née», simplement qu'elle fut créée «au commencement» (ἀπ'ἀρχῆς, Si 24,9), «avant toutes choses» (Si 1,4.9; Pr 8,22 LXX). La formulation de Col 1,15b est donc ambiguë, car elle peut donner à penser que le Fils fut créé, comme la Sagesse, mais on peut aussi l'interpréter comme un titre de filiation unique (excellence) et éternelle, avant même la création du monde (antériorité). Le contexte subséquent (le v.16) permet seul de choisir la seconde hypothèse; il autorise également à opter pour l'arrière-fond sapientiel que le v.15 à lui seul semble interdire. Car, le courant sapientiel biblique (avec ses prolongements extra-bibliques) est bien celui qui souligne l'unicité du médiateur, sa participation à l'oeuvre créatrice, sa prééminence et son antériorité[44].

v.16[45]

«Parce que c'est en lui que furent crées toutes choses, celles dans les cieux et celles sur la terre, les visibles et les invisibles...»

Le v.16 a pour fonction de justifier les deux titres du v.15, en

---

[43] Cf. déjà de nombreux Père de l'Eglise. Récemment: Burney, «ARXH», 166-177; Davies, *Paul and Rabbinic Judaism*, 150-152; Feuillet, *Christ Sagesse*, 188-191 et 194-202; Larsson, *Christ als Vorbild*, 192-194; Hegermann, *Schpöpfungsmittler*, 99; Buckley, *Firstborn*, 40-47; Glasson, «Col 1,15.18», 154-156; Manns, «Col 1,15-20»; Wright, «Colossians 1.15-20», 455-458. Selon ces auteurs, le passage appliquerait à Jésus tout ce qui était dit de la sagesse par le moyen de ראשׁית. Si l'on en croit Manns et Wright, on aurait en outre une exégèse rabbinique de Gn 1,26 et Pr 8,22 (grâce à une *gezerah shawah*). Voir plus bas, la discussion sur l'arrière-fond de Col 1,15-20.

[44] Philon, et, plus largement, les milieux judéo-alexandrins ne sont pas la source directe des titres de Col 1,15, mais il n'en constituent pas moins un témoignage précieux de l'évolution du courant sapientiel aux environs de l'ère chrétienne. En ce qui concerne les appellations du Logos philonien (πρωτόγονος, πρεσβύτατος υἱός, etc.), cf. *agr.* 51; *somn.* 1,215; *conf. ling.* 63, 146.

[45] Voir Carr, *Angels and Principalities*.

insistant sur la médiation unique du Fils: «parce qu'en Lui (et en lui seul) furent créées toutes choses». L'insistance désignative, repérable grâce à la position initiale, emphatique donc, du syntagme «en lui», souligne l'unicité de la médiation[46]. Outre l'unicité de la médiation, notons également la façon dont le verset joue sur la diversité des prépositions «en» (ἐν), «en» (διά) et «pour» (εἰς), à la manière de la tradition stoïcienne[47]. Le cadre de pensée à l'intérieur duquel apparaissent les formules est le même, même si Col 1,16 évite soigneusement le panthéisme: il s'agit du rapport entre la multiplicité des être du cosmos (τὰ πάντα) et leur principe unificateur: les prépositions visent à souligner la dépendance totale de «toutes choses» par rapport à ce principe unique.

Qu'entendre par «en lui»? Le ἐν αὐτῷ a-t-il un sens instrumental (équivalant à «par lui»)? Certains parallélismes avec Pr 3,19 et Sg 9,1-2 semblent favoriser le sens instrumental[48]. Mais si le verset a utilisé les prépositions «en» et «par», n'est-ce pas pour qu'à la différence des signifiants corresponde une différence des signifiés? Cette objection mérite d'être considérée, mais n'est pas contraignante, car le changement pourrait avoir des raisons avant tout stylistiques: éviter la triple répétition de ἐν aux vv.16-17. En réalité, les trois propositions du verset expriment de façon complémentaire la portée de la médiation créatrice du Fils. Elles doivent être prises ensemble. Mais pour déterminer les nuances de chacune, l'analyse de ces versets est nécessaire, en particulier l'expression «toutes choses en lui subsistent» du v.17b: si tous les êtres

---

[46] Comme lorsqu'on dit: «c'est Pierre le roi» (lui et pas un autre). La différence avec les attributions du v.15 saute aux yeux; ce contraste a pourtant été ignoré des exégètes.

[47] Cf. Dupont, *Gnosis*, 335-345; Eltester, *Eikôn im NT*, 141-146; Norden, *Agnostos Theos*, 249-250; Feuillet, *Christ Sagesse*, 203-204. On a les mêmes jeux prépositionnels en Rm 11,36; 1Co 8,6; Ep 4,6. Voir les références en Lohse, *Kolosser*, 88-89.

[48] En ces deux textes, le datif «par la sagesse» (τῇ σοφίᾳ) se trouve en parallèle avec un syntagme prépositionnel «avec intelligence» (ἐν φρονήσει), «par ta parole» (ἐν λόγῳ σου). Pour les hypothèses relatives à un possible sens local ou «sociativus» de ἐν αὐτῷ, voir Aletti, *Colossiens 1,15-20*, 54-55. Le sens local a été interprété de deux manières différentes: (a) tous les êtres ont reçu en lui leur lieu; cf. Käsemann, «Taufliturgie», 41-42; (2) tous les êtres ont reçu en lui leur modèle: causalité de type exemplaire; cf. Feuillet, *Christ Sagesse*, 208: «en Col 1,16, le Christ incréé est comme le miroir dans lequel Dieu lui-même a contemplé le plan de l'univers lorsqu'il l'a créé. C'est en ce sens là que tout a été créé en lui».

subsistent en lui, c'est que «en lui toutes choses ont été créées comme dans le centre suprême d'unité, d'harmonie, de cohésion, qui donne au monde son sens, sa valeur et par là sa réalité»[49]. Si l'on tient compte du rapport entre 16a et 16f, le parfait ἔκτισται du v.16f indique que la médiation du Christ ne s'est pas seulement exercée au commencement, mais qu'elle est durable; de même le «par lui» et le «pour lui» précisent les modalités de cette médiation: l'activité créatrice s'est opérée, jusque dans ses effets actuels, par et pour le Christ. Enfin, le τὰ πάντα de 16f ne reprend pas simplement celui de 16a, il le reprend à travers l'énumération 16b-e. «Toutes choses», c'est-à-dire l'univers en sa totalité, y compris les puissances angéliques. La proposition du v.16a se trouve donc précisée et complétée par le v.16f. Mais ce dernier stique est à son tour complété par le v.17b: la médiation du Christ ne s'exerce pas seulement sur chacun des êtres créés, mais sur leur ensemble (cf. le συν- de συνέστηκεν); c'est en lui qu'ils trouvent leur unité, leur ordonnance commune. Il y a donc une réelle unité de 16a à 17b, par précisions et compléments successifs. Et il est dans la logique de cette progression d'admettre qu'à la distinction des signifiants ἐν, διά, εἰς correspond une différence des signifiés, que «en lui» est complété par «par lui et pour lui», de la même façon qu'ἐκτίσθη l'est par ἔκτισται. Ainsi, «en lui» n'équivaut pas simplement à «par lui», mais se trouve précisé par les syntagmes «par lui et pour lui». La préposition ἐν n'indique donc pas d'abord la causalité instrumentale, et le syntagme «en lui» signifie seulement que l'action créatrice fut tout imprégnée de la présence du Fils, présence dont le v.16f va expliciter les modalités actives, grâce à διά et εἰς.

Le verbe «créer» (κτίζειν) reprend une affirmation fondamentale du monothéisme biblique et juif, laquelle exclut tout panthéisme[50]: parce qu'ils sont créés, les êtres ne sont pas engendrés, et aucune confusion n'est possible avec la divinité. Quant à l'arrière-fond de 1,16a, il est sans doute sapientiel, dans la mesure où il rappelle les affirmations relatives à la médiation créatrice de la sagesse (cf. Pr 3,19; Sg 9,9 et

---

[49] J. Huby, Les épîtres de la captivité, 40.

[50] Sur le Dieu «créateur du ciel et de la terre» cf. Gn 14,19.22; Jdt 13,18; etc. Faut-il s'étonner de voir le vocabulaire de la création proliférer dans les écrits bibliques de la période hellénistique (Si; Sg)?

surtout Sg 8,5-6).

Ce que recouvre l'expression «toutes choses», la liste 16b-e l'indique clairement: «dans les cieux et sur la terre, les visibles et les invisibles»[51].

(1) «dans les cieux et sur la terre» (v.16b). Le registre est cosmologique et les catégories spatiales. Mais le texte ne les distingue pas pour les opposer, comme dans les passages où les cieux sont mis vis-à-vis de la terre comme le divin opposé à l'humain. Cieux et terre forment ici une totalité, celle de l'univers créé. Les êtres les plus élevés comme les plus humbles sont dans la même situation.

(2) «les visibles et les invisibles» (v.16c). Le couple est un complément de celui de 16b. Car cieux/terre pouvait faire croire que la totalité envisagée était celle des êtres visibles, comme le soleil, la lune et les autres astres. Le terme «invisibles» (ἀόρατα) inclut les puissances angéliques. L'accent est d'ailleurs mis sur «invisibles», dernier mot de 16c, que visent à préciser également les stiques 16de[52]: on notera que *les noms des êtres célestes mentionnés indiquent tous un exercice du pouvoir*, et c'est pour cela que le passage les mentionne ainsi - et pas seulement comme «anges» -; il s'agit d'êtres qu'on pourrait tenir pour rivaux du Fils. Malgré leur perfection et leur statut d'êtres invisibles, ils ne sauraient revendiquer une quelconque participation à la création du cosmos, puisqu'ils furent aussi créées dans, par et pour le Fils.

La liste 16de renvoie au judaïsme et désigne les anges. L'exégèse ancienne s'est longuement interrogée sur la nature morale des êtres mentionnés: certains voyaient dans les «trônes» et «seigneuries» des anges bons, et dans les «principautés» et «puissances» des anges mauvais, parce qu'elles seules sont défaites par Dieu ou le Christ en Col 2,15. Mais la dynamique du passage et la littérature intertestamentaire appellent à plus de nuances: la liste 16b-e procède par accumulation et insiste seulement sur l'excellence (dans la hiérarchie céleste) des êtres

---

[51] La distinction «cieux/terre» est biblique, la seconde est d'origine grecque, mais fut reprise par le judaïsme rabbinique. Cf. Strack-Billerbeck, III, p.32.

[52] Cf. Schweizer, «Zur neueren Forschung», 182. Voir des puissances humaines politiques en 16de ne respecte ni la dynamique ni la composition du passage, qui fait dépendre cette liste de τὰ ἀόρατα («les invisibles»). La question sous-jacente est bien celle du rapport entre le Fils et les puissances angéliques les plus élevées, supposées avoir un réel pouvoir sur les éléments cosmiques et sur les humains.

mentionnés: les «trônes» et les «seigneuries» semblent parfois désigner des anges supérieurs[53]; quant aux «principautés» et «puissances» (ou autorités, ἐξουσίαι), elles rappellent davantage l'usage du corpus paulinien[54]. Mais, plus que sur l'identité de ces êtres spirituels, bons ou mauvais, le passage veut attirer l'attention sur leur pouvoir, et c'est pour cela, répétons le, qu'il retient seulement des titres connotant directement cela.

Le 16f affirme que tout a été créé «pour lui» (le Fils). C'est sans doute sur ce point que le passage va plus loin que l'arrière-fond sapientiel qu'il exploite, car il n'est jamais dit que tout fut créé pour (εἰς) la Sagesse. Le stique peut être interprété différemment selon que l'on pense ou non à l'incarnation. Certains y ont vu une finalisation christologique de la création: «il faut dire de manière religieuse et écouter avec respect que c'est à cause du Fils de l'Homme qui devait être comblé de gloire, que Dieu a tout créé»[55]; selon d'autres, le stique dit seulement que toutes choses furent créées en vue d'être soumises au Fils. Le laconisme du stique n'infirme aucune de ces deux interprétations, toutes deux défendables. Certes, les Homologoumena n'employaient le εἰς αὐτόν que pour le Père, mais il ne faut pas croire que cette avancée

---

[53] Cf. 2En 20,1: arrivé dans le septième ciel (le plus élevé), Enoch voit une troupe d'archanges, forces incorporelles, trônes, seigneuries, chérubins et séraphins, etc. Le principe d'accumulation est le même qu'en Col 1,16b-e. En *TestLévi* 3,8, les «trônes», avec les «autorités», offrent continuellement des hymnes à Dieu. Voir également *TestAbraham* 14,12, où Michel est désigné comme l'archistratège des puissances d'en haut.

[54] Cf. 1Co 15,24, et Rm 8,38, où l'on lit: «ni la mort ni la vie, ni les anges ni les principautés». Voir aussi Est 4,17r LXX (où l'on a un parallèle entre dieux et puissances); 1QM 12,8; 1En 20,1; 61,10 («Elle criera aussi l'armée des cieux, toute l'armée des cieux, ainsi que tous les saints dans la hauteur, l'armée du Seigneur, les Chérubins, les Séraphins, les Ophanim, tous les anges de puissance, tous les anges des dominations, l'Elu et toutes les puissances, dans la terre et les eaux»). Egalement, *TestJuda* 25,2; 2Ba 21,6; 3Ba 1,8; 2,6. Les puissances célestes sont chargées de la marche des astres et des humains 1En 39,12; 1En 41,9 (à propos du soleil et de son rôle établi par Dieu: «Aucun ange, aucune autorité ne peut s'y opposer, car sur toute chose Il a établi un prince, et c'est lui qui gouverne tout cela en Sa présence»). Il y a des anges préposés à la garde des nations, pour les égarer loin du Seigneur, mais sur Israël Dieu n'a pas donné de pouvoir à un ange ni à un esprit (Jub 15,31-32).

[55] Rupert de Deutz, *Commentaire sur Mt*, 50,13 (*PL* 168, col.1624). Cf. G. Martelet, «Premier né», 47; également Feuillet, *Christ Sagesse*, 210-213.

christologique se fait au détriment de Dieu le Père: l'hymne ne raisonne pas en termes de concurrence; s'il passe pratiquement le Père sous silence, ce n'est pas par oubli, mais parce que la question est celle du médiateur.

v.17

«Et lui-même est par devant toutes choses, et toutes choses subsistent en lui».

Après avoir affirmé que toutes choses furent l'objet de la médiation créatrice du Fils, le texte explicite les implications de cet état de fait, non de manière hypotaxique (si tout fut créé par lui, c'est donc qu'il est avant toutes choses), mais parataxique (tout fut créé par lui, et lui-même est par devant tout, et tout subsiste en lui).

Le syntagme πρὸ πάντων du v.17a indique-t-il la prééminence, la dignité, ou bien l'antériorité? La dignité étant en général connotée par d'autres prépositions[56], celle-ci doit donc signifier l'antériorité: a- vant/par-devant. On trouvera sans doute étrange qu'une déclaration sur l'antériorité du médiateur ne précède pas celles sur sa médiation (car c'est l'antériorité qui rend possible la médiation créatrice) et qu'elle ne soit pas énoncée au passé (il *était* avant toutes choses)[57]. Mais, comme on l'a vu, le passage procède par précisions successives; on ne doit donc pas s'étonner de voir l'antériorité du médiateur mentionnée après la médiation elle-même, puisque c'est par elle que nous est connue cette antériorité. Et qu'elle soit énoncée au présent ne doit pas davantage poser de difficulté, car, comme dans le quatrième évangile[58], par là s'indique l'éternité du Fils: il est (depuis toujours) avant toutes choses.

A la proposition du v.17b «tout subsiste en lui» on a vu un arrière-fond stoïcien (où le cosmos était compris comme un ensemble unifié et divin), déjà repris et adapté au monothéisme biblique par la

---

[56] Cf. ἐπὶ πάντων en Rm 9,5; Ep 4,6; ὑπὲρ πάντα Ep 1,22; ὑπεράνω πάσης... Ep 1,21; 4,10. Cf. Feuillet, *Christ Sagesse*, 214.

[57] Comme en Pr 8,24-25; Si 1,14; 24,9 - passages qui ont sans doute eu leur influence sur la formulation de Col 1,17a.

[58] Cf. Jn 8,58; 13,19.

réflexion juive[59]. C'est possible, mais on ne trouvera aucun passage vraiment parallèle à Col 1,17 dans les livres sapientiaux. Faut-il plutôt y voir une formulation dans la ligne de 1Co 8,6, avec le même arrière-fond monothéiste[60]? Le laconisme de notre verset n'autorise pas de conclusion ferme.

Un autre point reste discuté: ce verset (et le précédent) renvoie-t-il à la création ou à la nouvelle création? Affirme-t-il que c'est en Christ que furent (re)créées toutes choses et que c'est en lui seul qu'elles trouvent désormais leur cohésion et leur unité? Pareille lecture pose de sérieuses difficultés, car rien ne l'appuie: manifestement les vv.16-17, où l'arrière-fond sapientiel est net, parlent de la première création, d'autant que le but du passage est de juxtaposer le rôle du Christ dans la création (vv.16-17) et la rédemption (18-20).

v.18a
«Et lui-même est la tête du corps, (c'est-à-dire) de l'Eglise».

Le stique a été analysé surtout à partir de l'histoire de la rédaction, le génitif «de l'Eglise» étant considéré comme un ajout de l'Auteur de Colossiens pour contrebalancer une christologie trop mythologique[61]. Mais une exégèse synchronique serrée du passage ressent rapidement les limites de l'approche diachronique, lorsqu'il s'agit de mettre en évidence la fonction du stique en son contexte.

Ces dernières années, plusieurs hellénistes sont revenus sur le sens de κεφαλή, à partir d'évidences externes, pour arriver à des

---

[59] Voir Platon, *République* 530a; Pseudo Aristote, *mund.* 6 (397b); *Pap. Oxy.* 11, 1380. 183-185 (éd. Grenfell - Hunt, Oxford 1915). Autres textes cités par Lohse, *Kolosser*, 92. Pour la littérature sapientielle, cf. Si 43,26 qui est sans aucun doute l'expression la plus proche de Col 1,17 («par sa parole toutes choses tiennent ensemble», σύγκειται); également Sg 1,7, où l'esprit divin est dit maintenir ensemble tout l'univers (συνέχον τὰ πάντα).

[60] Wright, «Colossians 1.15-20», 460. Cela suppose que 1Co 8,6 fasse mention de la médiation créatrice du Christ, et non salvifique, comme cela a été récemment affirmé. Cf. J. Murphy-O'Connor, «I Cor. 8.6: Cosmology or Soteriology», in *RB* 85 (1978), 253-267.

[61] Zeus nommé tête du cosmos, qui est son corps, dans un fragment orphique (n°168). Plusieurs papyri mentionnés en Lohse, *Kolosser*, p.94. Reprise monothéiste de ces idées dans le judaïsme hellénistique, en particulier Philon, selon qui le Logos est la κεφαλή du cosmos, autrement dit celui qui le guide et le dirige.

conclusions opposées: selon les uns le terme connoterait l'autorité, selon les autres il indiquerait l'origine, ce qui pour Col 1,18a pourrait se traduire ainsi: «lui-même a totale autorité sur l'Eglise», ou, au contraire, «lui-même est la source de l'Eglise»[62]. Sans renier a priori de telles études, il faut rappeler que le contexte littéraire, autrement dit la dynamique du passage, permet en dernière instance de décider du sens. Or, le passage montre que le Fils n'est pas «tête» (κεφαλή) au sens biologique, comme membre d'un corps vivant ayant besoin des autres membres pour subsister (cf. 1Co 12,21), car les vv.16-17 affirment qu'il est avant toutes choses, et que toutes choses ont été créées par lui. Par contre, en s'appuyant sur 17b, on peut dire que l'Eglise ne peut subsister ni tenir sans le Christ. Enfin, comme le passage n'applique pas au Fils la préposition ἐκ pour l'existence des êtres créés, mais seulement d'autres prépositions (ἐν, διά, εἰς, πρό), on peut certainement conclure que le terme κεφαλή ne connote pas l'origine ou la source, bien plutôt l'autorité totale du Christ sur l'Eglise.

On voit d'ailleurs pourquoi cette affirmation se trouve à cet endroit (et pas dans la strophe suivante, dédiée à la rédemption): (1) en effet, comme les versets précédents, 1,18a insiste sur la désignation (le Fils, lui et lui seul, est LA tête) et non sur l'attribution (le sens précis du titre κεφαλή); cela veut dire qu'aucune des puissances célestes énumérées en 16de ne peut revendiquer ce titre ni avoir autorité sur l'Eglise, sur les croyants. On voit sans difficulté l'importance de ce stique pour le reste de la lettre, en particulier pour 2,6-23. (2) Rattaché aux affirmations sur la primauté du Fils dans l'ordre créé et non directement à celles sur la pacification, le titre signifie que l'autorité absolue du Christ sur l'Eglise est liée à son autorité sur tout le créé[63]. Car, on pourrait objecter que la résurrection du Christ (v.18b) ne suffit pas à lui donner la primauté sur les puissances angéliques qui servent et adorent depuis toujours devant le trône divin; voilà pourquoi l'auteur de Col lie

---

[62] Grudem, «kephalè» 1985 («tête» connote l'autorité); Cervin, «kephalè» (critique de Grudem; le terme indique la source, l'origine); Grudem, «kephalè» 1990 (réponse à Cervin); Fitzmyer «Another Look at KEPHALE» (= «ruler», «leader»). Pour la bibliographie relative aux termes «tête» et «corps», voir Aletti, *Colossiens 1,15-20*, 111-112.

[63] Même interprétation chez Fowl, *Hymnic Material*, 112. Le καί de 18a semble d'ailleurs avoir une nuance consécutive.

l'autorité du Fils sur l'Eglise à sa supériorité sur ces êtres au niveau de leur existence même - ils furent créés en lui, par lui et pour lui!

L'Eglise est LE «corps» du Christ. Comparée à Col 2,10, où Christ est «tête de toute principauté et puissance», mais où ces dernières, à la différence de l'Eglise, ne forment pas son corps, l'affirmation de 1,18a souligne le lien qui unit l'Eglise au Fils. Sans doute faut-il entendre ici que les deux sont inséparables, que l'Eglise, en sa dépendance fondamentale, doit témoigner de l'unique seigneurie du Fils sur elle, que, comme tout corps, elle est une réalité organique, vivante, en croissance, etc. Mais le laconisme du stique ne permet pas d'aller plus loin. Et même si l'auteur de Col reprend ici le vocabulaire des Homologoumena[64], le glissement est net: ce n'est pas l'Eglise en sa réalité organique, comme unité dans la multiplicité et la complémentarité de ses membres, qui importe ici, mais sa dépendance par rapport au Fils et l'unicité de ce rapport[65].

On a récemment vu en 18a une application au Christ des confessions monothéistes relatives à l'élection: après avoir affirmé la médiation créatrice du Christ (vv.16-17), le v.18 redéfinirait l'élection et signifierait que le peuple de Dieu est désormais à comprendre comme peuple de Jésus Christ[66]. Certes, le verset décrit la relation privilégiée et unique existant entre le Christ et l'Eglise, et qui est de l'ordre de la dépendance, mais l'appartenance n'est aucunement soulignée par un quelconque adjectif possessif, en une formule analogue à celle d'Ep 1,23: «son corps, (qui est) l'Eglise» Le v.18a insiste seulement sur le fait que le Fils *seul* a totale autorité et leadership sur une entité (l'Eglise) qui lui est intrinsèquement liée, comme un corps à la tête dont il reçoit les ordres.

v.18bc

«(lui) qui est principe, premier-né d'entre les morts, afin qu'il devienne en tout premier».

Grâce à l'assertion de 18a relative à l'unique et totale autorité du Fils sur l'Eglise, le texte peut amorcer le second développement, parallèle

---

[64] Cf. Rm 12,4-5; 1Co 10,16-17; 12,12-13. Sur l'origine de l'emploi chez Paul, les hypothèses, en particulier celle de Käsemann, restent toutes grevées d'incertitude.

[65] Il s'agit d'une désignation: L'Eglise est LE corps (autrement dit, elle et elle seule).

[66] Wright, «Colossians 1.15-20», 460.

au premier par son alternance d'attributions (v.18b) et de désignations (v.19-20), sur la prééminence que le Fils a obtenue par sa médiation salvifique.

Il est «commencement» ou «principe»[67]. L'emploi du substantif ἀρχή soulève encore la question de l'arrière-fond sapientiel, car la sagesse est nommée ainsi en Pr 8,22 LXX, chez Philon également[68]. La proximité des vv.15-17, où la même influence est reconnue, semble confirmer cette impression. Néanmoins, à la différence de Pr 8,22, le titre ne désigne pas ici l'antériorité de la sagesse à tout le créé, mais le nouveau commencement constitué par la résurrection. Certains pensent même que les titres ἀρχή et πρωτότοκος seraient synonymes et qu'ainsi le premier attribut devrait être traduit «prémices»[69]: sa résurrection constitue le commencement de la nouvelle ère, elle est aussi prémices de la nôtre. Sans aucun doute cette interprétation est fondée sur la logique du passage - le terme ἀρχή reçoit son sens des mots et versets qui le suivent -; malgré tout, l'auteur de Col, qui connaissait les Homologoumena, n'a pas cru bon de dire ἀπαρχή. L'arrière-fond sapientiel reste ainsi possible, même si ceux qui l'adoptent n'ont pas expliqué pourquoi ἀρχή ne se trouve pas tout au début du passage comme en Pr 8,22-31, c'est-à-dire à la place d'«image». On répondra que Col 1,15-20 suit une courbe ascendante dans l'énoncé des attributs et des justifications et qu'ἀρχή en constitue le sommet[70]. Mais, cela n'est pas vrai: s'il y a

---

[67] P[46] et B mettent l'article devant ἀρχή, variante qui semble remettre en cause le parallélisme entre attributions et les désignations. Indépendamment de la fiabilité et du nombre des témoins qui omettent l'article, l'organisation même de Col 1,15-20 fournit des preuves dans le même sens. D'abord le parallélisme entre 18b et 15a, où «image» est sans article; ensuite, le fait que «premier-né», qui suit ἀρχή en 18b, n'a pas davantage d'article; enfin 18c, qui indique que 18b doit être interprété de la même façon que 15ab, c'est-à-dire comme une séquence de deux attributions (sans article).

[68] Cf. *leg. alleg.* 1,43 (elle est «commencement et image et vision de Dieu»).

[69] Cf. Dt 21,17 LXX où l'on a un clair parallélisme entre les deux termes. Pour ἀρχή équivalent de «prémices», voir Jr 2,3. Dans les Homologoumena, 1Co 15,20 (Christ ἀπαρχή des morts) et 15,23. Exégèse de Lohse, *Kolosser*, 97.

[70] Position de Wright, «Colossians 1.15-20», 457. L'auteur suit l'hypothèse de Burney selon laquelle le passage cherche à montrer que le Christ est רֵאשִׁית en tous les sens du terme (le premier-né, le plus haut, la tête, le commencement). Wright ajoute: «le poids de l'ensemble tombe sur le mot de la série - ἀρχή, qui dans la LXX, remplace

progression continue, l'accentuation repose sur le dernier titre, qui n'est pas ἀρχή, mais «premier-né d'entre les morts». Bref, même si elles n'expliquent pas tout, les deux interprétations sont défendables, celle par l'arrière-fond sapientiel et celle par la logique du passage, qui procède par progression continue. Ceci dit, la logique du passage exige aussi qu'on ne donne pas à ἀρχή le seul sens de «commencement», autrement dit qu'on n'en fasse pas un pur titre d'antériorité. Car, comme le dit le v.20, le Fils est médiateur de la pacification universelle, il est donc principe (celui par qui vient l'eschaton, la gloire)[71]: le titre est (aussi) d'excellence. Quant à «premier d'entre les morts», il indique certes que le Fils est ressuscité mais surtout que sa résurrection amorce une série, qu'elle est un commencement, une espérance pour tous les morts[72].

Juste après les deux titres, l'auteur a ajouté une proposition finale, qui diminue la régularité de l'ensemble, mais qui surtout dévoile ce qui guidait l'hymne: l'accumulation des titres pour souligner la primauté du Fils à tous les niveaux ou en toutes ses dimensions, car le verbe πρωτεύω n'exprime pas seulement la priorité temporelle ou locale, mais la primauté de rang, de dignité[73].

v.19

«Parce que (c'est) en lui (que Dieu) se plut à faire habiter toute la plénitude».

Les titulatures sont justifiées par une causale qui, comme celle de la première partie, insiste emphatiquement sur le Fils: c'est en lui (et

---

évidemment le רֵאשִׁית de Gen 1:1 et Pr 8:22-23»; selon lui, en lisant un tel passage, un juif de l'époque devait attendre ce point final (ἀρχή). Malheureusement, il ne nous est pas dit pourquoi ἀρχή constitue la pointe du passage.

[71] Noter qu'en Pr 8,22 LXX on ne saurait traduire ἀρχή seulement par «commencement», mais aussi par «principe», car elle y est explicitement décrite comme médiatrice de la création.

[72] Normalement πρωτότοκος («premier-né») est suivi du génitif (sans ἐκ), comme en Apo 1,5. Peut-être l'expression a-t-elle subi l'influence de formules comme ἐγερθεὶς ἐκ νεκρῶν (Rm 6,9; 7,4; 1Co 15,12.20; etc.) ou ἀνίστημι ἐκ νεκρῶν (cf. Mc 9,9; Lc 16,31; 24,46; Ac 17,31).

[73] Cf. Est 5,11 et 2M 6,18 où il s'agit de la seule dignité, et 2M 13,15 (le premier éléphant du convoi) qui ne considère que le rang dans la colonne, sans que la dignité entre en compte. Voir aussi P. Benoit, «L'hymne christologique», 242-243.

en lui seul) que la plénitude (divine) est venue habiter. La première difficulté est grammaticale, mais sans conséquence grave pour l'interprétation: l'aoriste εὐδόκησεν («se plut à») peut avoir deux sujets, Dieu, sous-entendu (et alors le verbe κατοικῆσαι prend un sens factitif, «faire habiter»), ou πλήρωμα («plénitude»). Dans le second cas, le participe «ayant pacifié» (εἰρηνοποιήσας) étant au masculin se relie ad sensum au neutre πλήρωμα[74]. On a déjà noté au v.16a que le passif théologique «furent créés» était une manière de passer l'agir divin sous silence, pour mettre en relief le «en lui». Le phénomène se répète au v.19. L'absence du terme «Dieu» a donc une fonction rhétorique, celle de mettre en valeur le Fils, en qui habite la plénitude. Mais il serait abusif d'en conclure que Dieu n'est pas le sujet sous-entendu de «se plut à»: le masculin εἰρηνοποιήσας prouve le contraire (sinon pourquoi revenir au masculin?).

Le terme πλήρωμα[75] soulève davantage de questions. Si le sens passif (plénitude[76]) est unanimement accepté, les exégètes se demandent encore si l'usage en est commun ou technique[77]. L'absence de génitif semble appuyer la seconde hypothèse: le Christ envelopperait et contiendrait tous les êtres[78]. Mais, comment le passage pourrait-il

---

[74] Solution de Lohse, *Kolosser*, 98, et de nombreux autres commentaires.

[75] Cf. Delling, «plèrôma»; Dupont, *Gnosis*, 453-476; Gewiess, «plèrôma»; Benoit, «corps, tête, plérôme»; Münderlein, «Kol 1,19»; Virgulin, «plèrôma»; Feuillet, *Christ Sagesse*, 229-238 et 275-319; Id.,«plérôme»; Kehl, *Christushymnus*, 110-125; Langkammer, «Kol 1,19»; Ernst, *Pleroma*, 72-94; Bernini, «Pienezza»; Panimolle, «Plèrôma»; Aletti, *Colossiens 1,15-20*, 77-81.

[76] Le sens actif, équivalent de πλήρωσις (complément, achèvement), est très rare dans le grec profane, inexistant dans la LXX, admis par de nombreux commentateurs en Mc 2,21. La LXX n'utilise πλήρωμα qu'en des expressions stéréotypées: «la mer et sa plénitude» Ps 95,11 et 1Ch 16,36; «la terre et sa plénitude» Ps 23,1; Jr 8,16; 29,2; Ez 12,19; 19,7; 30,12; 32,15; «la terre habitée et sa plénitude» Ps 49,12; 88,11.

[77] Usage commun: plénitude de quelque chose; le terme est suivi d'un génitif précisant de quelle plénitude il s'agit. Usage technique: la plénitude cosmique du stoïcisme vulgarisé, laquelle est le monde, en tant que rempli par Dieu, ou Dieu en tant que remplissant le monde (le concept ne décrit donc pas seulement Dieu ou le monde, mais un certain type de rapport entre les deux). Noter cependant que les écrits stoïciens ne désignent pas la plénitude cosmique à l'aide du substantif πλήρωμα, mais du verbe πληροῦν, à l'actif ou au passif.

[78] Hypothèse défendue par Dupont, *Gnosis*, 473, et Benoit, «Corps, tête, plérôme».

reprendre une théorie panthéiste même en la christianisant, alors que les oppositions répétées entre «lui» et «toutes choses» ont précisément pour fonction de montrer que le Fils n'est pas de même nature que la série des créatures[79]? On ne voit d'ailleurs pas comment l'habitation du cosmos en Christ confirmerait les titres de dignité énoncés au v.18b. L'usage semble bien être commun. Il reste alors à déterminer ce que désigne le terme «plénitude»: l'Eglise[80], la divinité, l'esprit divin? Les exégètes ont répondu à la question en montrant qu'on ne doit pas séparer πλήρωμα des verbes εὐδόκησεν («il se plut à») et κατοικῆσαι («habiter»), dont l'arrière-fond est nettement vétérotestamentaire. C'est Dieu, sa gloire, son esprit ou ses dons qui prennent plaisir à venir séjourner de façon permanente en un lieu déterminé[81]. Certains refusent de voir en πλήρωμα la divinité elle-même (cf. Col 2,9 où le verbe habiter est au présent), car le Fils est pleinement Dieu depuis toujours, et l'incarnation n'a rien changé à cet état de fait. Sans aucun doute, le texte ne dit pas que le Fils aurait reçu la plénitude de la divinité à l'incarnation ou à tout autre moment de sa vie. Noter cependant que l'aoriste ne renvoie pas nécessairement à un événement passé précis; il peut encore indiquer une pure antériorité et s'appliquer à une décision éternelle. Si au contraire le v.19 renvoie au Jésus terrestre, on peut alors penser à l'effusion de l'Esprit, décrite aussi dans les évangiles (au baptême), qui qualifie Jésus pour accomplir son ministère de réconciliation et de paix salvifique[82].

---

[79] Objection de Feuillet, «plérôme», 27. Gnilka, *Kolosserbrief*, 72, note aussi que, dans cette hypothèse, il aurait été nettement plus simple de continuer à dire «toutes choses» (τὰ πάντα), pour lever toute ambiguïté et tout danger de panthéisme: le changement de terme implique un changement de référent.

[80] Cette exégèse, basée sur une interprétation douteuse d'Ep 1,23, doit être exclue en vertu de la dynamique du passage, autrement dit de ce que le v.18a dit des rapport Fils/Eglise.

[81] 3 R 8,27; Ps 67,17 LXX («la montagne sur laquelle Dieu s'est plu à habiter» εὐδόκησεν ὁ θεὸς κατοικεῖν); Ps 131, 13-14 LXX. Panimolle, «plèrôma», 182, mentionne plusieurs passage du Targum Neofiti où Dieu fait habiter (causatif) sa gloire en tel ou tel lieu: Gn 3,24; Ex 29,45; Lv 26,11; Dt 12,5.11.21; 14,23.24; 26,2. Dieu habitera le coeur des hommes justes (*TestZabulon* 8,2), au milieu de son peuple (Jub 1,17); et l'esprit du Seigneur prendra le Messie pour demeure (1En 49,2-3).

[82] Le verbe «se plut à», en lien avec le l'expression «fils bien-aimé» du v.13 pourrait indiquer qu'il s'agit du baptême (cf. Mt 3,15 et par., «mon fils bien-aimé, en qui je me suis complu»). Col 1,17 reprendrait alors une formulation de l'Eglise primitive.

En dernière analyse, la plénitude du v.19 est d'origine divine: si l'auteur omet le génitif τοῦ Θεοῦ («de Dieu»), c'est sans doute pour les raisons déjà signalées plus haut.

v.20

«Et par lui à réconcilier toutes choses pour lui, ayant pacifié par le sans de sa croix, par lui, aussi bien celles sur la terre que celles dahs les cieux»

Après que le v.19 a indiqué la compétence du Fils, le v.20 peut décrire sa performance, sa médiation salvifique. A ce propos, deux traductions de Col 1,19-20a sont possibles, selon qu'on donne ou non au καί («et») une valeur consécutive:

(a) car en lui seul Dieu se plut à faire habiter toute la plénitude, en sorte que par lui seul il réconcilie tous les êtres pour lui seul.
(b) car en lui seul Dieu se plut (d'une part) à faire habiter toute la plénitude, et par lui seul (d'autre part) à réconcilier tous les êtres pour lui seul.

La première solution est préférable, pour deux raisons: (a) εὐδοκεῖν («se plaire à») et κατοικεῖν («habiter») étant traditionnellement employés ensemble, forment une unité, et il n'y a pas lieu de faire dépendre le participe εἰρηνοποιήσας («ayant pacifié») de εὐδοκεῖν; (b) les stiques 19 et 20a sont dans un rapport de compétence à performance, de condition à réalisation.

Le référent de εἰς αὐτόν («pour lui») n'est pas Dieu, mais le Fils[83]. Il y a donc un parallèle entre 16f et 20b. De même en effet que le Christ est celui pour qui toutes choses furent créées, de même, il est celui pour qui toutes choses furent réconciliées: la réconciliation est ordonnée à la suprématie et à la seigneurie du Christ sur toutes choses. C'est sans doute la première fois, dans les lettres pauliniennes, que la finalité christologique de l'oeuvre salvifique est aussi nettement soulignée[84], ; jusqu'alors en effet, dans les unités littéraires, la christologie

---

[83] Voir Aletti, *Colossiens 1,15-20*, 30-32, où ce point est démontré.
[84] Comparer avec Rm 14,8-9. En Ph 2,6-11, mention n'est point faite de l'oeuvre salvifique du Christ.

paulinienne servait immédiatement à mettre en valeur les effets du salut dans et *pour* les croyants. Non que Col 1,15-20 ne soit pas utilisé à des fins sotériologiques - Col 1,21-23 prouve le contraire -, mais à l'intérieur de l'unité littéraire elle-même, la médiation salvifique est christologiquement orientée, et cela est bien nouveau.

Par le Fils «toutes choses» (τὰ πάντα)[85] ont été réconciliées. Comment voir le rapport de 20b/20c? Trois interprétations ont été proposées: Dieu a réconcilié les êtres célestes avec les terrestres[86], ou les célestes entre eux et les terrestres entre eux, ou enfin tous les êtres avec lui-même[87]. Pour déterminer la fonction du vocabulaire de la pacification et l'identité de ses destinataires, les exégètes ont cherché l'arrière-fond qui parlerait de paix cosmique et ont montré que le verset reflète l'eschatologie du judaïsme intertestamentaire[88]. Un passage du *de specialibus legibus* (2,190-192) de Philon parle aussi de paix cosmique à propos de la fête juive des trompettes. Si l'on sonne de la trompette en ce jour-là, c'est pour rappeler que Dieu donna les commandements *au son de la trompette* (cf. Ex 19,19), mais aussi pour signifier la paix universelle. Car la trompette sonne l'attaque mais aussi la fin des combats. Et il est une guerre voulue par Dieu, quand les diverses parties de la nature (φύσις) entrent en conflit les unes avec les autres: sécheresse, inondations, tempêtes, etc., toutes catastrophes qui punissent l'impiété. La fête des trompettes appelle donc tous à rendre grâces au Dieu qui fait la paix (εἰρηνοποιός, 192), la préserve (εἰρηνοφύλαξ), et supprime toutes les dissensions au sein des cités et dans les parties de l'univers. La paix n'est pas seulement cosmique, elle concerne aussi les anges, comme l'indiquent plusieurs textes[89]. Certes, à la différence des

---

[85] L'expression «réconcilier toutes choses» est unique dans le corpus paulinien (comparer avec 2Co 5,18).

[86] Le syntagme «les choses de la terre» (voir encore Col 3,2.5) n'est pas employé dans les Homologoumena, où l'adjectif est préféré (1Co 15,40; 2Co 5,1; Ph 2,10; 3,19).

[87] Sur ces trois hypothèses et leur plausibilité, voir Aletti, *Colossiens 1,15-20*, 87-93.

[88] Cf. Testa, *Gesù pacificatore*; Lyonnet, «L'hymne christologique»; Sacchi, «Reconciliazione universale». Que par ailleurs le contexte littéraire du verbe ἀλλάσσειν («changer») et de ses dérivés se trouve d'abord dans le langage courant de l'hellénisme, comme l'a montré Dupont, *Réconciliation*, 19-23, n'empêche pas le verset de renvoyer directement au judaïsme.

[89] Testa, *Gesù pacificatore*, 127-129, renvoie à des passages divers de la littérature intertestamentaire (Jubilés, Enoch, Qumran).

hommes, les anges ne sont pas réconciliés *avec Dieu* (mais avec les hommes); la paix ne les touche donc pas de la même façon. Comme les termes de rédemption et de salut ne pouvaient rendre compte adéquatement de la commune dépendance de tous les êtres, le verset leur a préféré ceux de «réconciliation» et de «paix», qui soulignent davantage l'universalité, l'amplitude de la médiation du Fils[90]. Les puissances sont donc encore une fois dépendantes du Fils: non seulement elles n'ont pu rétablir l'homme dans l'amitié de Dieu, mais les relations de paix qu'elles entretiennent avec l'humanité sont advenues grâce à un autre qu'elles. Col 2,6-23 exploitera ce point, en rappelant que les croyants n'ont pas à se concilier les puissances.

La pacification s'est faite par le sang de la croix (v.20b). En totalité ou en partie, ce stique a longtemps été considéré comme un ajout ayant pour fonction de revenir à la *theologia crucis* paulinienne, corrigeant ainsi une christologie de la seule glorification (dont l'hymne primitif serait un échantillon représentatif)[91]. En réalité, le stique ne rectifie rien, il va dans le même sens que le reste des désignations: ce n'est pas le sang (la Passion, opposée à la gloire) qui importe ici, mais que ce sang soit celui du Fils seul!

4° L'arrière-fond du passage

L'interprétation (indéfendable) de l'hymne basée sur un arrière-fond gnostique[92] a heureusement laissé la place à une recherche plus prudente en ses reconstructions. Les racines bibliques et juives, en particulier sapientielles, du vocabulaire et des idées exprimées en ces

---

[90] Outre les composantes eschatologique et universelle, le vocabulaire de la paix a l'avantage de refléter une tradition messianique et de s'appliquer ainsi au Fils. Cf. Is 9,5-6; Mi 5,4; etc.

[91] Pour l'examen critique des problèmes liés à l'histoire de la rédaction et des conclusions qui en ont été tirées, voir Aletti, *Colossiens 1,15-20*, 107-108. L'hypothèse d'une retouche ne résiste pas à l'examen.

[92] Qu'il s'agisse de celui de l'homme primordial (l'Urmensch de Käsemann) ou non. L'hymne affirme en effet ce que le gnosticisme rejette, à savoir que le créateur est le même que le rédempteur; de fait, pour les gnostiques, le créé est fondamentalement mauvais et la rédemption ne peut advenir que par une fuite de ce monde (et non par une pacification ou un renouvellement).

versets, sont de plus en plus reconnues et l'exégèse a montré le bien-
fondé d'une telle piste[93]. Il reste que la mise en évidence générique de
l'arrière-fond ne résout pas tous les problèmes. On a donc cherché à
spécifier les livres ou passages bibliques et juifs qui pourraient éclairer
de façon décisive Col 1,15-20.

Sans nier cet arrière-fond, certains pensent cependant que jusqu'à
présent on a procédé à l'envers, en commençant par une analyse des
syntagmes, alors qu'il faut partir du poème comme un tout. Ce dernier
suit en effet un modèle aisément reconnaissable, celui des confessions
monothéistes juives, où le Dieu créateur est reconnu comme le rédempteur et vice-versa[94]. En d'autres termes, Col 1,15-20 ne saurait être lu
à la lumière d'une seule tradition   (sapientielle, par exemple), mais à
l'aide des confessions (souvent hymniques) bibliques et juives du Dieu
créateur et rédempteur: les traditions sapientielles ne se comprennent qu'à
partir et à l'intérieur de ce cadre théologique plus large (appliqué ici au
Christ). Certes, le passage vise à mettre en valeur la primauté absolue du
Fils à tous les niveaux en la justifiant par l'unicité du médiateur, pour la
création et la rédemption, mais il s'agit de savoir *pourquoi l'auteur*
n'insiste pas tant sur la médiation créatrice que sur son extension aux
êtres les plus élevés. Il ne suffit donc pas de dire que Col 1,12-23 va de
la rédemption (vv.12-14) à la rédemption (vv.18-23) en passant par la
création (vv.15-17), pour «faire mieux comprendre la signification
cosmique de la rédemption, grâce au lien organique de cette dernière
avec la création elle-même»[95], car (a) l'auteur laisse contiguës les deux
strophes, sans établir entre elles aucun lien de causalité ou de finalité, (b)

---

[93] Bonnard et Feuillet ont beaucoup contribué à la diffusion de ces recherches. Voir
encore Martin, *Colossians*, qui parle malgré tout de «tendances gnosticisantes à l'intérieur
du judaïsme hellénistique»; on retrouve ici l'hypothèse d'un *Sitz im Leben* syncrétiste,
comme en Lohse, *Kolosser*, 84. Pour le status quaestionis, voir Aletti, *Colossiens 1,15-20*,
141-182.

[94] Wright, «Colossians 1.15-20», 452. En note 33, p.453, l'Auteur me reproche (en
Colossiens 1,15-20, p.127 et suivantes) de suggérer des parallèles avec les hymnes de
l'AT, en mentionnant les motifs de la bonté et la grandeur divines, sans percevoir la
structure théologique qui les soustend, à savoir la confession monothéiste du Dieu
créateur et sauveur. C'est précisément ce que je fais au bas de la p.127.

[95] Wright, «Colossians 1.15-20», 454. Selon d'autres exégètes, l'articulation des strophes
montrerait que seul le créateur peut être le sauveur, ou, encore, que l'oeuvre créatrice
prépare l'oeuvre rédemptrice et en souligne la radicalité.

le passage ne montre aucunement que la médiation créatrice fait comprendre la rédemptrice, mais que l'extension de cette double médiation à tous les êtres spirituels, angéliques, détermine la primauté totale du Fils. On voit alors pourquoi l'arrière-fond est sapientiel: s'il est une entité supérieure à toutes les créatures, médiatrice de la création et de l'oeuvre rédemptrice de Dieu au cours de l'histoire, c'est bien la Sagesse.

Peut-on, avec Burney et d'autres, spécifier davantage et voir le passage comme une série de variations destinées à montrer que le Christ est à tous les niveaux le רֵאשׁית dont parle Pr 8,22? L'hypothèse trouve en tout cas un regain de force, grâce aux études sur les midrashim[96]. Mais une telle lecture midrashique, basée sur une gezerah shawah, est plus affirmée que démontrée; une démonstration s'avère d'autant plus nécessaire que (a) jamais la LXX ne traduit רֵאשׁית par πρωτότοκος, (b) si Col 1,15-20 reprend Pr 8,22, pourquoi ἀρχή se trouve-t-il en Col 1,18b et non en 1,15a? Nous avons déjà évoqué et répondu (cf. l'analyse du v.18b) à l'hypothèse selon laquelle ἀρχή serait le titre par excellence vers lequel les autres mènent[97]. Bref, l'arrière-fond littéraire et conceptuel est sapientiel, sans qu'on puisse préciser davantage.

---

[96] Burney, «Christ as the APXH of Creation»; Davies, *Paul and Rabbinic Judaism*, 150-152, et Larsson, *Christus als Vorbild*, 190-196. avaient en leur temps dit leur plein accord avec Burney. Manns, «Col 1,15-20: midrash chrétien de Gen 1,1», est, à ma connaissance, le premier, à avoir considéré Col 1,15-20 comme une explication de Gn 1,1.26 (cf. Col 1,15a) à partir de Pr 8,22 (cf. Col 1,15b-20). Voir aussi Wright, «Colossians 1.15-20», 455-458. Ce dernier auteur, aux pp.456-457, propose quelques améliorations, pour montrer que le poème applique à Jésus tout ce qui était dit de la sagesse par le moyen de רֵאשׁית:
1. v.15a il est l'image (comme la sagesse; et évocation de Gn 1,26);
2. v.15c il est le premier-né (comme la sagesse; premier sens de *reshît*);
3. v.17a il est le plus haut (second sens de *reshît*);
4. v.18a il est la tête (troisième sens de *reshît*);
5. v.18c il est le commencement (quatrième sens de *reshît*);
6. v.18d il est le premier-né (comme la sagesse; et comme homme).

[97] Wright ne mentionne jamais le dernier titre, «premier-né d'entre les morts» (v.18b), qui serait alors la pointe dans l'hypothèse où les titres seraient en constante progression. D'ailleurs le v.18c («afin qu'il soit, lui, en tout premier») ne prouve pas que les titres vont en dignité croissante, mais que la dignité du Fils est totale en amplitude, et que le procédé rhétorique est l'accumulation (cf. déjà 16b-e), non la gradation.

Le terme εἰκών («image») de Col 1,15a fait-il allusion à Gn
1,26-27? Nous avons vu qu'il ne connote pas la visibilité, et que le Fils
ne manifeste pas Dieu comme homme, mais à la mesure de l'ampleur de
sa médiation créatrice décrite aux vv.16-17: le titre ne renvoie donc pas
à Gn 1,27, d'autant plus que les vv.15-17 ont pour fonction de montrer
que le Fils n'appartient pas à la série des créatures, même les plus
parfaites: le passage ne raconte pas la création du Fils, mais celle de
toutes choses en, par et pour lui. Avec force, il faut donc rejeter ici une
toute espèce de christologie adamique[98]

5° La christologie du passage

Tous les phénomènes littéraires du passage visent à mettre
l'accent sur le Christ. Mais il est maintenant possible de dire que la
pointe du texte n'est pas sur l'*agir*, bien plutôt sur l'*être* du Christ.
Certes, le poids rhétorique est sur les justifications, mais ces propositions,
qui relatent la médiation du Christ, ne la décrivent pas, elles insistent
seulement sur l'*unicité* du médiateur (en lui seul, par lui seul et pour lui
seul, etc.), unicité qui, à son tour, manifeste la grandeur, proclamée par
les titres. Le poids sémantique est bien sur les titres, autrement dit sur
l'être du Christ.

Le Christ et la Sagesse. Si l'arrière-fond est sapientiel, cela ne
signifie-t-il pas que le passage identifie le Christ à la Sagesse? Nombreux
sont les exégètes qui répondent par l'affirmative. Et de fait, la plupart des
traits servant à décrire le Fils aux vv.15-20 sont ceux-là même à l'aide
desquels l'AT parlait de la Sagesse. Mais, dans les écrits bibliques et
juifs, il n'est jamais dit que tout fut créé et pacifié en vue de (εἰς) la
Sagesse, comme les vv.16 et 20 l'affirment du Christ. D'autre part, le but
de l'hymne n'est manifestement pas de mettre en parallèle le Fils et la
Sagesse des écrits sapientiaux pour suggérer une identification: si
comparaison il y a, c'est entre le Fils et les êtres invisibles, angéliques,
pour affirmer la supériorité inouïe du premier sur les seconds.

---

[98] Ce que récemment encore Fossum, «Colossians 1.15-18a», appelait une «Anthropos-
Christology», en refusant l'influence sapientielle. Ses arguments ne tiennent pas: c'est le
contexte et lui seul qui permet de décider de la pertinence des hypothèses relatives à
l'arrière-fond du passage.

Il n'y a aucune concurrence entre le Fils et Dieu. Sans doute, pour décrire le Christ, le passage n'utilise pas un vocabulaire théologique (en disant, par exemple: «lui qui est DIEU, parce que...»), car, à cette époque une telle affirmation aurait été considérée comme panthéiste. Mais la pointe du passage n'est pas de montrer que le Fils est comme Dieu ou d'un rang égal à Dieu. En effet, les titres «image», «premier-né»[99], ne sont pas attribuables à Dieu le Père, et la fonction du Fils est seulement celle d'un *médiateur* (en qui, par qui). Car l'enjeu est celui de la supériorité du Fils sur les êtres célestes, et c'est sur ce point que la christologie fait des avancées remarquables, avec surtout le «pour lui» (εἰς αὐτόν) des vv.16f et 20a[100].

La médiation créatrice implique une préexistence du Christ à tout le créé, sans qu'une distinction soit faite entre le Logos éternel et le Christ né, mort et ressuscité. Au demeurant, le titre FILS du v.13 vise précisément à dépasser toute distinction qui pourrait faire penser à une séparation entre Logos préexistant et Christ (humain, terrestre). De plus, ce titre de Fils souligne la relation intime avec le Père et renforce ce qui, par la suite, sera nommé «divinité du Christ».

Pourquoi le passage met-il tant en valeur la primauté du Christ sur les êtres spirituels supérieurs? Parce que les docteurs de Colosses niaient précisément cette primauté du Christ sur les puissances? On ne peut répondre qu'en allant plus avant dans la lettre. Col 2,3 et 2,9-10 montreront que l'insistance sur la grandeur et la richesse du Christ n'est pas propre à ce qu'il est convenu d'appeler «l'hymne». Cette insistance s'explique en partie par l'enjeu de la question qui parcourt la lettre: oui ou non, le Christ est-il l'unique médiateur en qui tout nous est donné? Col 1,15-20 a donc une fonction rhétorique précise, celle de fournir les éléments christologiques sur desquels le corps de la lettre appuiera ses

---

[99] Et ἀρχή - qui pourrait être un prédicat divin - n'est jamais dit de Dieu dans la LXX.

[100] Wright, «Colossians 1.15-20», 462-463, souligne à juste titre que la façon dont le passage parle du Christ ne permet ni de l'identifier à Dieu le Père, ni d'en faire une divinité de seconde catégorie. Selon lui, en Col 1,15-20, «Christ est identifié à la sagesse divine, autrement dit à personne d'autre que le Dieu créateur actif dans la création et maintenant dans la rédemption, *et* distingué du Père; l'hymne diffère ainsi du dualisme où deux dieux sont opposés, et du paganisme où deux dieux sont distingués et ont différentes tâches, et il se situe dans le cadre du monothéisme créationnel juif» (p.463). Pour les raisons déjà fournies, il faut maintenir que l'hymne n'identifie pas le Christ et la Sagesse, car tel n'est pas son propos.

arguments.

6° Les versets 15-20 et la christologie paulinienne

Le caractère hymnique de la christologie de Col 1,15-20 n'est pas une nouveauté absolue, comme le montre Ph 2,6-11. Mais, plus que l'itinéraire du Christ, homme en tout comme nous, mort pour nous et ressuscité, décrit comme itinéraire de solidarité, d'amour (Ga 2,20), d'anéantissement et de glorification (Rm 8,34-35; Ph 2,6-11), notre passage retient sa primauté éternelle sur tout le créé.

De même, ce n'est pas la première fois que l'Eglise est appelée «corps du Christ» (cf. 1Co 12,27 «vous êtes (le) corps du Christ et vous êtes ses membres, chacun pour sa part»; Rm 12,5 «nous formons un seul corps en Christ»). Mais, avant Col 1,18a, il n'est jamais dit que le Christ est la tête de l'Eglise. Et ici, l'affirmation prend toute sa force des vv.16-17: la tête a une primauté totale sur l'Eglise, qui est «en lui, par lui et pour lui». Et le lien tête/corps ajoute une connotation organique (la vie du Fils passe dans le corps et lui donne sa vitalité). Les conséquences ecclésiales de ce lien seront exploitées en Col 2.

Certains commentateurs se sont étonnés de ce que, à la différence des Homologoumena, Col 1,20 parle de la réconciliation universelle comme d'une chose déjà achevée. Il s'agit en réalité d'un élargissement temporel et spatial *caractéristique du genre hymnique*. Qu'on n'y voie pas toutefois une simple figure de style, car le psalmiste a compris que la croix est l'événement décisif par lequel la réconciliation et la pacification universelles sont déjà à l'oeuvre dans l'Eglise et dans le monde: en Jésus Christ, Dieu a définitivement tout donné.

C'est encore le genre hymnique et non une possible (probable?) pseudépigraphie qui explique la manière dont le passage exploite certains traits de la sagesse dans l'AT et le judaïsme: non une sagesse scandaleuse, pour le moins paradoxale, rejetée d'un monde incapable de comprendre, mais l'aspect médiation créatrice, qui assure au Fils la suprématie sur tous les êtres du créé.

D - COL 1,21-23: LA PARTITIO

21 Et vous qui autrefois étiez étrangers et dont *l'esprit hostile (se manifestait) par des oeuvres mauvaises*, **22** voilà que maintenant Il vous a réconciliés *dans son corps de chair*, par sa mort, afin de vous présenter saints et sans tâche et sans reproche devant lui, **23** si effectivement vous restez dans la foi, solides et fermes, sans vous laisser détourner de l'espérance de l'Evangile que vous avez entendu, qui a été proclamé à toute créature sous le ciel, et dont je suis devenu, moi Paul, le ministre.

* v.21, litt.: «ennemis par l'intelligence par le moyen d'oeuvres mauvaises»;
* v.22, litt.: «dans le corps de la chair de lui».

1° **Présentation et composition**

L'exorde se termine par une introduction aux thèmes de l'épître. Après avoir souligné la primauté absolue du Christ, l'Auteur peut en indiquer les implications passées, présentes et futures pour la vie des Colossiens.

Jusque récemment, ces trois versets ont été interprétés comme une correction supplémentaire apportée aux affirmations v.15-20: l'hymne ayant trop mis en relief la suprématie du Christ, l'Auteur de Col contrebalancerait ainsi une christologie glorieuse et cosmique par une seconde (la première étant le soi-disant ajout «par le sang de sa croix» du v.20b) mention de la mort du Christ. Mais, pareille interprétation ne tient pas compte de la pointe des vv.21-23, qui n'est pas d'abord théologico-christologique, mais sotériologique. L'Auteur ne corrige pas, il rappelle aux croyants l'oeuvre de Dieu en Christ à leur égard et ses conséquences pour leur vie.

Mais caractériser ces versets comme une simple application à la situation des Colossiens restreint leur fonction, qui est principalement rhétorique. Placés en fin d'exorde, ils en reprennent les lignes principales en même temps qu'ils annoncent les principales divisions de la lettre.

Que les vv.21-23 fassent écho aux unités littéraires précédentes, une mise en parallèle le montre immédiatement:

(a) le v.22a et de l'expansion hymnique (v.20, thème de la réconciliation):
  v.20 «et par lui réconcilier... pacifiant par son sang»
  v.22a «il vous a réconciliés en son corps de chair par sa mort»
(b) le v.22b et l'AG des croyants au Père (thème de la sainteté des croyants):
  v.12b «qui vous a rendus capables d'avoir la part de lot des saints»
  v.22b «vous faire paraître saints et sans tâche et sans reproche»
(c) les vv.21-22 et le v.13 (le contraste avant/après)
(d) le v.23 et le début de l'exorde (vv.4-6):
  v.4-6 «la foi.. l'espérance.. que vous avez entendue... l'Evangile... dans le monde entier»
  v.23 «la foi.. loin de l'espérance de l'Evangile que vous avez entendu.. à toute créature sous le ciel»

Mais les vv.21-23 sont aussi une *partitio* qui annonce les principales sections de la lettre, dont les thèmes correspondent à ceux qui viennent d'être relevés et qui couraient déjà tout au long de l'exorde. Le corps de la lettre développera en ordre inverse les thèmes énoncés dans la partitio, comme le montre le schéma suivant:

c v.21-22
b v.23a
a v.23b
......
A 1,24--2,5 Le combat de Paul pour l'annonce du *mystèrion*
B 2,6-23   La fidélité à l'Evangile reçu
C 3,1-4,1   La sainteté des croyants

Vérifions brièvement que les vv.21-23 sont bien une *partitio*:

(c) les vv.21-22 comme annonce du thème développé en 3,1--4,1 (la sainteté des croyants)
- le rapport auparavant/maintenant: repris en 3,7-8;
- l'autrefois des oeuvres mauvaises: cf. 3,5-9 (liste de vices);
- l'aujourd'hui du renouvellement, de la sainteté: cf. 3,10-11.12-17.
(b) le v.23a prépare le thème développé en 2,6-23, celui de la fidélité à l'Evangile:
- l'être enraciné, solide: cf. 2,6-7;
- dans l'Evangile reçu: cf. 2,6 (le *mystèrion* = Christ);
- sans changer: cf. 2,8-19.
(a) le v.23b amorce 1,24--2,5 qui parle de l'Evangile comme *mystèrion* annoncé par Paul:
- l'espérance que donne l'Evangile: cf. 1,28
- proclamation et diffusion de l'Evangile: cf. 1,27; 2,2-3
- Paul, serviteur: cf. 1,25.29; 2,1.

Les vv.21-23 reprennent donc des thèmes antérieurs et les font rebondir, pour les traiter plus longuement dans le corps de la lettre. Ce rôle de charnière confirme ainsi que les vv.3-23 sont un exorde en bonne et due forme, dont les différentes unités ont une fonction proleptique.

L'ordre d'apparition des sections et donc des thèmes indique bien comment procède l'Auteur de Col. Il commence par ce qui constitue la base de la vie croyante, l'Evangile, Jésus Christ, proclamé (par Paul) et cru (1,24-2,5); il montre ensuite qu'il faut résister à tous ceux qui pourraient détourner du Christ, en qui les croyants ont tout reçu (2,6-23); il appelle enfin les croyants à témoigner du renouvellement de leur être, de la sainteté à laquelle ils ont été appelés en Christ (3,1-4,1). La logique d'ensemble s'impose. Et si, à elle seule, la *partitio* ne permet pas de déterminer l'importance respective des thèmes et des parties, l'amplification christologique de Col 1,15-20 et sa reprise dans les deux premières parties de la lettre, montrent que la primauté et l'insondable richesse du Christ constituent le fil rouge qui mène l'argumentation et donne à l'agir des croyants sa fermeté.

Plus qu'elle ne développe et insiste sur un thème précis, la composition de Col montre que l'insistance est mise sur la façon dont les différentes composantes de l'existence croyante sont articulées entre elles: partant du *mystèrion* annoncé, le Christ, qui est le fondement sur lequel tout est bâti (section *A*), l'Auteur en montre ensuite les conséquences pour la liberté (section *B*) et pour l'agir éthique des croyants (section *C*).

2° Exégèse des versets

v.21

«Et vous qui étiez autrefois étrangers et dont l'imitié de la pensée (se manifestait) par des oeuvres mauvaises».

Les vv.21-22 sont bâtis sur des oppositions sémantiques, qu'on rencontre déjà dans les Homologoumena et que certains exégètes disent être fréquentes dans la prédication chrétienne primitive[1],
- avec des homologies spatio/temporelles: «autrefois»/«maintenant» (ποτέ/νῦν) correspondant à «loin»/«devant» (ἀπό/κατενώπιον);
- avec le passage d'un état négatif (ennemis...) à une situation positive, celle de la réconciliation.

Le v.21 parle de la situation *négative* qui a précédé l'adhésion à l'Evangile. Le choix du verbe ἀπολλοτριόω renvoie clairement à l'idolâtrie et suppose que les destinataires de Col étaient des païens[2]; la formulation grecque (ὄντας ἀπηλλοτριωμένους) signale aussi que cette situation a été durable, persistante[3]. Le verset ne dit pas par rapport à qui ou à quoi ils étaient étrangers: à l'Alliance, au peuple choisi, à l'assemblée des saints, à Dieu (cf v.22)? Le point de référence par rapport auquel se définit l'être-étranger importe donc moins ici que la situation elle-même. Mais l'être-étranger pouvait venir du refus des autres (ou de Dieu) de les accepter sur leur sol ou dans leur milieu. Le terme suivant indique précisément que la situation avait pour origine les païens eux-mêmes, qu'elle était due à une hostilité[4] volontaire, comme

---

[1] Cf. 1Co 6,11; Ga 3,25; 4,7. Repris en Ep 2,2.3.11.13.19; 5,8. Voir Lohse, *Kolosser*, 104.

[2] Parce que les dieux étaient étrangers (et ceux des étrangers). Cf. dans la LXX, Jos 22,25; Os 9,10; Jer 13,27; 19,4; Ez 14,5.7; 3Mac 1,3. Egalement TestBenj 10,10; OdSal 17,13 (avec ἀλλοτρίωσις et ἐχθρός). Le verbe repris en Ep 2,12; 4,18.

[3] Cf. Blas-Debrunner n°352.

[4] La formulation des vv.21-22 rappelle celle de Rm 5,10. («alors que nous étions ennemis nous avons été réconciliés avec Dieu»)

le souligne le terme διάνοια («esprit», «pensée»)[5], hostilité qui s'est manifestée ou traduite au niveau éthique, par «les oeuvres mauvaises»[6]. Que le critère de l'hostilité à Dieu soit l'agir mauvais, la corruption, vient sans aucun doute de la tradition biblique, reprise par le judaïsme et l'Eglise primitive: Rm 1,19-32 avait déjà explicité le rapport entre l'hostilité à Dieu et l'injustice, la corruption des moeurs.

La situation passée négative reste très allusive (l'auteur ne dit pas de quelles oeuvres exactement il s'agissait); elle n'est en fait signalée que pour mieux mettre en valeur le renversement de situation (v.22).

v.22

«Voilà que maintenant Il vous a réconciliés dans son corps de chair, par sa mort, afin de vous présenter saints et sans tâche et sans reproche devant lui».

Après une brève mention du passé pécheur, le texte passe à l'initiative divine et à la médiation christique grâce auxquelles tout changea. Trois temps sont ici repérables: l'oeuvre, la médiation, la fin à laquelle l'oeuvre et la médiation sont ordonnées.

L'oeuvre de réconciliation. La première difficulté du verset est textuelle. La plupart des témoins lisent ἀποκατήλλαξεν («il a réconcilié»), alors que seulement quelques uns, mais très fiables, comme p[46] et B, ont ἀποκατηλλάγητε («vous avez été réconciliés»). Mais le choix n'a aucune importance pour l'interprétation, car les deux lectures montrent bien que même si Dieu est le sujet logique (pour qui choisit le passif) ou grammatical (dans le cas contraire) du verbe «réconcilier», l'insistance est mise sur la médiation du Christ, comme aux vv.15-20. On pourrait certes faire du Christ le sujet sous-entendu de l'aoriste ἀποκατήλλαξεν, ce qui mettrait encore davantage en relief la christologie[7]. La continuité avec «l'hymne» exige cependant que le sujet de la

---

[5] Dans la LXX, διάνοια traduit habituellement l'hébreu לבב («coeur»), qui est l'organe des sentiments, des pensées, des désirs et des décisions. A l'époque où écrit l'auteur de Col, le judaïsme semble rendre équivalents διάνοια et καρδία. Dans le *shema* que rapporte le NT (cf. Mt 22,37; Mc 12,30; Lc 10,27), l'amour total porté à Dieu est exprimé à l'aide d'une série de substantifs plus équivalents que complémentaires «coeur», «âme», «esprit», «force».

[6] Le syntagme ἔργα πονηρά ne se trouve pas ailleurs dans les épîtres pauliniennes.

[7] Avec Gnilka, *Kolosserbrief*, 89, et d'autres commentateurs.

réconciliation soit le même, que ce soit donc Dieu: mais il faut aussitôt ajouter que le texte évite de le mentionner, pour ne garder que le comment de la réconciliation.

La médiation du Christ, «en son corps de chair». Le génitif τῆς σάρκος αὐτοῦ vise manifestement à éviter qu'on ne confonde le corps ecclésial du Ressuscité (v.18a) et le corps qui fut mis à mort[8]. Quel sens a exactement la préposition ἐν: sens local (son corps comme lieu où s'est opérée la réconciliation) ou instrumental (son corps, moyen de réconciliation)? Grâce au syntagme suivant «par (διά) la mort», on peut esquisser une hypothèse, car le verset semble procéder comme Col 1,16a, où le «en lui» (ἐν αὐτῷ) était spécifié par les syntagmes «par lui» (δι'αὐτοῦ) et «pour lui» de 1,16f: «par la mort» spécifie quel fut le rôle du «corps de chair»; parce que sa chair (chair du Fils, et de lui seul) a connu la mort, nous avons été réconciliés. La phrase reprend manifestement certains éléments du v.20ab: la répétition vise seulement à redire la médiation du Fils, car la pointe du verset repose sur sa seconde partie, à savoir la finalité de la réconciliation et de la médiation.

La finalité de la réconciliation: «pour vous faire paraître saints, sans tâche et sans reproche devant lui (κατενώπιον αὐτοῦ)». Le référent du pronom αὐτός n'est pas évident. En effet, si la première occurrence de αὐτός au v.22 renvoie sans équivoque possible au Fils («le corps de la chair de lui»), qu'en est-il de la seconde? Pour les commentateurs, il semble aller de soi que le second αὐτός a Dieu pour référent, mais, si l'on considère la syntaxe, le référent de ce αὐτός devrait être le même que celui du premier, à savoir le Fils: Dieu aurait ainsi réconcilié les païens par la mort du Fils pour les lui présenter purs et irréprochables. Le mouvement de la phrase serait alors semblable à celui des vv.13b et 20a, où Dieu transfère et réconcilie les croyants pour les faire appartenir au Christ ou les mettre sous sa seigneurie. Mais, si la syntaxe et le contexte favorisent ce référent, ailleurs chez Paul et dans le NT, c'est devant Dieu que les croyants sont présentés, saints, purs ou

---

[8] Avec Lightfoot, Lohse, Schweizer, Gnilka, etc. On a vu en ce syntagme («en son corps charnel») une réaction au gnosticisme ou à l'erreur de Colosses, mais aucun indice ne peut confirmer pareille interprétation. L'expression σῶμα τῆς σάρκος apparaît dans la LXX (Si 23,16-17) et un passage en grec du livre d'Enoch (1En 102,5).

sans tâche[9]. A cause de la logique et de la cohérence interne de l'exorde, il faut aller contre la majorité des exégètes et préférer voir le Fils comme celui devant qui les croyants ont été placés (par le Père) saints et irréprochables. Qu'on ne voie ici aucune concurrence entre Père et Fils, comme si ce dernier prenait des fonctions auparavant réservées au Père, puisque c'est Dieu lui-même qui a placés tous les croyants avec lui (Col 3,1-4) et les lui a soumis (Col 1,13.18a.20.22). Le verbe παραστῆσαι («présenter») et l'adjectif ἄμωμος peuvent avoir connotation sacrificielle et/ou juridique[10]. C'est sans doute la présence de l'adjectif ἀνέγκλητος («irréprochable», «ne pouvant être accusé») qui a fait pencher les exégètes vers une connotation juridique[11], comme en 1 Co 1,8. Mais cela ne signifie pas que Col 1,22 parle du jugement final. Au contraire, c'est dès à présent que les croyants vivent en présence du Christ (ou de Dieu), par la manière dont ils vivent l'Evangile. La sainteté et l'irréprochabilité des croyants viennent ainsi de Dieu - nul ne peut se les donner ou les obtenir par ses propres forces -, et elles requièrent seulement d'être exercées.

v.23

«Si effectivement vous restez dans la foi, solides et fermes, sans vous laisser déterner de l'espérance de l'Evangile que vous avez entendu, qui a été proclamé à toute créature sous le ciel, et dont je suis devenu, moi Paul, le ministre".

---

[9] Cf., Avec παραστῆσαι, voir Rm 6,13; 12,1-2; 14,10; 2Co 4,14; sans ce verbe, 1P 2,5; Jude 24 (où le verbe est στῆσαι). Trois passages parlent néanmoins de présence en face du Christ: 2Co 11,2 (dès maintenant, avec le verbe παραστῆσαι); 2Co 5,10 (au futur; tous devront paraître [φανερωθῆναι] devant le tribunal du Christ).

[10] (a) Le verbe παραστῆσαι a une connotation sacrificielle en Rm 12,2, et juridique en Ac 23,33; Rm 14,10. En 2Tm 2,15, il peut avoir l'une et l'autre. Lohse, *Kolosser*, 107, note que παριστᾶσθαι décrit la fonction des lévites et des prêtres dans la LXX (Nb 16,9; Dt 10,8; 18,5.7). (b) L'adjectif ἄμωμος est dit des offrandes sacrificielles: Nb 6,14; 19,2; cf. 1P 1,19. Mais il s'applique aussi à la conduite humaine juste: Ps 14,2 LXX; 17,24 LXX; Si 31,8; 40,19; Ph 2,15; Apo 14,5, sans lien avec les offrandes sacrificielles. En Jude 24 (avec le verbe στῆσαι), il peut avoir l'une et l'autre connotation - le verset semble reprendre des formulations liturgiques et cultuelles. Outre Col 1,22, le binôme «saints et sans tâche» apparaît en Ep 1,4; 5,27.

[11] La connotation sacrificielle serait admissible si le Christ ou les croyants étaient sujets de la phrase. Mais on voit mal Dieu s'offrir un sacrifice à lui-même.

Après avoir signalé la situation ancienne de péché (v.21), et la transformation actuelle (v.22), l'Apôtre énonce maintenant la condition sans laquelle cette situation positive ne saurait continuer[12].

La première proposition peut être comprise de deux manières différentes, l'une et l'autre correctes: (a) «si assurément, par la foi, vous restez solides et fermes»[13], ou (b) «si assurément vous restez dans la foi, solides et fermes»[14]. La première traduction implique que la foi soit, comme dans les Homologoumena, une adhésion radicale (fides qua), grâce à laquelle toute l'existence chrétienne trouve sa fermeté; la seconde respecte la syntaxe paulinienne[15], même si l'expression «rester dans foi» ne se trouve pas dans les Homologoumena; on peut d'ailleurs interpréter cette dernière expression de deux manières: (a) «restez dans l'attitude ou l'adhésion de foi qui est la vôtre» (fides qua), ou (b) «restez dans la doctrine de foi à laquelle vous avez adhéré», et il s'agit alors de fides quae, menacée de falsification[16]. Pour respecter l'ordre syntaxique, il vaut mieux rattacher le datif τῇ πίστει au verbe «rester», tout en donnant à πίστις le sens de fides qua, comme dans les Homologoumena, car, en Col 1,23, c'est l'espérance qui se rapporte au contenu de l'Evangile[17]. La solidité dont parle le verset va de pair avec l'adhésion des croyants, et elle en est le signe[18].

[12] Dans le NT, le εἴ γε («si en vérité»; «étant entendu que») n'apparaît que chez Paul (2Co 5,3; Ga 3,4; Ep 3,2; Ga 4,21; Col 1,23). Le contexte autorise à traduire εἴ γε par «il faut seulement que».

[13] Cf. la TOB, par ex.

[14] La plupart des commentaires et des Bibles.

[15] Cf. déjà le «si assurément» typiquement paulinien. Pour ἐπιμένειν + datif avec le sens de «rester dans», voir Rm 6,1; 11,22.23; Ph 1,25; 1Tm 4,16. Egalement Ac 13,43.

[16] Ainsi, Gnilka, Kolosserbrief, 91.

[17] En Col 1,5.23.27, l'espérance n'est pas une attitude ou une réaction du croyant mais constitue le contenu de l'Evangile, à savoir Christ ressuscité («aux cieux», v.5), glorieux, gage de la gloire des croyants. Le glissement de l'attitude à son objet est logique, et n'est pas un critère apodictique de pseudépigraphie.

[18] On peut traduire le v.23a en faisant des participes et de l'adjectif des modalités du premier verbe: «restez dans la foi, (c'est-à-dire) en étant solides et fermes, et en ne vous laissant pas détourner de l'espérance».

Les images de l'être-fondé et de la fermeté, sont connues des Homologoumena; cf. 1Co 3,10.11.12, où la fondation (θεμέλιον) est Jésus Christ. Pour ἑδραῖοι, voir 1Co 7,37; 15,58 (avec un mot de même racine qu'en Col 1,23, ἀμετακίνητοι). Elles ont

Comme nous sommes dans une *partitio*, le contenu de l'Evangile n'est pas encore explicité. Mais l'universalité de l'annonce est rappelée: par elle, l'unique et même Evangile a rejoint toute l'humanité. On dira sans doute que Paul exagère, car l'Evangile n'a pas encore été prêché à «toute créature qui est sous le ciel»[19]. Plus que la quantité globale de personnes évangélisées, l'Apôtre considère leur diversité: que dans les différentes races et cultures, l'Evangile ait pu être annoncé, être cru et croître, cela même montre son universalité et sa valeur salvifique pour «toute créature sous le ciel». C'est la crédibilité même de l'Evangile qui se donne ainsi à reconnaître.

L'Auteur finit l'exorde en énonçant son rôle de serviteur de l'unique Evangile[20]. Selon certains commentateurs, cette finale viserait à insister sur le fait que la validité et la force d'obligation de l'Evangile viennent de son caractère apostolique[21]. Ce n'est pas tout à fait vrai. La fonction des deniers mots du v.23 est avant tout de préparer la première section du corps de la lettre (1,24-2,5); ce n'est donc qu'à la fin de cette section qu'on pourra déterminer le type de rapport établi entre Paul et l'Evangile. De plus, si en 1,23 l'intention de l'Auteur était d'insister sur le rapport entre apostolicité et Evangile, il aurait pu le souligner davantage, comme l'ont pensé quelques témoins, qui ont trouvé le qualificatif «serviteur» trop faible et ont ajouté «héraut et apôtre» (κῆρυξ καὶ ἀπόστολος)[22]. Il importe de voir maintenant en 1,24-2,5 pourquoi Paul lie tant sa propre personne à l'Evangile.

---

aussi leurs parallèles dans le judaïsme de l'époque; cf. 1QH 6,24-27; 7,8-9; 1QS 1,5-6; 5,6; 7,17; 8,7-8. Le verbe θεμελιόω vient sans aucun doute des Ecritures, où il renvoie surtout à la fondation du Temple, à celle de Sion, la cité de Dieu, et à l'activité divine. Cf. Lohse, *Kolosser*, p.109.

[19] Les commentateurs font remarquer, sans aucun humour, que l'expression doit être restreinte aux humains. C'est vrai, mais comment ne pas voir que le verset reprend expressément les termes des vv.15-20? Quant au syntagme «sous le ciel», unique dans le corpus paulinum, il vient de l'AT (Ex 17,14; Dt 4,17; 29,19; 2M 2,18; Qo 1,13; 3,1; voir en particulier Dn 7,27; 9,12).

[20] L'appellation «ministre de l'Evangile» n'apparaît pas dans les Homologoumena, pas plus que «ministre de l'Eglise», employé en Col 1,25.

[21] Lohse, *Kolosser*, 111; Gnilka, *Kolosserbrief*, 92, et tant d'autres.

[22] Cf. S', P (qui ont seulement «héraut et apôtre»), A (qui lit «héraut, apôtre et serviteur»). Rappelons que l'adresse de Col est d'un laconisme exemplaire; elle n'insiste pas spécialement sur l'apostolicité.

A = COL 1,24 - 2,5: LE MYSTERE

LE COMBAT DE PAUL POUR LA DIFFUSION DE l'ÉVANGILE

24 Maintenant je trouve ma joie dans mes souffrances pour vous, et je complète ce qui manque aux tribulations du Christ en ma chair pour son corps, qui est l'Eglise, **25** dont je suis devenu le ministre, selon la charge que Dieu m'a confiée à votre égard, pour porter à son accomplissement la parole de Dieu, **26** le mystère caché depuis les siècles et les générations; mais maintenant, il fut manifesté à ses saints, **27** auxquels Dieu a voulu faire connaître quelle (est) la richesse de la gloire de ce mystère parmi les Nations: *Christ* chez vous, l'espérance de la gloire; **28** lui que nous annonçons, exhortant tout homme et instruisant tout homme en toute sagesse, afin de présenter tout homme parfait en Christ; **29** c'est pour cela que je me fatigue à lutter, avec son énergie qui agit en moi avec puissance.
2,1 Je veux en effet que vous sachiez quelle lutte je mène pour vous et ceux de Laodicée et tous ceux *qui ne m'ont pas vu personnellement*, **2** afin que leurs coeurs soient consolés, (et qu') unis dans l'amour, *ils arrivent à toute la riche plénitude de l'intelligence*, à la connaissance du mystère de Dieu, Christ, **3** en qui sont cachés tous les trésors de la sagesse et de la connaissance. **4** Je dis cela pour que personne ne vous abuse par des discours spécieux. **5** En effet, si je suis absent *de corps*, d'esprit je suis avec vous, trouvant ma joie à voir le bon ordre et la fermeté de votre foi au Christ.

* v.27, litt.: «(mystère)[1] qui est Christ»;
* v.1, litt.: «qui n'ont pas vu ma face en chair»;
* v.2, litt.: «en vue de toute richesse de la plénitude de l'intelligence»;
* v.5, litt.: «par la chair».

[1] Tout au long de cette partie, le terme grec μυστήριον sera translittéré *mystèrion* plutôt que traduit par «mystère», pour signifier - et l'étude de Col 2 le montrera - qu'en Col (et Ep) il ne renvoie pas aux «religions à mystères».

1° Bibliographie

Vogt, «Mysteria»; Prümm, «Mystères»; Brown, «Semitic Background»; Coppens, «Mystère»; Penna, *Mystèrion paolino*; Harvey, «Mystery Language»; Wiley, «Mystery»; Reynier, *Evangile et mystère*.

2° Composition et présentation du passage

(i) *l'Apôtre et l'annonce du mystèrion à tout homme*
1,24   Je trouve ma joie (χαίρω)...
26-28a   faire connaître (γνωρίσαι)
      la richesse de gloire du mystère (τὸ πλοῦτος ... μυστηρίου) ... Christ
28b   pour que (ἵνα) nous présentions tout homme parfait en Christ
29   ce pour quoi je peine, en luttant (ἀγωνιζόμενος)...

(ii) *l'Apôtre et la solidité de la foi des Colossiens*
2,1   Car je veux que vous sachiez quelle lutte (ἀγῶνα)...
2a   pour que (ἵνα) leurs coeurs...
2b-3   toute la richesse (πλοῦτος) de ....
      vers la connaissance (ἐπίγνωσιν) du mystère (μυστηρίου) ... Christ
5   trouvant ma joie (χαίρων)...

La récurrence des mêmes termes invite à lire le passage comme une série d'informations s'enroulant et se déroulant chiastiquement autour de la mention du combat que Paul mène pour les Eglises. Mais la reprise ordonnée en 2,1-5 des éléments énoncés en 1,24-29 ne constitue pas un argument suffisant pour relier en une seule unité les deux segments. Pourquoi ne pas voir en 2,1, le début d'une section allant jusqu'à 2,23?[2] Pour plusieurs raisons, d'ordre actantiel et logique: (a) A partir du v.2,6 Paul, comme acteur, sort en quelque sorte de la scène et laisse aux Colossiens le premier rôle. (b) la seconde raison, constituée par

---

[2] Cf., par ex., J. Gnilka, *Kolosserbrief*, vii et 107. Col 2,1 amorcerait la discussion sur l'erreur de Colosses. Malheureusement, les divisions proposées par ce commentaire sont toutes, ou presque, mal fondées.

l'articulation rhétorique de la lettre mérite un plus long développement.

On peut en effet se demander pourquoi, juste après des dévelop-pements christologiques laissant pressentir une argumentation théolo-gique, Paul passe à un sujet qui ne s'y rapporte pas directement, à savoir ses fatigues et ses souffrances pour les Eglises[3]. Certes, ce n'est pas la première fois qu'au début d'une épître il parle ainsi de lui (cf. Ga 1-2; 2Co 1,15-24; Ph 1,12-26). Néanmoins, ce n'est jamais d'abord ni seulement pour donner de ses nouvelles: s'il parle de sa conduite ou de son action, c'est pour montrer l'importance qu'ont pour lui l'Evangile et ceux à qui il l'annonce. Ses souffrances, ses luttes indiquent l'enjeu des propos qui vont suivre et constituent une *preuve par les faits* (une sorte de *narratio*) de la valeur du message qu'il proclame: s'il mène un tel combat, s'il passe par de telles tribulations, n'est-ce pas parce qu'il y va de l'Evangile et de sa capacité à structurer l'existence de ceux à qui il est destiné? On voit dès lors pourquoi Col 2,4-5 doivent faire partie de cette unité[4]: l'urgence de son combat s'y manifeste pleinement, puisque la vérité de l'Evangile est menacée à Colosses. Au demeurant, tous les indices (syntaxiques, lexicographiques[5] et thématiques) invitent à rattacher ces versets à ceux qui les précèdent, puisque Paul parle encore de son ministère en faveur des Colossiens. Mais, d'autre part, on ne peut nier que 2,4 prépare aussi l'unité littéraire suivante. Ce phénomène de préparation des thèmes se répète par la suite et vaut la peine d'être relevé, puisqu'il indique comment les sections s'accrochent les unes aux autres, pour former une argumentation suivie et organique.

Ainsi, le dernier membre de la *partitio*, 1,23b («moi, Paul, ministre de l'Evangile») prépare la première partie (A):

---

[3] Les sous-titres des Bibles ne rendent pas toujours compte de la teneur du passage, et se contentent de titres purement descriptifs: «le combat de l'Apôtre», son «service de l'Eglise venue de la Gentilité» ou encore son «ministère apostolique»; mais ce combat et ce ministère ne se comprennent que par leur enjeu. Ce qu'il faut expliquer c'est pourquoi à cet endroit de la lettre Paul parle de ses fatigues et de ses luttes pour les Eglises.

[4] Lamarche, «Colossiens», 458 est le seul à séparer 2,4-5 de ce qui précède, sans fournir de plus amples justifications.

[5] La fonction du pronom τοῦτο («cela») par lequel commence 2,4 n'est pas anticipatoire («cela, que je vais maintenant dire») mais conclusive («je vous ai dit cela...»), comme le soulignent justement les commentaires. Voir *infra*, l'exégèse de ce verset.

A $\left[\begin{array}{l} 1\text{-}24 \\ \\ \quad\text{2,3-4 prépare à son tour la seconde partie (B)} \\ 2,5 \end{array}\right.$

B $\left[\begin{array}{l} 2,6 \\ \\ \quad\text{et 2,20-23 amorce la thématique de la troisième partie (C)} \\ 2,23 \end{array}\right.$

C $\left[\begin{array}{l} 3,1 \\ \\ 4,1 \end{array}\right.$

Dans les Homologoumena, Paul ne procède pas systématiquement par préparations de thèmes ou de sujets. On ne saurait toutefois tirer parti de cette différence pour appuyer la thèse de l'inauthenticité de Colossiens, car, même dans les épîtres indiscutablement attribuées à l'Apôtre, aucune argumentation ne ressemble vraiment aux autres.

Ce qui frappe même le lecteur le moins averti, c'est la répétition du terme *mystèrion*, qui se substitue à celui d'Evangile[6], utilisé jusqu'à présent (en 1,5.23), sans qu'on en perçoive la raison: si l'Evangile est fait pour être proclamé à tout homme sans exception, pourquoi employer un vocabulaire qui à première vue ne peut que provoquer des malentendus, tant il va dans le sens de l'élitisme (seuls quelques initiés y ont accès) et de l'hermétisme (connaissance abstruse)? En réalité, si l'on veut saisir la raison de la présence de *mystèrion*, il faut auparavant voir comment le passage en déploie les composantes sémantiques.

L'autre particularité du passage vient de la multiplication du vocabulaire de la connaissance (cf. déjà 1,9-10), en lien avec le *mystèrion* évidemment, comme le montre le relevé suivant, étendu à Col en son entier[7]:

---

[6] Que μυστήριον remplace εὐαγγέλιον, la disposition rhétorique de l'épître le montre idoinement, puisque 1,23b (où apparaît le mot εὐαγγέλιον) annonce la section 1,24-2,5, qui parle précisément du *mystèrion*.

[7] Les versets de la section 1,24-2,5 sont en caractères gras. A cette liste il faut ajouter ἀναγινώσκω ("lire"; Col 4,16 3x; voir encore Ep 3,4, et dans les Homologoumena: 2Co 1,13; 3,2; 1Th 5,27), car, en Col, ce verbe fait indirectement partie des moyens par

- φανερόω («manifester») **1,26**; 3,4 (2x); 4,4; (Ep 5,13; 1Tm 3,16; 2Tm 1,10; Tt 1,3). Homologoumena: Rm 1,19; 3,21; 16,26; 1Co 4,5; 2Co 2,14; 3,3; 4,10.11; 5,10.11; 7,12; 11,6.

- γνωρίζω («faire connaître») **1,27**; 4,7.9 (Ep 1,9; 3,3.5.10; 6,19). Homologoumena: Rm 9,22.23; 16,26; 1Co 12,3; 15,1; 2Co 8,1; Ga 1,11; Ph 1,22; 4,6.

- ἐπίγνωσις («connaissance») 1,9.10; **2,2**; 3,10 (Ep 1,17; 4,13; 1Tm 2,4; 2Tm 2,25; 3,7; Tt 1,1). Homologoumena: Rm 1,28; 3,20; 10,2; Phlm 6; Ph 1,9

- ἐπιγινώσκω («connaître») 1,6 (1Tm 4,3). Homologoumena: Rm 1,32; 1Co 13,12; 14,37; 16,18; 2Co 1,13.14; 6,9; 13,5.

- γνῶσις («connaissance») **2,3** (Ep 3,19; 1Tm 6,20). Homologoumena: Rm 2,20; 11,33; 15,14; 1Co 1,5; 8,1.7.10.11; 12,8; 13,2.8; 14,6; 2Co 2,14; 4,6; 6,6; 8,5; 10,5; 11,6.

- γινώσκω («connaître») 4,8 (Ep 3,19; 5,5; 6,22; 2Tm 1,18; 2,19; 3,1). Homologoumena: Rm 9x; 1Co 15x; 2Co 8x; Ga 3x; Ph 5x; 1Th 1x).

- σοφία («sagesse») 1,9; **1,28**; **2,3**; 2,23; 3,16; 4,5 (Ep 1,8.17; 3,10). Homologoumena: Rm 11,33; en 1Co le vocable apparaît 17x; 2Co 1,12.

- σύνεσις («intelligence») 1,9; **2,2** (Ep 3,4; 2Tm 2,7). Homologoumena: 1Co 1,19.

- οἶδα («savoir») **2,1**; 3,24; 4,1.6 (Ep 1,18; 5,5; 6,8.9.21). Nombreuses fois dans les Homologoumena.

Mais ce qui ne manque pas d'étonner dans cette liste, c'est l'absence, en Col 1,24-2,5, des mots ἀποκαλύπτειν, ἀποκάλυψις, alors que dans le passage parallèle d'Ep 3, Paul commence précisément par la révélation du mystère qui a été faite, à lui et aux saints apôtres et prophètes, et qui a permis sa diffusion, car sans révélation nul ne peut connaître le/les mystères divins. Il faudra donc déterminer pourquoi le

lesquels la connaissance du *mystèrion* peut se diffuser.
    Voici quelques vocables des Homologoumena relatifs à la connaissance et manquants en Col: γνώμη 1Co 1,10; 7,25.40; 2Co 8,10; Phm 14; γνωστός Rm 1,19; καταγινώσκω Ga 2,11; προγινώσκω Rm 8,29; 11,2; συγγνώμη 1Co 7,6; σοφός Rm 1,14.22; 16,19.27; συνετός 1Co 1,19; ἀποκαλύπτω Rm 1,17.18; 8,18; 1Co 2,10; 3,13; 14,30; Ga 1,16; 3,23; Ph 3,15, ἀποκάλυψις Rm 2,5; 8,19; 16,25; 1Co 1,7; 14,6.26; 2Co 12,1.7; Ga 1,12; 2,2.

vocabulaire de la révélation manque en ces versets.

3° Exégèse des versets

A - L'APÔTRE ET L'ANNONCE DU MYSTÈRION À TOUT HOMME

Si l'on considère le type de relations décrites, une réelle logique se dégage des vv.24-29:

> *a* la performance souffrante de Paul pour l'Eglise v.24
> *b* la compétence ecclésiale de Paul v.25
> *c* son objet: le *mystèrion* et ses destinataires v.26
> *c* son objet: dimension glorieuse du *mystèrion* et destinataires v.27
> *b* la performance universelle et sa finalité v.28
> *a* la performance souffrante de Paul v.29

v.24

«Maintenant je trouve ma joie dans mes souffrances pour vous, et je complète ce qui manque aux tribulations du Christ en ma chair pour son corps, qui est l'Eglise».

La difficulté vient de ce que le verset semble aller contre la sotériologie déjà réalisée des précédents (vv.13-23) et dire que la Passion du Christ aurait besoin d'un complément. Une traduction respectueuse de l'ordre syntaxique montre cependant qu'il n'en est rien:

a «je trouve ma joie dans les (= mes) souffrances» (ἐν τοῖς παθήμασιν)
b «pour vous» (ὑπὲρ ὑμῶν)
A «et je mène à terme ce qui manque aux tribulations (τῶν θλίψεων) du Christ en ma chair»
B «pour (ὑπέρ) son corps, qui est l'Eglise»

Ce parallélisme implique deux changements drastiques dans l'interprétation courante. Le premier: il ne faut pas mettre ensemble «tribulations du Christ pour son Corps» en passant par-dessus le syntagme «en ma chair», car ici c'est Paul qui souffre et indique la finalité de ses souffrances (pour l'Eglise corps du Christ). Le second changement est relatif à l'ordre des mots. La quasi totalité des commentaires traduisent le verset de manière erronée: «Je complète en ma chair ce qui manque aux tribulations du Christ»[8]. Il faut en effet scrupuleusement respecter l'ordre des lexèmes, et lire ensemble la séquence «ce qui manque aux tribulations du Christ en ma chair»[9]. Les afflictions (souffrances) du Christ sont désormais finies: Col insiste trop sur la plénitude, sur la suprématie totale et actuelle du Christ glorifié, à qui rien ne manque, pour qu'on l'oublie; Col ne dit pas davantage que Christ n'a pas accompli tout ce qu'il avait à accomplir (1,19-20.22; 2,9-10; 2,13-14; 3,1) ni qu'il n'a pas assez souffert, pour que l'Apôtre doive porter à leur achèvement les souffrances rédemptrices pour l'Eglise: car alors, la médiation du Christ ne serait pas parfaite, et l'épître ne cesse de dire le contraire. Ce qui manque encore, ce que Paul doit mener à terme, c'est son propre itinéraire, qu'il nomme «tribulations du Christ en ma chair», et qui reproduit celui du Christ, dans sa manière de vivre et de souffrir par/pour l'annonce de l'Evangile et pour l'Eglise[10]. Il est même impossible que les «tribulations» (θλίψεις) du v.24 fassent allusion à la mort du Christ, car jamais, dans les Homologoumena et les Antile-

---

[8] Cf. par exemple, Gnilka, *Kolosserbrief*, 93, qui établit en conséquence le parallélisme suivant:

je trouve ma joie / dans mes souffrances / pour vous
je mène à terme / ce qui manque aux tribulations / pour son corps.

Même remarque pour la traduction de Lohse, *Kolosser*, 111-112 («et, en ma chair, je complète ce qui manque aux tribulations du Christ pour son corps»).

[9] Le vocable ὑστέρημα («manque») désigne toute espèce de besoin, absence ou manque. Cf. 1Th 3,10 («ce qui manque encore à votre foi»); 1Co 16,17 (votre absence); 2Co 8,14 (leur besoin); 9,12 (les besoins des saints); 11,9 (j'étais dans le besoin); Ph 2,30 (combler les manques - avec un verbe très proche de celui de Col 1,24, ἀναπληροῦν).

[10] On a cherché à expliquer de diverses manières pourquoi Paul peut donner à ses παθήματα le nom de θλίψεις Χριστοῦ. Cf. Gnilka, *Kolosserbrief*, 95-96, qui recense cinq types de solutions: les tribulations de l'Apôtre sont «tribulations du Christ», (1) parce que souffertes à cause du Christ ou en lui; (2) parce que semblables aux siennes (rejet, persécution); (3) parce qu'il souffre en chacun de ses membres; (4) parce que, comme le Christ a souffert pour son corps, l'Eglise, ainsi fait l'Apôtre; (5) parce que l'Apôtre fait allusion aux tribulations du Jésus terrestre, continuées en ceux qui annoncent l'Evangile. Seule la dernière interprétation doit être rejetée, pour les raisons déjà invoquées; quant aux autres, elles respectent le contexte et sont acceptables, même si invérifiables (en particulier la troisième).

gomena, ce mot ne désigne les souffrances rédemptrices du Christ[11]. Reconnaissons toutefois que le vocable θλίψεις utilisé ici ne reflète pas la manière de faire des Homologoumena[12]. Outre l'emploi de ce terme, le contexte (1,29; 2,1), en particulier les vocables relatifs au combat (ἀγονίζομαι, ἀγών), reflète une situation de lutte à portée eschatologique, et cela est paulinien (tout comme le lien entre lutte et consolation[13]).

La souffrance de l'Apôtre est «pour l'Eglise». Le ὑπὲρ ὑμῶν n'est pas sans rappeler tous les passages où il est dit que Christ a souffert, est mort «pour nous». Mais l'Apôtre n'entend pas dire qu'il ajoute quelque chose à l'oeuvre médiatrice et salvifique du Christ, puisque toute la lettre rappelle aux Colossiens qu'il n'y a qu'un seul médiateur et qu'ils sont déjà pleinement comblés en lui[14]. Mais il souffre pour le bien de l'Eglise, pour sa solidité, sa constance, sa croissance dans la connaissance des trésors déployés par Dieu en son Fils: tout ce qu'il fait et subit est «pour elle», car elle est le corps de son Seigneur, et il en est le ministre (διάκονος). Ce n'est donc pas par masochisme que Paul se réjouit de souffrir, mais parce que ce qu'il endure profite à l'Eglise, et que les tribulations sont un nécessaire combat pour que tous les Gentils (tout homme) puisse entendre l'Evangile, y croire et devenir parfaits en Christ[15].

Ici comme en 1,18a, ἐκκλησία ne désigne pas d'abord les communautés croyantes d'une région ou d'une cité, mais l'ensemble des

---

[11] Cf. Rm 5,3; 8,35; 12,12; 2Co 1,4.6.8; 2,4; 4,17; 6,4; 7,4; 8,2; Ph 1,17; 4,14; 1Th 1,6;3,2.7, où θλίψις (au sg. ou au pl.) renvoie toujours aux persécutions et tribulations eschatologiques de Paul ou des Eglises. Les peines et souffrances des chrétiens sont encore nommées génériquement παθήματα, en Rm 8,18; 2Co 1,6.7. Deux fois seulement, en 2Co 1,5 et Ph 3,10, παθήματα désigne les souffrances du Christ (on ne saurait donc dire, avec Lohse, *Kolosser*, 113, reprenant d'ailleurs une affirmation du commentaire de Staab sur Col, que Paul n'use jamais ce terme pour renvoyer aux souffrances rédemptrices); partout ailleurs il emploie les termes «mort», «mort en croix», «sang», etc.

[12] Cf. P. Iovino, *Chiesa e tribolazione*, Palermo 1985, 149-155.

[13] Cf. 1Th 2,2-3.7.18; Ph 1,30; 2,1.

[14] Cf. Déjà la formule lapidaire de 1Co 1,13: «Paul a-t-il été crucifié pour vous?»

[15] Sur la καύχησις (fierté) dans les tribulations, voir Rm 5,3, qui s'applique à tout croyant, paradoxalement rendu fort par les tribulations (cf. 2Co 12,10).

croyants disséminés à travers le monde, et dont Paul dit qu'ils forment le corps du Christ: l'Eglise est désormais perçue comme une entité universelle, cosmique et christique. Même si les versets suivants ne font pas explicitement le lien entre la dimension universelle de l'Eglise et le *mystèrion*, l'exégèse ne peut pas ne pas y chercher une logique sous-jacente: Paul a dû lui-même comprendre - par révélation, comme l'indique Ep 3 - que l'Evangile n'avait pas seulement comme contenu l'itinéraire et la médiation du Christ, mais aussi et surtout sa présence pleine et définitive «parmi les Gentils», présence universelle, facteur d'intégration, d'unité, de vie, de croissance, au point de faire des croyants une entité unique, définie christologiquement (*le* corps du Christ): pour la première fois peut-être, l'Eglise fait partie du contenu de l'Evangile.

v.25

«(l'Eglise) dont je suis devenu le ministre, selon la charge que Dieu m'a confiée à votre égard, pour porter à son accomplissement la parole de Dieu».

Après avoir parlé sommairement de ses souffrances (performance), en en montrant la finalité, Paul signale maintenant sa compétence (διάκονος de l'Eglise), avec son origine (divine) et sa finalité (réalisation pleine de la parole de Dieu).

Dans les Homologoumena, Paul se disait aussi «ministre», mais de Dieu et de la nouvelle alliance[16]. C'est la première fois qu'il se déclare ministre de l'Eglise ou de l'Evangile (cf. 1,23). Le titre de ministre de l'Eglise ne devrait pas susciter l'étonnement, puisque, si l'on en croit 1Co 3,5-17, Paul a toujours perçu sa tâche d'évangélisation et de fondation comme un service. Mais il s'agissait du service de Dieu, devant qui il se savait responsable. Si Col fait de Paul le διάκονος de l'Eglise, cela doit être pour les raisons examinées au v.24 à propos du rapport entre *mystèrion* et Eglise: comme l'Evangile et l'Eglise sont

---

[16] Cf. 2Co 3,6; 6,4; 11,23. En Rm 16,1 Phoebe était déjà nommée «διάκονος de l'Eglise (qui est) à Cendrées». La Vulgate traduit le mot par *minister*, terme qui rend bien l'aspect service, mais que l'usage contemporain reflète peu ou prou (les ministres de nos gouvernements, qui ont pour fonction d'être au service du bien public, sont en réalité perçus comme des personnages ayant pouvoir, honneur, mais pas toujours le souci du bien commun).

désormais des réalités christologiquement connexes, devenir le serviteur de l'un (v.23) semble impliquer qu'on le devienne de l'autre (v.25). Mais ce qui frappe ici, c'est l'absence du vocabulaire de la grâce qui suit en général la mention de la compétence dans les Homologoumena, et que reprend le passage parallèle d'Eph[17]. Au lieu de dire «ministre de l'Eglise selon la grâce qui m'a été donnée», l'Auteur forge une expression nouvelle: «ministre de l'Eglise selon la fonction (οἰκονομία) que Dieu m'a donnée». Le terme οἰκονομία reprend l'aspect service connoté par διάκονος, il y ajoute une nouvelle dimension, celle de la charge, de l'obligation, du devoir[18]: l'insistance du verset n'est pas sur le don gracieux, mais sur la responsabilité qu'implique la compétence reçue de Dieu.

La finalité de la charge explique d'ailleurs l'insistance sur la fonction: il y va de la parole de Dieu, du *mystèrion*, qui doit être portée à son accomplissement[19]. Sans doute le v.23 (et le parallèle Rm 15,19) donne une dimension spatiale au verbe: tant que l'Evangile n'est pas annoncé «à toute créature», il n'est pas arrivé à son achèvement; mais la dimension qualitative est aussi présente, comme l'indique le v.28: l'achèvement de l'Evangile, ce sont ses fruits, la perfection de tout croyant en Christ.

v.26

«le mystère caché depuis les siècles et les générations; mais maintenant, il fut manifesté à ses saints».

Après avoir énoncé les composantes de la compétence de Paul (le messager du *mystèrion*), le texte s'arrête sur ce qu'il proclame, moins pour en préciser immédiatement le contenu que pour indiquer les particularités de sa manifestation. La montée rhétorique, qui mène des modalités au contenu, est évidente - comme le souligne par ailleurs la

---

[17] Cf. Rm 1,5; 15,15; 1Co 3,10; 15,10; Ga 1,5. Et Ep 3,2.7.8.

[18] Cf. 1Co 9,16-17 (οἰκονομία); 1Co 3,5 (διάκονος); 1Co 4,1-2 (οἰκονόμος dont on attend qu'il soit trouvé fidèle). οἰκονομία («fonction», «office»). Voir aussi Lohse, *Kolosser*, 117.

[19] Verbe πληρόω, le même qu'au v.9 («soyez remplis»). Même racine également que le πλήρωμα («plénitude») du v.19. Voir, plus loin, le participe πεπληρωμένοι («vous avez été comblés») de 2,9. L'Auteur reprend peut-être Rm 15,19: «pour, de Jérusalem jusqu'à l'Illyrie, porter à son accomplissement l'Evangile du Christ».

construction syntaxique qui s'interrompt: d'objet, le *mystèrion* devient
sujet, et tout est centré sur lui.
Paul le décrit [20] par une série d'oppositions:

objet: «le *mystèrion*» (μυστήριον)
action: «qui a été caché» <=> «fut manifesté»
temps: «durant des siècles et des générations» <=> «maintenant»
destinataires: «siècles et générations» <=> «à ses saints»

La construction ἀποκρύπτείν τι ἀπό τινι («cacher quelque
chose à quelqu'un»)[21] indique bien que le couple «siècles et générations» n'a pas une fonction uniquement temporelle mais doit aussi être
le destinataire de l'action de cacher (comme en Ep 3,5). En effet, si
l'Auteur avait voulu indiquer de façon univoque le sens temporel, il
aurait pu choisir des expressions comme ἀπ᾽αἰῶνος ou ἀπὸ καταβολῆς
κόσμου ou ἀπὸ χρόνων αἰωνίων[22] Les deux fonctions, temporelle et
actorielle, doivent ainsi être retenues en Col 1,26.

Le verbe employé est ἐφανερώθη («fut manifesté»), un aoriste
(lequel renvoie à un événement passé et semble inchoatif) qui tranche
avec le νῦν («maintenant») et rend toute traduction littérale obligatoi-
rement maladroite: «maintenant il fut manifesté»! Mais le «maintenant»
n'est pas ponctuel, il désigne la période finale inaugurée par l'événement
Christ et a une connotation eschatologique. On peut donc paraphraser la
proposition ainsi: «en ce temps de la fin où nous sommes, le *mystèrion*
fut manifesté». Le «maintenant» ne signifie pas que la dimension future
du mystère a disparu (cf. le syntagme «Christ, l'espérance de la gloire»),
mais l'accentuation est mise sur le déjà-là, sur l'aspect accompli. A cet
égard, il faudra voir si l'on peut vraiment parler d'arrière-fond apocalyptique[23]. A quoi renvoie exactement le verbe ἐφανερώθη, à une diffusion
(par l'intermédiaire des Apôtres) ou à une révélation (directe, par

---

[20] Les composantes du *mystèrion* décrites ici sont les même qu'en Ep 3,9-10.

[21] Voir 4 R 4,27 LXX; Lc 10,21.

[22] Cf. Mt 13,35 (avec le même verbe); 25,34; Ac 3,21; 15,18.

[23] Pour la révélation des choses futures, voir 2Ba 81,3-4: (Le Très-Haut) «me fit
connaître les mystères des temps et me fit voir l'avènement des âges».

Dieu)?[24] La réponse dépend d'abord de l'identité des destinataires. Qu'entendre par «ses saints»: tous les croyants, nommés tels ailleurs chez Paul[25], ou seulement un groupe précis (comme celui des «saints Apôtres et Prophètes» en Ep 3,5)? Si l'on tient compte de la façon dont Col utilise ἅγιοι[26] dans les versets qui précèdent, on doit admettre que l'adjectif désigne les croyants en général. Or, l'Auteur n'entend certainement pas dire que tous les croyants («les saints») ont connu le *mystèrion* par révélation directe divine, sans proclamation apostolique. De plus, comme le prouve le livre de Daniel (LXX et TH), précis dans le choix de son vocabulaire, la connaissance des mystères se fait de deux manières différentes, par révélation divine directe (ἀποκαλύπτειν), puis par divulgation ou diffusion (γνωρίζειν): Dieu ne révèle (ἀποκαλύπτειν) ses mystères qu'à ceux qu'il a choisis, pour qu'ensuite ils les fassent connaître (γνωρίζειν) au monde[27]: il y a tout lieu de croire qu'il en est de même en Col 1,26. Car le reste de la lettre, surtout Col 4,4, confirme cette interprétation, puisque Paul y demande aux Colossiens de prier, pour que «je le (= mystère) manifeste (φανερώσω comme il faut que j'en parle»[28]: manifestation qui n'est autre que l'évangélisation apostolique. Enfin, argument contraignant, le contexte immédiat: le v.26 ne fait que préciser, en la développant, la fin du verset précédent, et ne parle que de la divulgation du *mystèrion* par Paul aux saints de Colosses et de toute l'Eglise. A la différence d'Ep 3,1-13, l'Apôtre passe totalement sous silence ici la manière dont le *mystèrion* lui a été révélé par Dieu: son propos est en effet de n'insister que sur sa responsabilité et sur son labeur d'annonciateur, de divulgateur.

---

[24] Ainsi Lohse, *Kolosser*, 119, qui parle d'ἀποκάλυψις.

[25] Cf., par ex., Rm 1,7; 1Co 1,2; 6,1.2; 14,33; 16,1.15; 2Co 1,1; Ph 1,1. Interprétation prônée par Lohse, *Kolosser*, 120 et Schweizer, *Kolosser*, 88.

[26] Col 1,2.4.12; l'adjectif apparaît pour la dernière fois en 3,12. Certains commentateurs pensent qu'en 1,12, Paul désigne les anges et non les croyants. Pour la discussion de cette opinion, voir à Col 1,12.

[27] Cf. Dn 2,19.22.28.29.30; 10,1; 11,35.

[28] Autres emplois de φανερόω en Col 3,4, où il s'agit de manifestation glorieuse, visible par tous. L'usage est déjà le même dans les Homologoumena, où φανερόω renvoie à un processus de manifestation universelle et non à une révélation divine personnelle. Cf. Rm 1,19; 3,21; 16,26; 1Co 4,5; 2Co 2,14; 3,3; 4,10.11; 5,10,11; 7,12; 11,6.

Soit dit en passant, on voit aisément pourquoi l'Apôtre n'utilise pas le terme ἀποκάλυψις: la difficulté venait précisément de ce que les «docteurs» invitaient à désirer les visions et les révélations. Col veut montrer que les visions (fournissant de nouvelles révélations) sont inutiles, puisqu'au baptême les croyants ont tout reçu!

v.27

«(les saints) auxquels Dieu a voulu faire connaître quelle (est) la richesse de la gloire de ce mystère parmi les Nations: Christ chez vous, l'espérance de la gloire».

Ayant signalé les modalités de la divulgation du *mystèrion*, l'Auteur en donne maintenant le contenu christologique. Noter aussi qu'à la différence du v.26, où les deux verbes étaient au passif, Dieu, de l'initiative de qui le processus de divulgation entier dépend, est maintenant nommé.

Les rôles actantiels se précisent:
(1) le destinateur: Dieu (acteur omnipotent);
(2) l'objet: (i) Christ, avec une insistance sur son éminente qualité (la gloire) (ii) la proclamation du mystère est identiquement manifestation de la gloire divine; (iii) le mystère n'est pas seulement le plan de salut qui a (paradoxalement et définitivement) pris chair en Christ (1Co 2,1ss; Rm 16,25-27), mais le plan de Dieu qui a voulu que Christ soit annoncé et présent chez les païens ou chez les nations (Col 1,27).
(3) les destinataires: les saints, autrement dit les croyants.

Comment traduire le ἐν ὑμῖν? Certains préfèrent «en vous», car selon eux, Paul insiste sur la présence du Christ en chaque croyant[29]. La plupart optent pour «parmi vous»[30]. Le syntagme doit être traduit «parmi vous» et non «en vous», à cause du contexte, qui parle de la prédication (v.28) et du parallélisme ἐν τοῖς ἔθνεσιν / ἐν ὑμῖν (chez les

---

[29] Dibelius-Greeven, *Kolosser*, 17; Bornkamm, «Mystèrion», 827 (mais sa traduction «in euch» est trop elliptique pour nous permettre de savoir exactement comment il comprend le syntagme); Conzelmann, *Kolosser*, ad loc.; O'Brien, *Colossians*, 87. Les exégètes qui défendent le sens intériorisant et mystique s'appuient sur Rm 8,10; 2Co 13,3.5; Ga 2,20; 4,19; Col 3,11.

[30] Hugedé, *Colossiens*, 95, dit qu'«en vous» pourrait aussi convenir, «à condition d'être compris non pas dans le sens d'une mystique individuelle, mais au sens de la vie communautaire. C'est dans l'Eglise que le Christ agit».

Nations / chez vous). Voir aussi Col 3,16 où l'on doit traduire «parmi vous», à cause des expressions qui suivent.

On a récemment lu les vv.26-27 comme si les «saints» n'étaient pas les destinataires du *mystèrion* à connaître, mais ses porteurs: «Dieu a voulu que ses saints fassent connaître le Mystère parmi les Nations»[31]. On peut invoquer comme texte parallèle Rm 16,25-26, où l'on retrouve effectivement la même chaîne lexicale:

Col 1,26-27	*Rm 16,25-26*
le mystère	d'un mystère
tenu caché..	gardé dans le silence..
mais maintenant	mais maintenant
manifesté (ἐφανερώθη)	manifesté (φανερωθέντος)
Dieu a voulu	selon l'ordre du Dieu éternel
faire connaître (γνωρίσαι)	et rendu connu (γνωρισθέντος)
chez les nations	à toutes les nations

Mais la syntaxe de Rm 16,25-26 est totalement différente et n'éclaire en rien la difficulté soulevée[32]. De plus, si l'adjectif «saints» s'applique, comme ailleurs en Col (1,2; 3,12), à l'ensemble des croyants et à ceux de Colosses en particulier, il est peu probable que la diffusion du *mystèrion* leur soit attribuée au v.27, car le contexte immédiat n'insiste que sur le rôle et le combat de Paul et de ses collaborateurs (cf. le pluriel «nous» du v.28) pour promouvoir cette diffusion. On ne saurait enfin relier γνωρίσαι et τοῖς ἔθνεσιν («faire connaître aux nations»), à cause de la distance et, surtout, parce que le complément de γνωρίσαι est le relatif οἷς qui a pour antécédent «les saints»: c'est aux saints que le

---

[31] Bowers, «A Note on Colossians 1:27a», 110. Le relatif οἷς, sujet de γνωρίσαι serait donc au datif par attraction de son antécédent τοῖς ἁγίοις («aux saints»). Bowers reconnaît que, si tel est le cas, l'attraction crée une terrible ambiguïté, à cause de l'autre datif qui suit, τοῖς ἔθνεσιν («aux nations»): un écrivain digne de ce nom ne l'éviterait-il pas à tout prix?

[32] Bowers a d'ailleurs besoin d'un passage de l'AT, Is 66,19b, où il est question de messagers proclamant la gloire divine parmi les nations, pour justifier son interprétation. Toujours à la p.110, il distingue en outre les verbes de révélation (sans doute directe, de Dieu à l'homme), tels qu'ἀποκαλύπτειν et φανεροῦν, et les verbes de diffusion, comme γνgnôrizein. La distinction est suspecte, fausse même, car γνωρίζειν est utilisé pour la révélation en Ep 3,3, et φανεροῦν pour la diffusion en Col 4,4.

mystère a été notifié. Le parallélisme invite également à lire ensemble *mystèrion* et ἐν τοῖς ἔθνεσιν («mystère parmi les nations»).

Selon d'autres[33], Col 1,27 reprend manifestement Rm 9,22-24. Les deux passages ont en commun de rappeler le plan divin en faveur des Nations, et de voir en cet agir divin le sommet de la gloire divine, puissante et riche:

Col 1,27	Rm 9,23-24
Dieu a voulu	Dieu voulant
faire connaître (γνωρίσαι)	faire connaître (γνωρίσῃ)
la richesse de la gloire	la richesse de sa gloire
parmi les Nations	parmi les Nations

La présence de l'Evangile (= Christ) chez les Nations est précisément ce qui doit être considéré comme la manifestation inouïe et ultime. La reprise est donc possible, même si elle est impossible à prouver, faute d'indices formels - autres que lexicographiques s'entend. L'arrière-fond paulinien demeure en tout cas évident.

Que la présence du Christ parmi les nations soit ici considérée comme inouïe, on l'admettra pour deux raisons: d'abord parce que les nations païennes n'attendaient pas le Messie-Christ, ensuite parce que, dans l'hypothèse de leur conversion (ultime ou non), c'était à elles de monter vers Jérusalem la cité sainte. Qu'avec l'annonce du Christ, le salut vienne rejoindre les Gentils là où ils sont, pour demeurer (définitivement) au milieu d'eux, en la diversité de leurs cultures, que les nations restent donc «nations» (n'aient pas à changer d'identité socio-culturelle), cela était et reste bien LE mystère par excellence. «Christ parmi vous»: la présence du Christ chez les Nations (en particulier à Colosses), par l'annonce, par la vie qui en résulte, atteste que le dessein divin de salut est parvenu à son terme. On peut déjà pressentir quelques-unes des raisons pour lesquelles Col emploie le terme *mystèrion* - il faudra y revenir à propos de Col 2,2-3.

Le *mystèrion* est qualifié en deux expressions parallèles, qui

---

[33] Lona, *Eschatologie im Kolosser*, 115.

manifestent bien l'insistance sur la gloire[34]:

. mystère parmi les nations riche en   gloire

. Christ chez   vous   espérance de la gloire

L'insistance sur la gloire, liée au Christ évidemment, se situe dans la ligne de l'exorde: en Christ tout a été donné, manifesté. La gloire est celle du Christ ressuscité, et donc celle de Dieu, celle espérée, escomptée par/pour tous les croyants.

v.28

«(Christ) lui que nous annonçons, exhortant tout homme et instruisant tout homme en toute sagesse, afin de présenter tout homme parfait en Christ».

Paul passe à la première personne du pluriel («nous»). Le pronom pourrait ne pas désigner uniquement Paul, mais aussi Timothée (cf. 1,1), Epaphras (cf. 1,7), et les autres collaborateurs mentionnés, avec Epaphras d'ailleurs, en Col 4,10-14. En vérité, il désigne surtout Paul, qui reste, de 1,24 à 2,5, sur le devant de la scène.

Comme on l'a justement dit[35], ces versets reprennent les quatre composantes du *mystèrion* déjà énoncées aux vv.26-27:

(1) son annonce. Le verbe καταγγέλλειν employé ici[36] équivaut-il au κηρύσσειν de 1,23[37] et au λαλεῖν de 4,3? Indique-t-il une proclamation officielle? Faut-il y voir un terme technique désignant la prédication missionnaire[38]? Les différents contextes ne permettent pas de conclusion nette. L'important ici est de bien voir comment Paul précise les composantes de l'annonce, grâce à deux participes: «exhortant tout homme et instruisant tout homme», par lesquels l'Auteur laisse entendre

---

[34] Les mots «richesse» et «gloire» apparaissent plusieurs fois ensemble dans la LXX, appliqués à Dieu (Gn 31,16; 3R 3,13; 1Ch 29,12.28), à la sagesse (Pr 8,18; Si 24,17), aux rois (Est, 2Ch), aux sages (Pr et Qo).

[35] Sappington, *Revelation*, 186-187.

[36] Pratiquement absent de la LXX (si l'on excepte quelques variantes), le verbe n'apparaît, dans le NT, que dans les Actes et le corpus paulinien.

[37] Les deux verbes sont presque juxtaposés en Ph 1,15.17 et Paul semble leur donner des connotations opposées, mais c'est une exception.

[38] Lohse, *Kolosser*, 122. Que signifie et que désigne l'adjectif «missionnaire», toute la question est là. On ne voit d'ailleurs pas pourquoi on ne pourrait dire la même chose de κηρύσσειν et λαλεῖν.

que l'évangélisation est un long processus, passant par l'exhortation, la correction[39], l'avertissement, l'enseignement patient[40]. La correction et l'enseignement sont prodigués avec toute la sagesse requise, pour ne pas donner de résultats négatifs, car la correction et l'enseignement prodigués sans discernement peuvent respectivement mener au découragement et à l'erreur.

(2) l'objet de l'annonce, qui est le Christ, et non une vérité abstraite, quelqu'un ayant aimé tous les hommes, et que les croyants apprennent à connaître et aimer en retour;

(3) sa dimension universelle: l'humanité entière. La triple répétition de «tout homme» indique une nette insistance: tous sont invités à appartenir au corps ecclésial des saints, à y vivre et à y grandir dans la connaissance de Dieu et du *mystèrion*, sans restriction ni discrimination. L'universalité fait partie inhérente du *mystèrion*: en conséquence, l'enseignement et l'exhortation ne sont pas limités à un petit groupe d'initiés, mais proposés à tous. Les livres sapientiaux disaient déjà que la sagesse est à la portée de tous. Mais ce qui diffère ici, c'est que cette sagesse, par laquelle s'exprime le dessein divin en sa perfection fut jusqu'à présent cachée à tous les âges sans exception. Et il y a là quelque chose de surprenant.

(4) sa dimension de surprise. Elle ne consiste pas seulement en ce que l'Evangile peut être vécu pleinement en toutes les cultures, mais aussi en ce qu'étant fait pour être proclamé au monde entier, Dieu n'a pourtant pas voulu le faire connaître aux humains jusqu'à l'événement Jésus Christ. Même si le passage ne dit pas pourquoi Dieu a caché le *mystèrion* durant tant de temps, on peut se demander si l'emploi du vocable *mystèrion* ne fournit pas indirectement une réponse.

(5) sa finalité: «rendre tout homme parfait en Christ». La proclamation du *mystèrion* a une finalité essentiellement et universellement salvifique. Mais de quelle perfection s'agit-il? Doit-elle d'autre part advenir maintenant ou à la résurrection finale? Comme l'indiquent Col 3,14; 4,14

---

[39] Le verbe νουθετεῖν, typiquement paulinien, connote la correction d'une attitude erronée. Rm 15,14; 1Co 4,14; 1Th 5,2.14; 2Th 3,15. Col 1,28; 3,16. Voir également le discours testamentaire de Paul en Ac 20,31.

[40] Lohse, *Kolosser*, 123, signale que les verbes νουθετεῖν et διδάσκειν apparaissent assez souvent ensemble chez les philosophes. Platon, *Prot.* 323D; *Rep.* 399B; *Lois* 845B; Plutarque, *Aud.* 46B.

et la section exhortative en son entier, la perfection mentionnée en 1,28 est d'ordre éthique[41], elle vient du renouvellement intérieur des croyants: la perfection des croyants est «en Christ», elle est liée à sa plénitude et à sa richesse. Le thème de la perfection des croyants n'est pas nouveau; il a ses racines dans l'AT[42] et est massivement repris dans le judaïsme[43] et l'Eglise primitive[44]. Mais cette perfection à laquelle tout homme est appelé en Christ, est possible dès maintenant; en Col 3,14 l'Auteur le suppose, lorsqu'il demande aux Colossiens d'aimer avec le lien parfait de l'amour (ἀγάπη). La perfection n'est donc pas une utopie réservée à quelques uns, pour ailleurs ou pour le Royaume à venir, mais une réalité à laquelle tout croyant participe déjà et qu'il met aussi en oeuvre. Ce n'est pas la première fois que Col, en des termes analogues, parle de la perfection des croyants[45]. Pourquoi cette insistance? Sans aucun doute de ce que l'annonce du Christ - appelée ici *mystèrion* - a pour fin la perfection de tous ceux qu'elle touche; mais l'on reconnaît ici la problématique christologique propre à Col: s'il en était autrement, ne serait-on pas obligé de chercher un autre médiateur?

v.29

«C'est pour cela que je me fatigue à lutter, avec son énergie qui agit en moi avec puissance».

Après avoir énoncé assez brièvement les composantes du *mystèrion*, Paul répète que c'est pour cela qu'il peine[46] et combat[47].

---

[41] Il faut entendre par là tout l'agir des croyants, comme l'indiquent les exhortations pauliniennes, en particulier Col 3,1-4,6.

[42] Cf. Gn 6,9 (Noé juste et parfait; l'appellation reprise presque telle quelle par Si 44,17); Dt 18,13 («tu seras parfait devant ton Dieu»); 2R 22,26; 3R 8,61; 11,4; 15,3.14; 1Ch 28,9 (en ces textes, il s'agit de la perfection du coeur dans le rapport à Dieu). Voir également Jg 9,16.19. Le thème est certainement moins exploité que celui de la sainteté du peuple et de ses membres. Si, dans la LXX, on dit de Dieu qu'il est saint (ἅγιος), on ne le dit jamais τέλειος.

[43] pour Qumran, voir les passages cités par Lohse, *Kolosser*, 125 (1QS 3,9-10; etc.).

[44] Cf. Mt 5,48; 19,21; Rm 12,2; 1Co 2,6; 14,20; Ph 3,15; Jc 1,4; 1Jn 4,18.

[45] Cf. 1,9-12a.22.

[46] Chez Paul, le verbe κοπιάω peut renvoyer à deux champs différents: celui du travail manuel, grâce auquel il a su rester financièrement indépendant (1Co 4,12) ou, plus fréquemment, celui du labeur apostolique pour le bien des communautés (Rm 16,6.12; 1Co 15,10; 16,16; Ga 4,11; Ph 2,16; 1Th 5,12).

Mais plus que le combat lui-même, ce sont ses modalités qu'il accentue: «avec son (αὐτοῦ) énergie qui agit en moi avec puissance». Le contexte antérieur impose le Christ comme référent du pronom αὐτοῦ: l'effort n'a été possible qu'à la mesure de la puissance du Christ. Paul rappelle ainsi que l'annonce évangélique n'est pas à portée humaine, qu'elle faillit si elle n'est pas soutenue par la force du Christ. On notera encore ici la christologisation d'un motif ailleurs théologique, celui de la puissance et de l'énergie divines[48].

Certains commentaires interprètent l'accent mis sur la compétence (vue comme responsabilité confiée par Dieu) et la performance de Paul en ce passage comme une indication du lien fort et inamissible désormais établi entre l'Evangile et Paul, au niveau du contenu: si Paul s'est tant battu, c'est pour que l'Evangile reste tel qu'il l'a lui-même annoncé et transmis. Cette interprétation a du vrai: si l'Apôtre écrit lui-même aux Colossiens, sans laisser à Epaphras le soin d'intervenir, c'est bien parce que son labeur et son enseignement sont exemplaires[49]. Mais la rhétorique du passage montre que Paul n'utilise pas son autorité pour appuyer ses arguments. Ce qui fait autorité, comme il le dit en 2,1-5, c'est la connaissance du *mystèrion*, la richesse du Christ expérimentée par les croyants: la christologie tient par elle-même, elle donne à Paul son autorité plus qu'elle ne la reçoit de lui, et reste l'argument unique, définitif de la lettre.

B - L'APÔTRE ET LA SOLIDITÉ DE LA FOI DES COLOSSIENS

La seconde partie du passage, constituée par les vv.1-5 du ch.2 a, comme la première, une composition de type concentrique, mais elle est explicitement mise au service du reste de l'argumentation, car elle

---

[47] Le verbe ἀγωνίζομαι peut désigner le combat proprement dit, contre toutes sortes d'ennemis et d'adversités; il indique en tout cas l'effort durable, volontaire, persévérant, dans une entreprise, comme en Col 4,12.

[48] Cf. 2Co 4,7; 6,7; 12,9; Ph 2,13; 4,13; etc. Idem en Ep 1,19; 3,7, où les formules sont presque équivalentes à celles de Col 1,29.

[49] Que la lettre soit pseudépigraphe ne change rien au problème, puisque l'Auteur se recommande de l'autorité de Paul pour faire admettre son point de vue.

indique les enjeux concrets, pour la communauté des croyants, de la
connaissance du *mystèrion*:

    a Paul combattant pour les Colossiens et les Eglises v.1
    b pour leur consolation et leur connaissance v.2ab
    c le *mystèrion* à connaître vv.2c-3
    b pour résister aux discours spécieux v.4
    a Paul veillant sur la solidité de la foi des Colossiens v.5

v.1

«Je veux en effet que vous sachiez quelle lutte je mène pour vous et
ceux de Laodicée et tous ceux qui ne m'ont pas vu personnellement».

Paul mentionne de nouveau son combat, et il le fait avec une
réelle maîtrise rhétorique: il déclare d'abord que la répétition est voulue,
qu'elle correspond à son désir[50], ensuite que le combat est rude, dur, et
tout cela pour eux, car ils en sont les bénéficiaires, il donne enfin à
entendre, et telle est la pointe, qu'il ne combat pas seulement pour les
Eglises qu'il a fondées et connaît en personne, mais aussi et peut-être
plus encore pour celles qu'il n'a jamais visitées, Colosses, Laodicée et
d'autres, montrant ainsi le sérieux avec lequel il met en oeuvre sa
responsabilité d'Apôtre des Nations et sa sollicitude pour tous.

Le verset montre également, lorsqu'on le lit dans son contexte
ecclésial, que les difficultés affrontées par les Colossiens pouvaient
s'étendre à toute la région et l'étaient sans doute déjà. Un tel risque a
sans aucun doute poussé Paul à intervenir personnellement, en insistant
plus sur son attachement et son labeur efficaces pour les destinataires de
sa lettre, que sur son autorité personnelle.

v.2

«afin que leurs coeurs soient consolés, (et qu') unis dans l'amour, ils
arrivent à toute la riche plénitude de l'intelligence, à la connaissance du
mystère de Dieu, Christ».

Le v.2 fournit les raisons et donc l'enjeu du combat de Paul pour

---

[50] Technique déjà plusieurs fois utilisée dans les Homologoumena, lorsque Paul veut
insister sur un point qu'il juge important: «je veux que vous sachiez» 1Co 11,3; Ph 1,12;
«je/nous ne veux/voulons pas que vous ignoriez» Rm 1,13; 11,25; 1Co 10,1; 12,1; 2Co
1,8; 1Th 4,13.

les Eglises. Mais les verbes παρακαλεῖν et συμβιβάζειν peuvent avoir plusieurs nuances, lesquelles ne rendent pas immédiatement claires les raisons énoncées. Dans les Homologoumena, παρακαλεῖν connote aussi bien l'exhortation que la consolation[51]. En Col 48 et ici même, l'Auteur n'entend pas corriger ou admonester: (a) il vient en effet d'exprimer sa joie à la nouvelle que la foi des Colossiens est solide, (b) la mention du combat victorieux, qui suppose une situation difficile, n'a de sens que si elle vise à réconforter les Colossiens. Il faut donc traduire: «afin que leurs coeurs soient consolés». Quant à συμβιβάζειν, il doit parfois, comme en 1Co 2,16, être rendu par «instruire» («qui a instruit le Seigneur?»); le contexte de Col 2,2, fortement gnoséologique, et le verset parallèle 1,28, n'interdisent pas cette interprétation («et qu'instruits avec/par amour, etc.»); mais, si l'on s'appuie sur l'autre occurrence du même verbe en Col 2,19, qui connote l'union ou l'unité, on traduira ici: «et qu'unis dans l'amour, etc.»[52].

Suivent deux syntagmes prépositionnels[53], dont le deuxième précise le premier, en lui donnant un contenu. Comme précédemment, il s'agit de connaître le *mystèrion*. En fin de verset, le problème textuel est assez délicat, car les variantes sont nombreuses[54]: faut-il ou non garder

---

[51] Les nuances viennent du contexte, car on peut exhorter pour supplier, avertir, admonester, encourager ou même consoler. Pour la distinction, voir 2Co 2,7-8. Pour le réconfort ou l'encouragement, dans une situation d'affliction ou de conflit, voir 2Co 1,4.6; 2,7; 7,6.7.13; 1Th 3,2.7; 4,18; 5,11.

[52] Le participe συμβιβασθέντες est un masculin pluriel, alors que le précédent substantif est un féminin pluriel (αἱ καρδίαι); l'accord se fait ad sensum.

[53] Litt.: «et en vue de (εἰς) toute la riche plénitude de l'intelligence, en vue de (εἰς) la connaissance du mystère de Dieu, Christ».

[54] On en trouvera une liste en Lohse, *Kolosser*, 129, et Benoit, «Col 2,2-3», 41-42, avec une longue discussion. Avec Benoit (p.43), il faut admettre que le bon choix doit se faire entre les quatre leçons brèves suivantes, et davantage sur des critères internes qu'externes:

«du mystère de Dieu» (préférée par Abbott, Lohmeyer, Hugedé, Benoit)

«du mystère du Christ»

«du mystère, Christ»

«du mystère de Dieu, Christ» avec p[46], B (la plupart des exégètes contemporains). On peut expliquer les leçons brèves (sans χριστοῦ ou sans θεοῦ) aussi bien que les leçons longues (τοῦ μυστηρίου τοῦ θεοῦ καὶ χριστοῦ, etc.) comme autant de tentatives pour éviter l'ambiguïté de ce χριστοῦ asyndétique.

le mot «Christ». La plupart des commentaires choisissent la leçon
«mystère de Dieu, Christ», en comprenant le génitif asyndétique
Χριστοῦ comme une apposition à tout le syntagme précédent («le
mystère de Dieu»)[55] et pas seulement à «Dieu»[56]. Même si l'on suit
la leçon courte (sans le mot «Christ»), il va de soi que le mystère de
Dieu en qui sont cachés tous les trésors de la sagesse ne peut être que le
Christ, l'identification ne faisant aucun doute en Col 1,27, verset auquel
correspond d'ailleurs chiastiquement Col 2,2. Ajoutons que l'insistance
de l'épître sur la plénitude du Christ à tous les niveaux appuie l'interprétation christologique, car tel est bien l'enjeu en Col: si tout chrétien peut
devenir parfait en Christ, c'est bien parce qu'en lui habite toute
plénitude, laquelle se communique à tous ceux qui veulent croire.

Noter qu'il n'y a pas de concurrence entre les deux finalités
exprimées par la section, la perfection des croyants (en 1,28) et la pleine
intelligence du *mystèrion* (en 2,2). La finalité dernière est sans aucun
doute la perfection (éthique) de chacun en Christ, mais en mentionnant
la connaissance accomplie du *mystèrion*, autrement dit du Christ,
l'Auteur indique que la perfection des croyants trouve son fondement et
son contenu en Christ: c'est en entrant toujours davantage dans le
mystèrion qu'ils pourront vivre la richesse inépuisable des voies de Dieu
pour eux.

Le vocabulaire du verset renvoie à l'apocalyptique juive; on le
retrouve en particulier à Qumran[57]; il importe évidemment de déterminer la fonction de cet arrière-fond et, en particulier, d'expliquer

---

[55] Les exceptions sont relevées par Benoit, «Colossiens 2:2-3», 44-45: Oltramare,
Commentaire sur les épîtres de S. Paul aux Colossiens, aux Ephésiens et à Philémon,
vol.1, Paris 1891; Abbott, *Colossians*; Haupt, *Die Gefangenschaftbriefe*, Göttingen 1902;
Lohmeyer, *Kolosser*, Hugedé, *Colossiens*; mentionnons également la BJ (trad. P. Benoit),
qui retient la leçon courte («mystère de Dieu», sans le mot «Christ») et rattache le relatif
à «mystère»; pour un état de la question, voir Benoit, «Col 2,2-3», qui reste sur sa
position et la justifie par la critique interne (surtout pp.49-51).

[56] Position qui semble celle d'Hilaire de Poitiers, *de Trin.*, 9,62. Benoit, «Colossiens 2:2-
3», note avec raison que cette exégèse est impensable au temps où fut écrite Col.

[57] Cf. Benoit, «Col 2:2-3», 50-51, pour l'expression «mystères (au pluriel) de Dieu», mais
aussi pour les termes «connaissance», «sagesse», et «caché» au v.3. Col et le judaïsme
apocalyptique sont évidemment tributaires de Dn. Sur les racines apocalyptiques et
sapientiales du *mystèrion*, voir également Vogt, «Mysteria»; Brown, «Semitic Background»; Coppens, «Mystère».

pourquoi Col préfère ici parler de *mystèrion* plutôt que d'Évangile, comme en 1,23b, verset qui annonçait la section (cf. infra).

v.3

«(Christ) en qui sont cachés tous les trésors de la sagesse et de la connaissance».

La plénitude d'intelligence à laquelle les croyants doivent parvenir est explicitement reliée maintenant à celle du Christ, celui «en qui sont cachés tous les trésors de la sagesse et de la connaissance».

La plupart des Bibles et des commentaires, considérant l'excellence des témoins p[46] et B (Vaticanus), donnent le Christ comme référent du relatif «en qui» (ἐν ᾧ). Indépendamment des choix de critique textuelle, cette solution n'a rien de maladroit, quoi qu'on en ait dit[58]: même si, avec certains commentateurs, on considère le génitif (τοῦ) χριστοῦ comme une glose ajoutée par harmonisation avec Col 1,27. Si l'on admet le χριστοῦ asyndétique, il y a alors au moins trois raisons pour rattacher le relatif «en qui» à «Christ»: (a) la proximité, (b) le parallélisme entre Col 1,27-28 et 2,3, où χριστός est chaque fois suivi d'une qualification, (c) l'insistance de Col sur la primauté et la richesse de la vie en Christ (cf. 2,9-15). A vrai dire, l'interprétation christologique s'impose, à cause des contextes précédent et subséquent, ainsi que des parallélismes rhétoriques obvies (Col 1,27).

De la perfection que le verset affirme du Christ, ce qui frappe, ce n'est pas qu'il ait la sagesse et la connaissance, mais (a) qu'il les ait en plénitude (*toute* sagesse et *toute* connaissance), qu'il faille donc aller à lui (et à lui seul) pour obtenir l'une et l'autre, (b) que l'Auteur n'ait retenu ou mentionné de la perfection du Christ que les éléments sagesse et connaissance. Pour quelles raisons? La coloration biblique des

---

[58] Cf. Benoit, «Col 2:2-3», 51, qui, à propos de ce verset, parle de «christianisation maladroite» du *mystèrion* divin. Admettons! Il n'en demeure pas moins vrai que la christianisation est drastiquement à l'oeuvre en Col 1,27, qu'on ne peut attaquer textuellement. Et même si, en 2,2-3, le rédacteur n'a écrit que «connaissance du mystère de Dieu», il va sans dire que cette leçon courte n'empêche pas, au contraire, une coloration christologique, à moins de dire que ce rédacteur a complètement perdu la mémoire à quatre versets de distance.

expressions employées[59] et leur reprise par le judaïsme[60] invite à reconnaître un report des attributs divins sur le Christ, pour inviter à reconnaître en lui la plénitude hors de laquelle les croyants erreraient et seraient privés des biens divins mêmes. En réalité, les énoncés christologiques de 2,2-3 (qui reprennent et complètent ceux de 1,27) préparent déjà l'argumentation subséquente (2,6-23), qui va les reprendre et s'appuyer sur eux (cf.2,9-15), en montrant que la plénitude de la révélation en Christ dispense les croyants de discours et de pratiques ascético-mystiques pseudo-sages (cf. 2,4 et surtout 2,23). La façon dont le texte présente ici le Christ est donc entièrement déterminée par le développement de l'argumentation.

v.4

«Je dis cela pour que personne ne vous abuse par des discours spécieux».

Déterminer la fonction du verset fait difficulté, car le «je dis cela» initial peut annoncer ce qui suit ou, au contraire, renvoyer au discours qui précède[61]. Mais, comme le syntagme est ici suivi d'une finale, il a une fonction analeptique et pourrait être paraphrasé ainsi: «je viens de vous dire cela pour que personne ne vous abuse»[62]. Le verset indique ainsi quelle est la fonction de la section 1,24-2,5: fournir les bases christologiques sur lesquelles la foi des Colossiens et le reste de l'argumentation doivent reposer. On voit alors pourquoi cette section est la première du corps de la lettre. Le verset fournit à l'Auteur aussi une

---

[59] Qu'il s'agisse des «trésors cachés» - non ceux dérobés par Antiochus (1M 1,23), mais la sagesse, qu'il faut chercher comme des trésors cachés (Pr 2,2-4) - ou de la «sagesse et connaissance» donnée par Dieu à Sion, à Israël ou au Messie (cf. Is 33,5-6; 45,3; Ba 3,14-15).

[60] Cf. 1En 46,3; 2Ba 44,14; 54,13-14. Mais, comme le dit Benoit, «Col 2:2-3», p.49, le recours à 1QH 8,10-11 est ici déconseillé. Voici le passage: «Et celui qui fait pousser le Rejeton de sainteté pour la plantation de vérité est resté caché sans qu'on pense à lui, et, sans qu'il soit connu, son Mystère a été scellé» (trad. Dupont-Sommer, in *Ecrits Intertestamentaires*, Gallimard 1987, p.265).

[61] Il annonce ce qui suit en Ga 3,17; 1Co 1,12, et renvoie aux versets antérieurs en 1Co 7,6.35. Certains témoins lisent τοῦτο δὲ λέγω, comme en 1Co 1,12; 7,6 et Ga 3,17, leçon qui ne favorise ni l'une ni l'autre interprétation, puisque le δέ («mais») est employé aussi bien lorsque l'expression renvoie à ce qui précède (1Co 7,6) que dans le cas contraire (Ga 3,17).

[62] Lohse, *Kolosser*, 130, note que le syntagme équivaut au ταῦτα λέγω ἵνα.. de Jn 5,34.

raison décisive pour écrire à une communauté qu'il n'a pourtant jamais visitée: nécessité fait loi!

L'expression «discours spécieux» essaie de rendre le mot πιθανολογία, qui a ici, comme en certains textes de la Koinè[63], une connotation négative, mais pas en grec classique, où elle consiste à fournir des preuves susceptibles de convaincre ou de rendre vraisemblable un discours[64]. Le discours dont parle l'Auteur abuse (παραλογί-ζεσθαι) voilà pourquoi elle est dangereuse: elle a les apparences de la vérité, attire et risque de convaincre. Le recours à un fondement pleinement solide, fourni ici par le *mystèrion*, autrement dit par la christologie haute, s'avérait donc nécessaire.

v.5

«En effet, si je suis absent de corps, d'esprit je suis avec vous, trouvant ma joie à voir le bon ordre et la fermeté de votre foi au Christ».

S'il n'ajoute rien de substantiel au niveau des idées, le verset a cependant une fonction rhétorique importante: il vise à rassurer les destinataires sur la sollicitude et sur l'attention continue de Paul à leur endroit, ainsi que sur leur propre situation: ils n'ont pas cédé aux tentations, et en eux se vérifie les propos de Paul sur la solidité de la foi en Christ. L'Auteur peut ainsi directement affronter, dans une seconde section (2,6-23), les questions litigieuses.

4° Les raisons de l'emploi du mot *mystèrion*

L'exégèse des versets a constaté la prégnance de la christologie et l'insistance de l'Auteur à désigner son annonce du Christ comme

---

[63] Les commentateurs donnent l'exemple du *Pap. Lips.* I,40: διὰ πιθανολογίας τὰ ἁρπάγματα ζήτουσιν κατέχειν («par l'art de la persuasion, ils cherchent à conserver le butin»).

[64] Cf. Platon, *Theaet.* 162E; Aristote, *Eth. Nic.* 1,3 (1094B); Epictète, *Diatr.* I,8,7. Comme argument par le vraisemblable, la πιθανολογία s'oppose à la démonstration apodictique, de type mathématique par exemple. Si le terme n'apparaît qu'ici dans le NT (et jamais dans la LXX), 1Co 2,4 emploie toutefois une tournure analogue: «mon discours et mon annonce ne consistaient pas en discours persuasifs (πειθοῖς λόγοις) de sagesse, mais en démonstration (ἀπόδειξις) d'Esprit et de force».

mystèrion. Il importe désormais de déterminer les raisons de cette nouvelle manière de nommer l'Evangile.

(a) L'emploi du terme μυστήριον dans les Homologoumena.

La présence du terme en Col 1,26.27 et 2,2 s'explique sans aucun doute par l'usage paulinien lui-même. L'Auteur de Col (qu'il s'agisse ou non de Paul, peu importe ici) n'a pu utiliser le terme pour désigner globalement l'Evangile que parce que les Homologoumena fournissaient un cadre justifiant son extension.

Or, si l'on prend un à un tous les passages des Homologoumena où apparaît le terme[65], un certain nombre de composantes émergent, que l'on retrouve pratiquement toutes en Col:

- un (ou le) *mystèrion* a une origine divine; il est l'objet de (son ou) des desseins éternels du Tout-Puissant - desseins inchangés donc, même s'ils ne furent pas connus jusqu'à présent.

- il est ou ils sont l'objet d'une révélation divine, car par lui-même l'homme, même croyant, ne peut les connaître (cf. 1Co 2,7-10). Et ceux à qui ils sont révélés (Paul) les font connaître à ceux à qui Dieu veut les divulguer - car Dieu veut que (le ou) les mystères soient connus.

- ces destinataires ne sont pas les sages du monde, incapables de reconnaître les voies de Dieu en Christ, mais les croyants, qui, grâce à Paul, vont pouvoir mieux entrer dans les desseins de Dieu pour eux.

- un autre aspect (du ou) des mystères, et sans doute le plus fréquemment présent en ces différents passages, est leur aspect surprenant. Ils expriment le caractère insondable des desseins divins et mettent en valeur leur réalisation inouïe. Que la sagesse de Dieu ait voulu passer par la folie de la croix (cf. 1Co 1-2), qu'il ait décidé de manifester l'extrême de sa puissance dans la mort apparemment impuissante d'un Messie crucifié, qui aurait pu le prévoir - d'autant plus que, même après la mort du Christ en croix, le monde refuse encore de croire? Même issue inattendue en Rm 11,25, car le *mystèrion* notifié par Paul n'est pas le

---

[65] Cf. Rm 11,25; 1Co 2,1.7; 4,1; 13,2; 14,2; 15,51. Rm 16,25-26 est considéré comme deutéro-paulinien par de nombreux exégètes, mais, encore une fois, le cadre et la logique sont les mêmes et vérifient la pertinence de l'emploi du terme μυστήριον: on peut donc prendre ces deux versets comme les autres.

salut d'Israël, annoncé par les Prophètes[66] et espéré de tout juif pieux, mais que l'Israël fidèle à la Loi ait pu refuser de croire au Messie Jésus de Nazareth au nom même de la Loi, et que ce refus-là ne soit pas pour toujours, qu'il serve même le dessein salvifique de Dieu. On retrouve cet élément de surprise en 1Co 15,51, où Paul dit que les vivants eux-mêmes doivent être transformés en leur corps lors de la parousie du Kyrios, pour avoir part à la gloire finale: cela non plus n'avait jamais été annoncé.

- en 1Co 1-2 et Rm 16, le contenu du *mystèrion* est christologique.
- enfin, la composante eschatologique, clairement énoncée en Rm 11,25 et 1Co 15,51.

Ces composantes n'apparaissent pas toutes, ni avec la même insistance, en chacun des passages. Il y a en effet différents mystères ou diverses révélations faites par Dieu à Paul et notifiées ensuite par lui. Mais on ne trouvera pas encore en ces textes (excepté peut-être en 1Co 2,1) une désignation de l'Evangile comme «LE mystère de Dieu» par excellence (τὸ μυστήριον), désignation qui est justement celle de Colossiens et Ephésiens. Manifestement, ces deux lettres reprennent l'usage de Paul et l'unifient, autour de la composante christologique. Notons enfin que toutes les composantes qui viennent d'être énumérées se trouvent en Col 1,26-27 et 2,2, sauf la révélation (ἀποκάλυψις), pour les raisons déjà évoquées au cours de l'exégèse de 1,26. Col parle donc du *mystèrion* à la manière des Homologoumena, en le christologisant et le rendant ainsi coextensif à l'Evangile lui-même. Et la raison de cet emprunt vient sans aucun doute de la situation des Eglises, nouvelle à bien des égards: que l'Evangile puisse être vécu en chaque culture et par toutes les nations du monde[67], sans qu'elles aient besoin de changer d'identité (elles restent «les nations»), et que cette diversité aille de pair avec une unité forte en Christ, au point que l'Eglise en vienne à être appelée SON corps, cela est bien nouveau, nul prophète de l'AT ne l'avait annoncé auparavant[68]. Certes, Col 1,26-27 et 2,2 ne dit pas

---

[66] L'aspect inattendu du *mystèrion* ou des *mystèria* va de pair avec le fait qu'ils n'ont pas été annoncés par les Ecritures. Soit dit en passant, un passage comme 1Co 15,3-4 (sur de la mort/résurrection du Christ «selon les Ecritures» - et que la tradition a appelé «mystère pascal») n'infirme pas ces propos, si l'on veut bien garder à l'esprit ce que Paul nomme *mystèrion*.

[67] Ce que Col nomme «Christ parmi vous».

[68] Ils annonçaient plutôt la montée de tous les peuples à Sion.

explicitement que le lien entre le Christ et l'Eglise comme relation tête/corps fasse partie du *mystèrion*[69]. Mais les exégètes ne sauraient se méprendre sur le lien de nécessité implicite existant entre la consistance christologique de l'Eglise et l'usage étendu du terme *mystèrion*.

Si les Homologoumena sont le modèle à partir duquel Col emploie, avec originalité, le terme *mystèrion*, la question rebondit toutefois: pourquoi les Homologoumena (cf. 1Co 1-2) avaient-ils déjà appelé *mystèrion* la manifestation christique de la sagesse divine? Un passage par l'écriture daniélique permettra de répondre.

(b) la reprise de l'AT (Dn 2) et son importance.

L'usage que les Homologoumena, en particulier 1Co 2,7-10, font du terme *mystèrion*, reflète manifestement celui de Dn 2, où:

. les mystères ont rapport aux événements qui doivent advenir dans la suite, voire la fin des temps (cf. Dan 2,29-30);

. ils sont divins et ne peuvent être connus des hommes, sinon par révélation; et Dieu les révèle à ceux qu'Il a choisis, mais non aux sages de ce monde (Dn 2,27-28.47-48 LXX).

A la différence de Dn 2, où les révélations touchent des événements non encore advenus, dans les Homologoumena, *mystèrion* ne désigne pas seulement des événements futurs: la mort en croix du Christ et sa résurrection, proclamées comme Evangile, ont déjà révélé de manière inouïe le projet salvifique de Dieu. Mais on ne peut comprendre le recours à Daniel si l'on ne voit que les Homologoumena (et Col/Ep après eux) emploie le vocable *mystèrion* pour notifier ce qui n'a pas été annoncé par les prophètes ni consigné dans les Ecritures. Et cela s'applique précisément à la manière dont l'Evangile proclame le dessein éternel et pourtant inattendu de Dieu: si ce qui est présentement vécu, à savoir la diffusion de l'Evangile principalement parmi les Nations sans qu'elles aient à devenir membres du peuple d'Israël, n'a pas été auparavant manifesté, c'est parce que Dieu se réservait de le faire connaître seulement à la fin des temps. Chez Paul, le terme *mystèrion* a donc une double fonction:

- mettre en relief la nouveauté de ce qui advenu avec et par l'Evangile;
- mais indiquer aussi que cette nouveauté n'invalide pas l'Evangile (ce

---

[69] Sur ce point Ep 3,1-13 et 5,32 vont plus loin, en combinant les deux langages, celui du *mystèrion* et celui de l'Eglise comme corps.

qui ne serait pas prophétisé dans les Ecritures étant immédiatement discrédité), parce que l'Ecriture elle-même, par la parole de Daniel, indiquait déjà qu'elle n'annoncerait pas tout ce qui regarde la fin des temps. Ainsi, les événements et les catégories qui les expriment, trouvent dans l'Ecriture une confirmation inattendue.

L'influence daniélique implique-t-elle que la nature du *mystèrion* soit apocalyptique dans les Homologoumena et en Col? Si, en Dn 2, le discours est manifestement apocalyptique, il est difficile de dire la même chose pour les passages pauliniens mentionnés ci-dessus. Certes; en 1Co 2,6-16 le verbe ἀποκαλύπτειν apparaît (cf. v.10), mais cela ne suffit pas pour qualifier d'apocalyptique un tel passage. La difficulté semble encore plus épineuse en Col, qui semble éviter le vocabulaire de la révélation (ἀποκαλύπτειν et ἀποκάλυψις). Ce qui frappe en effet en Col, c'est le déjà-là de la manifestation du *mystèrion*, phénomène sans aucun doute relié à l'accomplissement décrit par cette même épître (primauté totale du Christ; victoire complète de Dieu sur les puissances; plénitude des croyants en/avec Lui; opposition entre toutes les générations passées, auxquelles le *mystèrion* fut caché, et l'actuelle). On peut dire que les catégories apocalyptiques ont subi une transformation: se pose alors, on le verra à propos de Col 3,1-4 la question des raisons de ce changement par rapport aux lettres pauliniennes précédentes.

B = COLOSSIENS 2,6-23

LA FIDÉLITÉ A l'ÉVANGILE

1° Bibliographie

Yamauchi, «Qumran and Colosse»; Foerster, «Irrlehrer»; Beasley-Murray, «Second Chapter of Colossians»; Francis-Meeks, «Conflicts at Colossae»; Saunders, «Colossian Heresy»; Bandstra, «Colossian Errorists»; Evans, «Colossian Mystics»; Bruce, «Colossian Heresy»; Argall, «Error in Colossae»; DeMaris, *Colossian Philosophy*; Sappington, *Revelation*; House, «Heresies».

2° Composition du passage

exhortations initiales générales: un impératif positif (vv.6-7)
a avertissement relatif aux pratiques cultuelles: un impératif négatif (v.8)
b raisons christologiques: Christ et les croyants avec Lui (vv.9-15)
a' reprise des avertissements: deux impératifs négatifs (vv.16-19)
exhortations conclusives (vv.20-23)

La composition des vv.8-19 est typique des exhortations pauliniennes: elle reparaît en d'autres lettres du NT, surtout 1Co. Elle est d'ailleurs quotidiennement employée dans les interdictions, surtout celles faites aux enfants:

a «fais attention à ...» (exhortation ou ordre);
b «en effet, ...» (raisons);
a' «donc fais attention à ...» (exhortation ou ordre renouvelés).

La sous-unité centrale (*b*: vv.9-15), où sont énoncées les motivations, se laisse facilement diviser en deux étapes argumentatives:

* des motivations basées sur la situation *présente* (vv.9-10)
- «parce qu'en lui (le Christ) réside toute la plénitude de la divinité corporellement» (rapport Christ/Dieu)

- «et qu'en lui vous avez-été-pleinement-comblés» (rapport Christ/cro-
yants)
- «lui, la tête de toute principauté et puissance» (Christ/puissances)
* des motivations basées sur les événements *passés* (vv.11-15)
- à partir de la transformation effectuée dans les croyants (vv.11-12)
.séparation de la chair et du péché (v.11): circoncision (connotation
baptismale)
.union avec Christ (v.12): mort/résurrection (connotation baptismale)
- à partir de l'agir de Dieu/Christ en leur faveur par la croix (vv.13-14),
- et du dépouillement des puissances (v.15).

Le point décisif, fortement souligné, est la plénitude reçue en Christ par
les croyants: ils sont comblés en lui, ressuscités avec lui. Manifestement,
en Christ, les croyants ont déjà tout reçu et n'ont ainsi aucun besoin de
pratiques qui supposent incomplets ou encore à atteindre les dons salvifi-
ques reçus en Christ.

3° Exégèse des versets

INTRODUCTION DE LA SECTION (vv.6-7)

6 Comme donc vous avez reçu le Christ Jésus le Seigneur, continuez à
marcher en lui, **7** enracinés et édifiés en lui, affermis dans la foi, comme
on vous (l') a enseigné(e), débordants d'action de grâces.

v.6
Ce verset et le suivant assurent la transition avec la section
relative aux pratiques ascétiques, en rappelant que la foi à l'Evangile
annoncé et reçu est le seul fondement sûr et inaliénable de l'existence
croyante.
Le verbe παραλαμβάνειν («recevoir») a la même portée que
dans les Homologoumena[1]: il ne s'agit pas d'une écoute passive, mais
d'une adhésion de toute la vie à une personne, le Christ, adhésion qui
trouve son modèle dans l'Apôtre. Le verbe résume donc bien la section
précédente (a) où Paul décrivait son combat pour les communautés:

---

[1] 1Co 11,23; 15,1.3; Ga 1,9.12; Ph 4,9; 1Th 2,13; 4,1.

comme lui, les croyants doivent combattre, (b) où l'essentiel était le Christ: les croyants ont reçu, accueilli l'Evangile, parce qu'il était venu les rejoindre chez eux par la parole de l'Apôtre, (c) où le Christ était bien l'espérance de la gloire: c'est en lui, le Seigneur (κύριος), en sa plénitude, qu'il faut marcher: l'ordre des mot du syntagme «le Christ Jésus, le Seigneur», indique bien que l'insistance est sur le dernier[2], confirmant que la problématique de la lettre est basée sur la Seigneurie et sur la plénitude du Christ.

v.7

La conduite de la communauté, que le verbe περιπάτειν («se conduire») décrivait globalement (cf.1,10), se voit précisée grâce à une série de participes, qui tracent une courbe croissante, allant du fondement christologique à l'expression parfaite de la vie croyante, l'Action de Grâces. Les modalités de la conduite ne sont pas aussi étendues qu'en 1,10-12: rien sur les bonnes oeuvres ou sur l'agir éthique; mais la raison de ce silence est obvie: la problématique du chapitre est celle de la solidité dans la foi, laquelle a pour objet le Christ Seigneur, à connaître toujours davantage pour en découvrir les richesses.

Les images de l'être enraciné et de l'être-édifié-sur, toutes deux bibliques[3], ne se trouvent accolées qu'ici et en Eph 3,18; elles rappellent celles du planter et de l'édifier (φυτεύειν + οἰκοδομεῖν)[4], reprises par 1Co 3,10-12, où Christ est aussi déclaré l'unique fondement sur lequel

---

[2] Comme le note très justement Gnilka, *Kolosserbrief*, 116.

[3] Sur l'usage figuré du substantif ῥίζα et du verbe ῥιζοῦν, voir par ex. Tb 5,14; 1M 1,10; Pr 12,3.12; Os 9,16; 14,6; Is 11,1.10; 37,31; 40,24; Jer 12,2; Ez 16,3; 17,6.7.9; Si 1,6.20; 23,25; 40,15; Sg 3,15; 4,3; 15,3.

[4] Les deux images sont devenues pratiquement inséparables depuis Jérémie. L'AT: elles furent peut-être assemblées pour la première fois par Amos (5,11; 9,14-15), et reprises systématiquement par Jérémie. Cf. Jer 1,9-10; 2,15; 6,12; 18,7-9; 24,6; 36,5.28 (TM 29,5.28); 38,4-5 (TM 31,4-5); 38,27-28 (TM 31,27-28); 38,33-36 (TM 31,33-36); 49,10 (TM 42,10). Voir également So 1,13; Is 5,2; 65,21-22. Ez 28,29; 36,36. C'est un thème porteur du Dtr: cf. Dt 6,10-11; 20,5-7; 28,30; Jos 24,13; 2Sam 7,10-12 (= 2R 7,10-12 LXX). Cf. 1Ch 17,9-10. Noter la reprise par les Deutérocanoniques: Si 49,7; 1Mac 3,56, les Pseudépigraphes: 1En 10,16-22; 62,8; 93,2; Jub 1,16-17; 7,34-37; 16,26; 21,24; Ps Salomon 14,4; 2En 70,29; 4Esd 9,22; *Antiquités* 18,10. Egalement Qumran: 1QS 8,5-6; 11,8-9; CD 1,7; 1QH 6,15; 8,5-10; 14,6.

sont édifiés (ἐποικοδομεῖσθαι, comme ici) les croyants[5].

La foi en laquelle les Colossiens doivent rester fermes, est sans aucun doute ici la foi - comme acte de croire (fides qua) et comme objet (fides quae) - au Christ Seigneur, telle que le début de la lettre l'a rappelée et reformulée et telle que les Colossiens eux-mêmes l'ont entendue proclamer et confessée.

Que l'Action de grâces soit mentionnée aussi, comme expression d'une foi forte et fondée en Christ[6], ou comme manière de marcher en lui, le changement n'est pas de taille: l'important est en effet que l'AG soit une modalité de l'être-en-Christ, son sommet même, donnant à la vie croyante son élément de gratuité et d'émerveillement que Col 2,3 appelait.

a = v.8 - AVERTISSEMENT RELATIF AUX PRATIQUES CULTUELLES

«Prenez garde à ce qu'on ne vous leurre par la philosophie et creuse duperie, selon la tradition des hommes, selon les éléments du monde, et non selon Christ».

L'impératif βλέπετε + μή («prenez garde de/que ... ne pas») commence l'argumentation[7] et en indique la fonction: cette section vise à avertir, à prévenir, en signalant où se trouve le danger (*a* et *a'*) et en lui opposant les vraies valeurs (*b*).

Le participe συλαγωγῶν[8], traduit littéralement par «(vous) emmenant comme dépouilles», semble, parce qu'il vient d'un verbe très rare, avoir une connotation forte: l'Apôtre veut ainsi montrer l'enjeu vital de la situation dans laquelle se trouvent les Colossiens: il s'agit de

---

[5] Il est possible que l'image de la racine appliquée au Christ ait ici, comme en Rm 15,12, une origine isaïenne (cf. Is 11,1), et que le lien avec celle de la fondation ou de l'être-construit-sur se soit fait grâce au binôme planter et construire.

[6] Pour rendre plus étroit le lien entre foi et AG, certains témoins ont ajouté ἐν αὐτῇ. D'autres au contraire ont lu ἐν αὐτῷ, soulignant le caractère christologique (et filial) de l'AG des croyants.

[7] Le même syntagme se retrouve en 1Co 8,9; Ga 5,15.

[8] Verbe absent de la LXX et n'apparaissant qu'ici dans le NT, composé de σῦλον (dépouille, butin) et ἀγωγή (action d'emporter) et qui signifie donc «emporter des dépouilles», «piller».

victoire ou de défaite, de vie ou de mort. Certains commentateurs[9] ajoutent qu'est aussi connotée l'intention maligne. Que le pillage suppose cela, c'est entendu, mais, comme tel, le verbe συλαγωγεῖν est descriptif (action d'emporter les dépouilles), il ne renvoie pas à l'intention des docteurs de Colosses, bien plutôt à l'état auquel les croyants risquent d'arriver: défaite totale, captivité, etc. On objectera sans doute que le terme ἀπάτη (acte de tromper) indique et suppose une intention mauvaise: c'est évident, mais il faut répéter que l'Apôtre utilise encore un substantif d'action, sans s'attarder sur une éventuelle intention malveillante, d'autant plus que les défenseurs de la «philosophie» incriminée ne pensaient pas tromper les croyants de Colosses, mais bien les ramener à la vérité.

Ce que recouvre le substantif φιλοσοφία, qui, avec le syntagme suivant («vaine tromperie») résume l'enseignement de ceux qu'on appelle les docteurs de Colosses, ne saurait être déterminé avant que soit finie l'analyse de toute la section (2,6-23), d'autant plus que les v.20-23 font inclusion avec les v.6-8: reprenant un certain nombre de termes, sous forme de conclusion, ils permettent de leur donner un contenu plus précis. La «philosophie» des docteurs ne peut donc être tracée qu'après l'exégèse de la section. Pour le moment, notons seulement que le substantif «philosophie», avec sa connotation négative, est précédé de l'article - LA philosophie -, comme s'il allait de soi, pour l'Apôtre et ses lecteurs, que tout discours philosophique est par nature trompeur. Cela signifie-t-il que dans le monde d'alors, le mot φιλοσοφία avait une acception négative? Non, puisque le judaïsme hellénistique de l'époque voulait être perçu comme une philosophie par les non-juifs[10]. Le terme

---

[9] Cf. Lohse, *Kolosser*, 144.

[10] Cf. Philon, *Leg. ad Gaium*, 156; et surtout 4 Maccabées (I° av. J.C.). Le traité commence ainsi (4Mac 1,1): «Devant discuter un sujet hautement philosophique (φιλοσοφώτατον), à savoir si la raison (λογισμός) pieuse est maîtresse des passions (πάθη), je vous conseille, comme il se doit, d'adhérer avec zèle à l'(=mon) exposé-philosophique (φιλοσοφία)»; également 5,22; 7,21; enfin deux autres passages, 7,9 (où la doctrine juive est appelée θεία φιλολοφία) et 5,11 où il apparaît clairement que le mot φιλοσοφία acquiert sa connotation négative ou positive des adjectifs ou des déterminants qui l'accompagnent. Voir encore l'usage de «philosophe» en Dn 1,20 (LXX); 4Mac 1,1; 5,35; 7,7, et du verbe «philosopher» en 4Mac 5,6.11; 7,21.24.

désignait d'ailleurs toutes sortes de groupes et d'idées, surtout religieuses[11]: sans doute parce que la philosophie se proposait de mener par
la raison à une connaissance supérieure des êtres, des principes réglant
le cosmos, de nombreuses doctrines religieuses pouvaient se donner le
nom de philosophies ou apparaître comme telles, et c'est de cette façon
que manifestement l'Auteur de Colossiens reprend le terme, sans qu'on
puisse repérer une influence précise dans l'usage qu'il en fait.

Quant au syntagme «tradition des hommes», on peut se demander
à juste titre si, comme l'indique Mc 7,7-8, où il apparaît également, il ne
reprend pas implicitement Is 29,13.

L'expression «les éléments du monde» (cf. Ga 4,3.10) a donné
lieu à de très nombreuses hypothèses[12]. Et si les commentateurs
admettent l'importance du contexte proche pour déterminer le référent[13],
ils divergent sur sa nature: certains invoquent le judaïsme, d'autres les
religions à mystères. On peut diviser le spectre des interprétations en
trois ensembles[14]: (a) l'interprétation gnoséologique: les «éléments»
comme principes ou idées rudimentaires d'un sujet d'étude[15]. En
utilisant cette expression, Paul voudrait dire que les principes suivis par
les docteurs de Colosses, loin de mener à une connaissance supérieure,
restent au contraire des éléments de connaissance purement matérielle,
incapables de faire entrer les croyants dans le domaine supérieur auquel
ils ont déjà accès, là précisément où est le Christ. (b) l'interprétation
cosmologique. Dans les écrits d'alors, les éléments sont ceux qui

---

[11] Cf. Lohse, *Kolosser*, 144-145, où l'on trouvera un bref exposé sur les acceptions du
terme. Il cite, entre autres, Flavius Josèphe, *Bell.*, 2,119; *Ant.*,18,11.

[12] Cf. L'article στοιχεῖον (par G. Delling) du *TWNT*.

[13] La signification du mot στοιχεῖον («élément d'une série»), se donne à comprendre à
partir du masculin στοῖχος (file, ligne, série), de στοιχεῖν (être aligné, marcher en file).
Parmi les référents, assez nombreux, notons que στοιχεῖον se dit aussi bien (1) de la
ligne projetée par l'ombre sur le cadran solaire, (2) des lettres de l'alphabet et des éléments ou principes d'un discours, d'une politique, (3) des éléments cosmiques (terre, feu,
eau, air; à partir du II° après J.C.: les corps célestes) et des signes du zodiaque, (4) et il
en vint (II° également) à désigner les esprits, démons ou anges censés diriger et régler
les éléments cosmiques.

[14] Cf. la monographie exhaustive de A.J. Bandstra, *Law and the Elements of the World*,
5-30; voir déjà E. Lohse, *Kolosser*, 146-149, et, récemment, P.T. O'Brien, *Colossians*,
129-132. Pour une brève synthèse, Sappington, *Revelation*, 164-170.

[15] Exégèse préférée des Pères de l'Eglise. Dominante au XIX°. Cf. le status quaestionis
en Bandstra, *Law and the Elements*, 5-30.

composent le monde, à savoir la terre, l'air, le feu et l'eau[16]. Il en est de même en Colossiens: sous l'influence du pythagorisme juif, ces éléments auraient été vus comme enchaînant les humains et leur interdisant de monter dans les lieux célestes; selon les hérétiques de Colosses, seules les pratiques ascétiques pouvaient les en libérer[17]. (c) l'interprétation cosmologique personnalisée, préférée des exégètes contemporains: les «éléments du monde» seraient les esprits animant les composants matériels de l'univers ou encore des anges, préposés à la marche de l'univers, dont il faudrait se concilier les faveurs par un culte ou des prières, afin d'obtenir une connaissance supérieure de Dieu[18]. Certains textes juifs semblent appuyer cette hypothèse: au premier siècle, on pensait que des pouvoirs spirituels contrôlaient les éléments de l'univers[19]; au demeurant, Col 2,20 ne parle-t-il pas de ces «éléments» comme de forces personnalisées? Mais la mention explicite d'une vénération des esprits préposés à la direction des éléments est de loin plus tardive (*TestSalomon* 8,2.18). Certains voient, il est vrai, en Col 2,18 («culte des anges») les premières traces d'un tel culte et une confirmation de l'hypothèse: en vénérant les puissances supérieures, on s'assure leur protection, car elles favorisent l'accès au royaume céleste

---

[16] Cf. par exemple Philon, *de aetern. mundi*, 109-110; *rer. div. her.*, 134.

[17] Le représentant le plus connu de cette exégèse est sans aucun doute E. Schweizer, *Kolosser*, 101-102, qui signale que les étoiles et corps célestes ne furent appelés «éléments» qu'à partir du II° après J.C.

[18] Cf. O'Brien, *Colossians*, 132; Martin, *Colossians*, 10-14; Percy, *Probleme*, 167; Lohse, *Kolosser*, 150; Bruce, *Colossians*, 232. Sur les anges impitoyables à châtier les pécheurs, 1En 53,3; 56,1; 62,11; 63,1; 2En 10,3; *TestAbraham* 12,1; CD 2,5. Sur leur intercession, *TestLévi* 3,5; 5,6; *TestDan* 6,2; *ApoMoïse* 35,1-4.

[19] Voir en particulier Jub. 2,2 qui, à première vue, confirme cette interprétation: «Le premier jour, Il [Dieu] créa les cieux, en haut, la terre, les eaux et tout esprit servant devant Lui: les anges de la Face et les anges de la sanctification, ainsi que les anges du vent qui souffle, les anges-esprits des nuages, des ténèbres, de la neige, de la grêle et du gel, les anges des voix, du tonnerre et des éclairs, les anges-esprits du froid et de la chaleur, de l'hiver, du printemps, de l'été et de l'automne, et tous les esprits de sa création, dans le ciel et sur la terre». Egalement, 1En 60,11.12; 43,1.2; 66,1; 75,3; 80,6; 2En 4,1.2; 1QH 10-11; *AntBibl* 38,3 (Nathaniel, l'ange qui préside au feu); *TestAbraham* 13,11 (Purouel, l'ange qui a la maîtrise du feu); etc. A la fin du premier siècle de notre ère, l'orant de 4Esd 8,21-22 dira à Dieu, en parlant des anges: «toi qu'entoure avec crainte l'armée des anges qu'un mot de toi change en vent et en feu» (faut-il y voir une allusion au Ps 104,4?).

et aux visions les plus hautes. Sont également invoqués en faveur d'une
telle interprétation tous les passages où Paul mentionne «les principautés»
et «les puissances» et qui semblent indiquer indirectement l'importance
des êtres spirituels pour les docteurs de Colosses[20]. Ainsi s'expliquerait
la nécessité de pratiques ascétiques. L'auteur de Col réagirait en ridiculi-
sant de telles pratiques, en les traitant de «traditions humaines» n'ayant
rien à voir avec Christ, dont la plénitude suffit au croyant (cf. déjà Col
1,15-20). Pour certains, selon qui l'expression vient du milieu juif, on
aurait même ici une allusion à des pratiques nécessaires (incluant même
l'obéissance stricte à la Loi juive) pour l'obtention du salut[21]. Cette
exégèse qui voit des esprits ou des anges comme référents du syntagme
«éléments du monde» est ainsi liée à celle de 2,18: il faudra examiner sa
pertinence. On peut cependant déjà affirmer sans risque d'erreur que le
syntagme est une création de l'Apôtre et non la reprise d'une expression
des philosophes ou docteurs de Colosses[22]: placés au milieu d'autres
expressions à connotation négative («vaine tromperie», «selon la tradition
des hommes», «non selon le Christ») et dont la formulation vient de
l'Auteur de la lettre, les mots «éléments du monde» indiquent aussi une
qualification négative et une origine non colossienne[23].

  Par son laconisme, le v.8 ne permet pas de dire qui sont ces «éléments du monde». Certes, il établit un clair parallélisme entre «selon la
tradition des hommes» et «selon les éléments du monde»[24], mais ce
parallélisme n'autorise pas à conclure que les deux syntagmes ont des
référents identiques. Au v.20, il est par contre possible de se prononcer,
car les versets intermédiaires (v.11-19) fournissent suffisamment de
données. De fait, les pratiques relatives à la nourriture et à la boisson
imposées par des règles de pureté (qui, selon l'Apôtre, ne représentent

---

[20] Cf. Col 1,16; 2,10.15. Sur la nature spirituelle des principautés et puissances de Col,
voir notre analyse de Col 1,16 et 2,14-15. Certains exégètes vont jusqu'à identifier les
puissances spirituelles et les éléments de l'univers. Cf. Bornkamm, «Häresie des
Kolosserbriefes». Comme le note Sappington, *Revelation*, 166, les indices susceptibles
d'appuyer cette identification manquent totalement.

[21] Cf. Bandstra, *Law and the Elements of the World*, 65; pour une critique de cette
position, voir Weiss, «Law in the Epistle to the Colossians».

[22] Contre E. Lohse, *Kolosser*, 149.

[23] Ce que confirme Ga 4,3.10, dont tous admettent la facture paulinienne.

[24] Noter que les v.20-22 mettent de nouveau en rapport les «éléments du monde» et les
traditions humaines, appelées cette fois «enseignements humains».

que des traditions humaines) sont en réalité une soumission aux éléments du monde, bref à la terre, soumission indigne de croyants libérés par le Christ et ayant désormais leur demeure avec lui aux cieux. Revenir à des règles (humaines) qui prétendent délivrer le croyant, alors qu'ils le rendent esclave des éléments du monde (que sont la nourriture et la boisson), serait tout simplement avilissant, déshonorant. Le contexte interdit donc qu'on identifie les στοιχεῖα τοῦ κόσμου avec les ἀρχαὶ καὶ ἐξουσία.[25]

b = vv.9-15 - RAISONS CHRISTOLOGIQUES
Christ et les croyants avec Lui

9 Parce qu'en lui habite toute la plénitude de la divinité *pleinement*, **10** et vous avez été comblés en lui qui est *le chef* de toute principauté et *puissance*. **11** c'est en lui aussi que vous fûtes circoncis d'une circoncision qui n'est pas de main d'homme, par le dépouillement du corps *charnel* - par la circoncision du Christ. **12** Ensevelis avec lui dans le baptême, c'est aussi avec lui que vous êtes ressuscités par la foi en la *force* de Dieu qui l'a ressuscité des morts. **13** Et vous, qui étiez morts par vos chutes et par l'incirconcision de votre chair, Il vous a faits revivre avec lui, ayant gracié toutes vos chutes, **14** ayant effacé le manuscrit, avec ses décrets, qui était contre nous, et il l'a supprimé, après l'avoir cloué sur la croix; **15** ayant désarmé les principautés et les *puissances*, Il les a données en spectacle avec assurance, *célébrant par une procession triomphale sa victoire sur* elles, en lui.

* v.9, litt.: «corporellement».
* v.10, litt.: «la tête»; «autorité».
* v.11, litt.: «de la chair».
* v.12, en grec ἐνέργεια (traduit par «énergie» en 1,29).

[25] S'il est vrai (a) que la dépendance par rapport aux anges était reconnue et nullement jugée infâmante par le judaïsme, les anges étant des êtres supérieurs chargés de régler le cours des astres et du monde, (b) que Col récuse cette dépendance pour les croyants en Christ, on ne doit pourtant pas en conclure que les éléments du monde sont, pour Col, des êtres célestes.

* v.15, litt.: «autorités».
* v.15, le verbe θριαμβεύειν signifie «célébrer une victoire par une procession».

v.9

«Parce qu'en lui habite toute la plénitude de la divinité pleinement».

La première raison fournie tient à la plénitude du Christ lui-même: «parce qu'en lui habite toute la plénitude de la divinité corporellement (σωματικῶς)».[26] On notera l'emploi du présent: le texte ne fait pas allusion au problème du Jésus terrestre, pour affirmer que la divinité habitait (au passé) en son corps même (pointe antidocète), il parle au contraire du Jésus ressuscité, au présent (κατοικεῖ). Mais cela ne rend pas plus facile l'interprétation: (a) σωματικῶς renvoie-t-il au corps spirituel du Ressuscité irradiant pleinement la gloire divine (1Co 15,44; Ph 3,21)? La phrase signifie alors que le corps spirituel du Ressuscité a toute la gloire et la puissance de la divinité. (b) L'adverbe désigne-t-il, comme dans la littérature extra-biblique[27], ce qui est réel? Le verset veut alors insister sur la réalité, comme opposée à l'ombre (Col 2,17), au rien. Interprétation que le contexte subséquent (2,17) semble imposer.

Dès les Pères de l'Eglise, σωματικῶς a été rendu de diverses manières, en sa signification et en sa désignation: 1) «pleinement» (Jérôme); 2) «vraiment», «réellement» ou «en réalité» (Cyrille d'Alexandrie; Augustin), comme opposé à ce qui ne fait qu'apparaître; 3) «par l'incarnation»[28]; 4) «dans l'Eglise», car elle est corps du Christ[29]; 5)

---

[26] Selon Lohse, *Kolosser*, 150, cette phrase reprend 1,19, pour expliquer de quelle plénitude le Christ est habité. C'est possible, mais sa fonction première est de fournir la première des raisons qui fondent la solidité de quiconque croit en Christ.

[27] L'adverbe est un *hapax legomenon* du NT et n'apparaît pas dans la LXX.

[28] Pour cette exégèse et ses représentants, voir, par ex., Lighfoot, *Colossians*, 182, où il est dit que Col 2,9 parle de l'Incarnation et complète ainsi Col 1,19 qui s'appliquait au seul Verbe éternel.

[29] Jean Chrysostome, *Homélies sur Colossiens*, VI,2 (*PG* 62 col.318). Chrysostome commence par attribuer cette interprétation à d'autres: «Certains disent qu'il parle de l'Eglise, en qui habite aussi la divinité, comme lui-même le fait entendre ailleurs 'il remplit tout en tous' (Ep 1,23)», avant de la faire sienne, sans qu'on perçoive toute la cohérence de sa position.

«dans l'univers», considéré comme le corps du Christ[30]. Sans exclure totalement la troisième interprétation, le contexte (cf. aussi le v.17) favorise évidemment la seconde (et la première); il interdit en tout cas les deux dernières, pour deux raisons au moins: (i) l'ordre de la phrase, qui sépare ἐν αὐτῷ et σωματικῶς; car, la position en début de proposition, emphatique donc, du ἐν αὐτῷ («en lui») et le rejet de σωματικῶς à la fin montrent que les deux termes renvoient à des réalités différentes: en mettant en relief le ἐν αὐτῷ, le texte indique que la plénitude de la divinité se trouve en Christ *en lui seul et en nul autre* (univers ou Eglise). (ii) Le contexte proche, en particulier le v.10: la première partie (v. 10a) ferait double emploi avec le v.9; quant à la seconde, elle nomme le Christ κεφαλή (tête), ce qui ne cadrerait pas du tout avec l'image du corps, d'autant plus que le reste de Col distingue nettement (sans les séparer évidemment) le Christ-Tête de l'Eglise-Corps.

v.10

«et vous avez été comblés en lui qui est le chef de toute principauté et puissance».

Ce verset montre qu'il ne suffit pas de dire que la plénitude de la divinité habite en Christ (v.9). A cette plénitude, les chrétiens de Colosses doivent avoir accès, sans avoir besoin de recourir aux puissances spirituelles et aux pratiques qu'on exige d'eux. La plénitude n'habite pas seulement en Christ, elle est aussi accordée aux Colossiens, à tous ceux qui sont incorporés en Christ. Et Paul ne se contente pas d'exprimer un souhait, bien plutôt une expérience actuelle[31]. Le jeu de mots πλήρωμα/πεπληρωμένοι souligne linguistiquement ce rapport: on voit comment la christologie fonctionnelle est ici basée sur une christologie «ontologique», comme disent les théologiens.

Selon d'excellents témoins tels que p[46],B,D, la relative du v.10b commence avec un neutre, ὅ ἐστιν donnant à entendre que l'antécédent n'est pas le Christ, mais le neutre πλήρωμα. On aurait tort d'en arriver à une telle conclusion: l'emploi du neutre ne signifie pas que l'antécédent soit πλήρωμα, car celui dont il s'agit est manifestement le Christ. Le

---

[30] Théodore de Mopsueste, selon la version latine de l'homélie sur Colossiens *ad loc.*: «*omnem plenitudinem deitatis* hoc in loco iterum dicit universam creaturam repleatam ab eo».

[31] Contre Lohmeyer, *Kolosser*, 106.

neutre n'a pas d'incidence sur l'interprétation, tout comme en Col 3,14: «et par dessus tout, l'agapè, qui (ὅ, un neutre!) est le lien parfait»[32].

Le v.10b revient sur la primauté du Christ: «lui qui est le chef (ἀρχή) de toute principauté (ἀρχή) et puissance (ἐξουσία)».[33] Le sens et l'implication de κεφαλή sont-ils les mêmes qu'en 1,18a? Et pourquoi le texte se contente-t-il de juxtaposer deux séries de liens, celui entre Christ et les croyants, puis celui entre Christ et les puissances, mais n'en conclut pas que les croyants ne dépendent pas/plus des puissances? Notons d'abord que le terme κεφαλή n'implique pas que le lien existant entre le Christ et les puissances soit de même nature que celui qu'il entretient avec les croyants, lesquels forment son corps; en 2,9, le lien n'est pas de type organique, de tête à corps, une tête qui ferait vivre, soutiendrait et unifierait le corps; κεφαλή implique seulement supériorité et domination. Cependant, le verset relie implicitement la plénitude que les chrétiens reçoivent en Christ et la supériorité de celui-ci sur les puissances; parce que totalement soumises au Christ, ces dernières ne peuvent ni remettre en question ni menacer la plénitude que les chrétiens reçoivent de Lui seul. Bref, ayant tout reçu en Christ, les croyants ne sont pas assujettis aux puissances, de quelque statut (angélique ou terrestre) qu'elles soient.

v.11-15

Les vv.11-12 redisent, de deux manières complémentaires, le passage qui fut celui des croyants et qui les a définitivement unis au Christ, en sa mort et sa résurrection. L'argumentation passe ainsi de la situation actuelle des croyants (v.9) à ce qui l'a produite (vv.11-15).

v.11

«c'est en lui aussi que vous fûtes circoncis d'une circoncision qui n'est

---

[32] Selon Bujard, *Untersuchungen*, 151, cela est typique du style de Col.

[33] Noter la différence entre cette affirmation et celle de 1Co 15,24 «lorsqu'il aura détruit toute principauté et puissance». En Col, les puissances sont soumises, non détruites. Le changement s'explique pour plusieurs motifs complémentaires: (a) en 1Co 15, les puissances et principautés sont ennemies, alors qu'en Col elles forment un ensemble plus étendu, formé d'êtres spirituels qui sont bons pour les uns et mauvais pour les autres. (b) En Col, la suprématie du Christ sur tous les êtres, présente et non future, vient de sa médiation créatrice - et pas seulement salvifique. (c) Col parle de réconciliation cosmique, laquelle suppose que les êtres réconciliés ne soient pas détruits.

pas de main d'homme, par le dépouillement du corps charnel - par la circoncision du Christ».

La mention de la circoncision ne renvoie pas à la pratique qu'on voulait imposer aux Colossiens - à la différence de la situation dans les Eglises de Galatie. Mais cette image, marque d'appartenance à l'Alliance pour le juif, sert le projet de Paul; à partir du rite (le fait de se débarrasser d'un bout de chair) Paul souligne la supériorité qui caractérise «la circoncision du Christ»: il s'agit d'une circoncision spirituelle, qui transforme tout l'homme, car elle le déleste de tout ce qui en lui était charnel; de plus, si, comme l'indique le contexte (en particulier les vv.16-23), s'il faut se dégager de la chair pour atteindre l'union avec le monde céleste, alors ce don a été déjà fait à *tous* les baptisés, qui peuvent donc avoir accès à la plénitude divine par leur union définitive au Christ mort et glorifié.

Le syntagme en tè apekdysei tou sômatos tès sarkos fait-il allusion à la mort du Christ[34], ou plutôt à la nouvelle condition du chrétien, qui n'appartient plus à la chair (cf. 3,9; déjà Rm 7,24; Ga 3,27)?[35] L'expression signifie alors le passage d'un ordre (celui de la chair) à l'autre (celui du Christ); interprétation confirmée par l'image de l'ensevelissement «avec Christ» au v.12[36]. On pourrait objecter que Col 1,22 va contre cette interprétation, mais il n'en est rien, car sa formulation est relativement différente: en 1,22 manque le substantif ἀπέκδυσις; en 2,11 c'est le αὐτοῦ qui fait défaut. Faut-il voir en ce syntagme un motif de la littérature hermétique, où il est plusieurs fois dit que, pour atteindre l'expérience mystique, il faut transcender le corps physique,[37] ou, encore, la reprise inversée d'un slogan des opposants, pour montrer que, grâce au baptême, le corps du chrétien s'est déjà dépouillé du charnel qui l'habitait? Les indices venant à manquer, aucune hypothèse ne s'impose. Le syntagme suivant, ἐν τῇ περιτομῇ τοῦ χριστοῦ ne fait

---

[34] Cf. Lähnemann, *Kolosserbrief*, 122; Moule, *Colossians*, 94-95; O'Brien, *Colossians*, 117; Bruce, *Colossians*, 235.

[35] Selon Lohse, *Kolosser*, 153, l'expression renverrait au rite d'initiation des cultes mystériques, où le néophyte renoncerait aux vêtements portés auparavant. L'emploi de la terminologie juive viserait à donner plus d'autorité et d'attrait au rite d'initiation. Hypothèse invérifiable.

[36] Cf. Zeilinger, *Erstgeborene*, 144-145; Martin, *Colossians*, 81.

[37] *Corp. Herm.* 13,6-7; 4,6-8.

pas davantage allusion à la mort du Christ, mais à la qualification christologique (et non patriarchale ou mosaïque) de la circoncision à laquelle le croyant a été soumis: elle l'unit au Christ, le fait entrer dans le Corps du Christ; il s'agit bien du baptême.

Le motif choisi, celui de la circoncision, qui implique une renonciation à la chair, une séparation, a pour fonction de montrer déjà que, le baptême ayant définitivement séparé ou dépouillé tous les croyants de tout ce qui était charnel, ces derniers n'ont besoin de rien d'autre, surtout pas de pratiques ascétiques et de rites spéciaux.

v.12

«Ensevelis avec lui dans le baptême, c'est aussi avec lui que vous êtes ressuscités par la foi en la force de Dieu qui l'a ressuscité des morts».

Après avoir exprimé comme séparation ou dépouillement charnel la transformation des croyants par le baptême, l'Auteur va maintenant la décrire en termes d'union: comme mort et résurrection *avec* Christ. Selon l'un ou l'autre commentateur, ce verset formerait, avec le suivant, la thèse de l'épître.[38] Les énoncés des vv.12-13 sont sans aucun doute importants par leur contenu, mais ils ne constituent pas une *propositio* en bonne et due forme (une thèse, au sens rhétorique).

Le passage ἐν τῷ βαπτισμῷ, ἐν ᾧ présente deux difficultés mineures. La première, textuelle[39], ne détermine pas l'interprétation du verset, mais peut influer sur la façon dont on se représente l'arrière-fond de Col. Par le neutre βάπτισμα Paul renvoie toujours au baptême chrétien. L'usage du masculin βαπτισμός, qui désigne le lavage par ablution pratiqué par juifs et païens[40], est-il choisi ici pour indiquer une similitude entre le rite d'entrée dans l'eau (vu comme rite de passage) et

---

[38] Pokorný, *Kolosser*, 106-112, qui se contente d'affirmer cela, sans le montrer. Le langage de cet auteur peut d'ailleurs porter à confusion, car une position forte, une thèse n'est pas nécessairement ce que le reste de la lettre va prouver et appuyer (une *prothesis* ou *propositio*).

[39] Le masculin βαπτισμός ne se trouve pas (hormis ce verset) dans les lettres pauliniennes, mais il est attesté par d'excellents témoins et constitue une *lectio difficilior*. On peut voir dans l'emploi du neutre ἐν τῷ βαπτίσματι une correction ultérieure ou une influence de Rm 6,4, dont Col 2,12 dépend, comme l'admettent la quasi-totalité des exégètes (cf. tout dernièrement Wedderburn, *Baptism*, p.74; Légasse, «Etre baptisé», 558).

[40] Cf. Mc 7,4; He 6,2; 9,10; Flavius Josèphe, *Ant.* 18,117.

la mise au tombeau, et ainsi faire du baptême une représentation sacramentelle de la mort du Christ (et de l'être-avec-Christ du croyant)? Ceux qui invoquent l'arrière-fond des religions à mystères le pensent, mais aucun indice ne permet de confirmer cette hypothèse, pour Col 2,12 comme pour Rm 6,4[41]. Au demeurant, le masculin βαπτισμός a très vraisemblment été choisi pour être accouplé au substantif περιτομή (v.11), dont l'arrière-fond est le même (juif), indiquant ainsi que le baptême en Christ reprend et unifie deux rites juifs de passage et de conversion. La seconde difficulté, syntaxique, ne provoque pas de gros changements, que le relatif (ἐν ᾧ) renvoie au Christ[42] ou au baptême[43]. Mais le composé συν-εγείρειν signifie «ressusciter-avec», comme en Col 3,1; et si le relatif ἐν ᾧ a Christ pour référent, la phrase devient maladroite et chargée: «en lui, Christ, vous êtes ressuscités-avec»; si, au contraire, le ἐν ᾧ se rattache à l'antécédent le plus proche, le baptême, alors le style et le sens s'en trouvent éclairés: «dans/par le baptême, vous êtes ressuscités avec Christ».

La difficulté majeure du verset vient de ce que pour la première fois, une lettre paulinienne parle de la résurrection comme d'un état déjà obtenu. Si dans les Homologoumena (cf. Rm 6,4-8) la résurrection était encore un bien de la fin des temps, elle est ici exprimée au passé, comme un effet du baptême. Manifestement l'Auteur n'entend pas dire que les croyants ont déjà le corps glorieux que la résurrection leur assurera à la fin des temps. Il s'agit donc d'un emploi dérivé, qui dissocie ce que les Homologoumena maintenaient ensemble, vie ressuscitée et gloire avec Christ: car, en Rm 6,1-14; 8, et 1Co 15 par exemple, la résurrection avec Christ implique une totale transformation du corps terrestre, mieux: sa glorification, puisque, par elle, les croyants irradient la gloire divine, avec et comme le Ressuscité, leur gloire étant la sienne, indissociablement[44].

---

[41] Hypothèse contestée, de manière forte, par Wedderburn, *Baptism*, 360-392. Voir également Légasse, «Etre baptisé», 555.

[42] Cf. Lohse, *Kolosser*, 156 note 4, selon qui le relatif devrait en principe être relié à son antécédent immédiat, le mot βαπτισμός, mais les différents ἐν ᾧ du contexte renvoyant tous au Christ, il convient davantage de traduire «... par le baptême; en lui, le Christ, vous êtes ressuscités...»; également Gnilka, *Kolosserbrief*, 134.

[43] Ainsi, Schweizer, *Kolosser*, 146; Fowl, *Hymnic Material*, 142.

[44] Cela explique pourquoi, dans la perspective eschatologique paulinienne, une résurrection pour la condamnation et le feu éternel, comme en Jn 5,29 par ex., est inconcevable.

Or Col 2,12-13 et 3,1-4 font une distinction entre le déjà là de l'être-ressuscité avec Christ - que les Homologoumena appelaient la vie nouvelle et transformée du baptisé[45] -, et la manifestation finale où les croyants seront dans la gloire avec leur sauveur. On peut expliquer de plusieurs façons ce glissement de vocabulaire. (a) Nous avons déjà constaté que Col joue avec les propositions: tout a été créé en, par et pour Christ; tout a été réconcilié par et pour lui. Si, parce qu'en Col 1,15-20 il mettait en valeur la prééminence du Christ sur tous les êtres aussi bien célestes que terrestres, l'Auteur devait éviter le «avec lui»; maintenant qu'il décrit la vie des croyants en termes d'union et de plénitude christique[46], il peut au contraire montrer comment les croyants sont dès maintenant unis à leur Seigneur, en reprenant le σὺν Χριστῷ des Homologoumena (spécialement Rm 6,4-10), autrement dit en restant dans la mouvance de l'écriture paulinienne. (b) Les syntagmes σὺν αὐτῷ ou leurs équivalents précisent sans aucun doute les ἐν αὐτῷ ou ἐν Χριστῷ[47]: si tout le créé subsiste en Christ, le mode d'être «en Christ» propre aux croyants s'exprime par une union personnelle, un être-avec, une vie unique, celle même du Christ. Ces raisons, basées sur l'écriture de Col et sa logique, y expliquent mieux la présence des σὺν Χριστῷ qu'un emprunt aux religions mystériques ou à la liturgie des premières communautés[48].

La résurrection des croyants avec le Christ a eu lieu parce qu'ils ont cru «en la force de Dieu qui l'a ressuscité des morts»[49]. Comme le dit un commentateur, là où l'on s'ouvre à la puissance de Dieu dont

---

[45] Cf. Rm 6,4; 7,6; 8,10-13; 2Co 5,17; Ga 2,19-20; 6,15; Ph 1,20-21. Rm 6,13 amorce le déplacement, puisqu'il parle de la vie présente du baptisé comme d'une résurrection: «présentez-vous à Dieu comme si (ὡσεί) sortis vivants d'entre (les) morts». Col a fait tout simplement sauter le «comme (si)» et ajouté le «avec lui».

[46] En Col, l'Esprit Saint est nommé une seule fois, en 1,8 - et l'adjectif πνευματικός en 1,9; 3,16. Ces rares occurrences ne doivent pas faire penser à une carence: focalisant sur la christologie, l'Auteur n'a fait que mentionner en passant des aspects pourtant importants de la vie des baptisés.

[47] Dans le même sens, Lohse, *Kolosser*, 158, parle de progression de ἐν αὐτῷ à σὺν αὐτῷ, sans que le sens soit fondamentalement changé.

[48] A ce sujet, voir la bibliographie et le bref status quaestionis fournis par Lohse, *Kolosser*, 157. A la bibliographie, ajouter Légasse, «Etre baptisé».

[49] Sur l'expression «Dieu l'a ressuscité des morts», voir les Homologoumena (Rm 4,24; 8,11.34; 10,9; Ga 1,1; 1Th 1,10) et Ep 1,20.

témoigne l'Evangile et à l'oeuvre en lui, la nouvelle vie est là[50]. Ainsi est mise en valeur l'importance décisive de l'acte de foi (fides qua), comme dans les Homologoumena[51]: ici s'impose la teneur paulinienne d'un verset qui, à première vue, ne l'est pas[52]!

v.13

«Et vous, qui étiez morts par vos chutes et par l'incirconcision de votre chair, Il vous a faits revivre avec lui, ayant gracié toutes vos chutes».

Même si les oppositions établies dans les vv.11-12 se continuent au v.13 avec d'autres champs sémantiques (mort/vie, chute/être-gracié), qui expriment encore le mode d'être-avec-Christ de l'existence croyante, syntaxiquement les changements sont pourtant de taille, car les croyants ne sont plus sujets des passifs («vous avez été circoncis», etc.); les verbes sont désormais à l'actif, sans qu'on puisse facilement déterminer si le sujet en est Dieu ou le Christ. Si l'on tient compte des passifs théologiques des vv.11-12, et si l'on considère les versets parallèles en Ep (cf. 2,1.5), il est tentant de faire de Dieu le sujet des verbes συνεζω-ποίησεν et χαρισάμενος. De même, au v.12, Dieu est mentionné, certes au génitif, mais aussi comme sujet d'une action, celle de ressusciter le Christ: «par la puissance de Dieu qui a ressuscité le Christ d'entre les morts»; n'est-ce pas le même agir puissant, celui de Dieu, qui continue au v.13? Mais on doit aussi ne pas oublier un phénomène stylistique semblable à celui de Col 1,12-23, à savoir l'ellipse de Dieu comme sujet des actions, avec pour effet immédiat la mise en relief de la médiation du Christ: à la limite, peu importe le sujet des verbes, car Dieu et le Christ sont ici agissants.

L'avant baptême est entièrement interprété comme être-mort et comme séparation à laquelle s'oppose le vivre-avec-Christ. L'être-mort était dû, ajoute le texte, «aux chutes et à l'incirconcision de la chair». Plus que les transgressions à des commandements précis, l'Auteur retient

[50] Lohse, *Kolosser*, 159.
[51] Cf. par exemple, Rm 4,17-22.
[52] Faut-il rappeler que les v.12-13 s'inspirent de Rm 6,1-5 et en modifient le contenu, à la fois par omissions et ajouts? Cf. S. Légasse, «Etre baptisé».

ici la non adhésion à la volonté divine[53], qui est identiquement incirconcision (du coeur), refus de renoncer à la chair. Et, comme les vv.11-12,
celui-ci finit par le pôle positif de l'opposition, par la vie-avec-Christ et
le pardon gracieux. Avec ces trois séries d'images, l'Auteur a exprimé
comment les croyants pouvaient être associés à la plénitude même du
Christ.

v.14

«ayant effacé le manuscrit, avec ses décrets, qui était contre nous, et il
l'a supprimé, après l'avoir cloué sur la croix».

Ces deux versets sont d'une difficulté proverbiale et ont suscité
de nombreuses études, en particulier sur l'histoire de la rédaction[54]. Le
nombre des *hapax legomena* présents en 2,14-15 est en effet impressionnant[55], et l'on est en droit de se demander si l'Auteur ne reprend pas
simplement un passage de facture hymnique et, comme le suggèrent certains[56], d'origine baptismale. Malheureusement, comme pour la reconstruction de Col 1,15-20, les différences entre exégètes sur l'étendue et la
nature des emprunts sont telles qu'on peut douter arriver un jour à des
résultats fiables. On montrera d'ailleurs qu'une compréhension du
passage à partir de son arrière-fond ne peut mener qu'à des impasses:
mieux vaut s'en remettre à la logique de Col, aux raisons qui ont
déterminé sa christologie haute.

Si l'arrière-fond du v.14 n'a rien d'évident, on ne doit pas perdre
de vue l'essentiel, à savoir sa sotériologie, qui avec d'autres mots, mais
dans la même ligne que les Homologoumena, redit l'aspect décisif de
l'événement de la croix, par lequel Dieu a tout effacé et a gracié tous les
pécheurs.

---

[53] Le terme est utilisé par Paul en Rm 5,15-20 pour décrire la désobéissance d'Adam, et
il est probable qu'ici l'Auteur de Col entende toute l'histoire de l'humanité (d'Adam,
donc) à cette lumière, comme série de transgressions de la volonté divine. A propos de
la mort du Christ à cause/pour les παραπτώματα, voir Rm 4,25; 1Co 15,3. L'arrière-
fond est encore paulinien.

[54] Pour une histoire de l'exégèse de ce verset, voir E.C. Best, *An Historical Study of the
Exegesis of Colossians 2,14*.

[55] *Hapax legomena* (1) pour le NT: le substantif χειρόγραφον, les verbes προσηλοῦν
et ἀπεκδύεσθαι; (2) pour le corpus paulinien: l'adjectif ὑπεναντίος, les verbes
ἐξαλείφειν et δειγματίζειν.

[56] Par ex., Wengst, *Christologische Formeln*, 186-194.

1° Le document (χειρόγραφον).

D'après les dictionnaires et les commentaires[57], il s'agit d'un document écrit liant celui qui le signe, en particulier un papier de reconnaissance de dette[58]. Noter, en Phlm 19, une expression qui peut éclairer le terme, car les deux composantes s'y trouvent, bien que dissociées: «Moi, Paul, j'ai écrit (ἔγραψα) de ma main (τῇ ἐμῇ χειρί), je paierai (ou dédommagerai)». Un tel usage, bien attesté, a fait conclure: «Il semble meilleur de lire χειρόγραφον comme une reconnaissance de dette signée, comme un IOU (I Owe You)»[59]. Mais donner au terme cet usage spécifique, parce qu'il est attesté à l'époque, est-ce vraiment la meilleure solution? Ne peut-on pas l'entendre plus génériquement, comme manuscrit, sans d'ailleurs que la main qui l'a écrit soit nécessairement celle d'un homme? Pourquoi exclure, par exemple, celle d'anges, accusateurs ou autres?[60] Il faut d'ailleurs se demander pourquoi l'Auteur de Col n'a pas repris les substantifs utilisés ordinairement pour désigner un livre divin (qu'il soit ou non «le livre de vie»)[61] et leur a préféré un mot rare, pour lequel le contexte ne fournit pas de désignation certaine. Une chose semble cependant certaine: si Col 2,14 utilise un

---

[57] J.H. Moulton - G. Milligan, *The Vocabulary of the Greek Testament*, London, 687. Dans la littérature extra-biblique,le terme apparaît dans ces documents légaux et commerciaux non officiels; voir A. Deissmann, *Light From the Ancient East*, London 1927, 332-334; Best, *Historical Study of the Exegesis of Colossians 2,14*.

[58] Cf. les deux occurrences du mot dans la LXX, Tob 5,3; 9,5.

[59] Fowl, *Hymnic Material*, 142.

[60] L'hypothèse d'un document rédigé par des anges a été récemment défendue par Sappington, *Revelation*, 214-217, à partir de l'*Apocalypse de Sophonie* (appelée par Steindorff «apocalypse anonyme»), dont on ne possède que deux versions coptes tardives (au moins IV° de notre ère), en dialecte akhmimique et sahidique, reprenant vraisemblablement un original grec. La version akhmimique, suivie par Sappington, mentionne plusieurs fois, et en grec, le terme χειρόγραφον (n°3,4,11,12), qui désigne deux manuscrits célestes différents: dans le premier sont consignés les bonnes actions des justes (n°3), et dans l'autre tous les péchés des hommes (n°4), même ceux du voyant (n°11-12).

[61] Cf. Is 65,6a; Dn 7,10; Apo 20,12. Egalement Jub 39,6; 1En 81,1-2, où l'ange Ouriel dit à Hénoch: «Regarde les tablettes célestes, lis ce qui y est écrit et apprends-en tout le détail. J'ai regardé les tablettes célestes, j'ai lu tout ce qui était écrit et j'ai tout appris. J'ai lu le livre de tous les actes des hommes, de tous les enfants de la chair (vivant) sur la terre, jusqu'à la génération finale».

terme qui ne désigne pas (directement ou non, peu importe ici) le livre
divin, c'est que manifestement il entend souligner l'*origine non divine*
d'un document que Dieu a précisément annulé. En faveur d'une écriture
angélique, on peut invoquer le verset suivant (Col 2,15), qui mentionne
les puissances - susceptibles d'être les auteurs du χειρόγραφον -, et,
comme témoin externe, l'*Apocalypse de Sophonie*, où, plusieurs composantes rappelleraient celles de Col 1,12-14 et 2,14-15: (a) la présence du
terme χειρόγραφον, (b) la victoire des élus sur leur accusateur
(κατήγορος), (c) due entièrement à la miséricorde divine, (d) et marquée
par un passage au ciel[62].

2° Les décrets (δόγματα)

Le δόγμα est un décret (pouvant consister en un jugement de
tribunal, ou en un ordre, ou en une décision) qui oblige[63]. Le datif (τοῖς
δόγμασιν) fait question, et plusieurs exégètes le considèrent comme un
ajout. On peut le rattacher (a) au participe aoriste ἐξαλείψας[64]: «ayant
annulé par des décrets»; mais une telle solution malmène trop la syntaxe;
(b) à la relative: «(manuscrit) qui, à cause des décrets, nous était
contraire»[65], solution élégante, qui doit malheureusement changer
légèrement l'ordre des mots; (c) on peut enfin respecter le tracé
syntaxique et faire de τοῖς δόγμασιν un datif qualifiant χειρόγραφον,
directement ou non - en supposant par exemple un participe - «le
manuscrit, avec les décrets, manuscrit qui était contre nous»[66].

Mais de quels décrets s'agit-il? (a) Plutôt que de décrets, on a
préféré lire δόγμα en son sens fondamental de «décision» et traduire
ainsi le verset: «notre autographe d'auto-condamnation avec toutes les
décisions personnelles»[67]; mais ce sens («décision personnelle, obligeant
celui qui la prend») ne semble pas attesté à l'époque. (b) Les décrets de
la Loi? On a alors affaire à un datif de référence, et le v.14a sera traduit
ainsi: «le manuscrit mentionnant les fautes relatives aux décrets (de la

---

[62] Sappington, *Revelation*, 216-217. Sur l'ascension des âmes élues au ciel et la descente
des méchants au monde inférieur, voir *ApoSoph* 14-15.
[63] Cf. Lc 2,1; Ac 16,4; 17,7; Ep 2,15.
[64] Ce verbe a des résonnances bibliques. Cf. Ps 50-51,1.9; Is 43,25. Dans le NT: Ac 3,19.
[65] Cf., par ex., Lohse, *Kolosser*, 160.
[66] Cf. Lightfoot, *Colossians*, 187-188, suivi par beaucoup d'autres.
[67] Carr, *Angels*, 58. Cf. l'expression δόγμα ποιεῖν, «prendre une décision» (qui oblige).

Loi)». Mais les commandements de la Loi (mosaïque) ne sont jamais nommés de cette façon par Paul (cf. ἐντολαί), à la différence du judaïsme; (c) les commandements de l'Evangile? Cette interprétation, suivie par un certain nombre de Pères Grecs, n'a pas plus de support lexicographique que la précédente; (d) Le contexte proche, Col 2,20, utilise le verbe δογματίζομαι, qui vise la sujétion aux règles ascétiques, alimentaires et cultuelles. Dans ce cas, les décrets de 2,14 seraient les règles de préparation ascétique (pouvant d'ailleurs inclure des prescriptions de la Loi mosaïque) destinées à ceux qui voulaient bénéficier du culte spirituel et des visions supérieures[68]. (e) Ou encore, les décrets de punition que les anges accusateurs exigeaient à l'encontre des humains et l'on paraphrasera alors le v.14a comme suit: «ayant annulé le document où sont consignés les actes des hommes, avec les décrets les condamnant, et qui nous était donc contraire»[69]. Le référent de chaque mot dépendant de ses voisins, il est encore impossible de donner une réponse nette: le reste de l'analyse montrera le bien-fondé des interprétations (d) et (e), plus complémentaires qu'opposées.

3° La dette et son annulation.[70]
        Les différentes interprétations ont récemment fait l'objet d'une présentation synthétique mettant bien en valeur l'énigme constituée par le verset[71]:
(a) Col 2,14 interprété à partir d'Ep 2,15. Le document (avec les décrets) serait la Loi mosaïque et ses commandements[72]; en abolissant la Loi, le Christ a annulé tout ce que nous encourions par nos désobéissances. Des réserves ont été formulées à l'encontre de cette solution: Si le document est un IOU, un document écrit par la main de l'humanité pour reconnaître une dette (envers la divinité), on voit mal comment ce document pourrait être la Loi - à moins qu'elle n'ait été écrite par Moïse *au nom de l'humanité*, ce qui irait contre toute la tradition biblique. Et dans les épîtres pauliniennes, ce n'est pas la Loi qui fut clouée à la croix,

---

[68] Yates, «Colossians 2,14», 257.
[69] Telle est plus ou moins la paraphrase de Sappington, *Revelation*, 219.
[70] La phrase καὶ αὐτὸ ἦρκεν ἐκ τοῦ μέσου peut être traduite: «il l'ôta complètement». Cf. Carr, *Angels*, p.58.
[71] Yates, «Colossians 2,14», 248-259, article auquel on se référera pour les détails.
[72] Voir les commentaires de Lightfoot, Abbott, Williams, Scott, Moule.

mais le croyant (Ga 2,19b), qui est ainsi mort avec le Christ à cette même Loi; Col 2,14 représenterait donc un écart sensible par rapport aux Homologoumena.

(b) Annulation du pacte (d'Adam et de l'humanité après lui) avec Satan. Mais, nulle part, dans la Bible, dans la littérature juive, dans le NT et le corpus paulinien en particulier, il n'est fait mention d'un tel pacte écrit entre l'humanité et Satan.

(c) Dans l'hypothèse d'un document IOU, la reconnaissance de dette aurait Dieu pour destinataire. Le verset est ainsi lu comme une métaphore de l'annulation des péchés, perçus comme dette envers Dieu. Interprétation de loin la plus courante, des Pères (Irénée) à aujourd'hui. Certains pensent qu'il pourrait y avoir ici une allusion à un passage comme celui des malédictions de Dt 27,14-26, et le pronom à la première personne du pluriel («nous», c'est-à-dire «nous tous») donne à entendre qu'il faut aussi y inclure les Gentils.

(d) Dans la même ligne, plusieurs exégètes voient le document comme une métaphore renvoyant à ces nombreuses reconnaissances de dette envers la divinité trouvées sur des stèles pénitentielles en Asie Mineure[73]; mais le fait n'est attesté qu'à partir des II-III° siècles de notre ère. Puisque le χειρόγραφον, comme document commercial courant, était bien connu des habitants de l'Asie Mineure d'alors, il est inutile de recourir à une pratique cultuelle qui semble postérieure. La métaphore, bien ancrée dans la vie quotidienne des destinataires de la lettre, n'a pas besoin d'un autre arrière-fond pour faire sens ici. L'Apôtre applique le rapport reconnaissance-de-dette/annulation-de-la-dette au péché de l'humanité et à toutes les pratiques supposées nécessaires pour éponger cette dette. Selon l'un ou l'autre exégète[74], cette dette (envers Dieu, plutôt qu'envers les puissances spirituelles) aurait été une barrière entre les Colossiens et la plénitude recherchée, dette que les opposants disaient pouvoir être dépassée en adhérant aux demandes de la «philosophie» mentionnée au v.8.

(e) Si le χειρόγραφον désigne le livre divin dont parlent tant d'écrits

---

[73] Carr, *Angels*, 55-56, avec une bibliographie à la note 33 de la p.189.
[74] Fowl, *Hymnic Material*, 142.

juifs intertestamentaires et où sont consignés les péchés des hommes[75], alors l'annulation de la dette consiste en un pardon gracieux de ces péchés et en un effacement total, définitif, des péchés énumérés et pour lesquels on (les Anges?) exigeait réparation.

La pertinence de ces hypothèses, pas toutes incompatibles d'ailleurs, dépend de l'interprétation globale des v.14-15.

v.15

«ayant désarmé les principautés et les puissances, Il les a données en spectacle avec assurance, célébrant par une procession triomphale sa victoire sur elles, en lui».

1° Le participe ἀπεκδυσάμενος.

Cette forme soulève les plus grosses difficultés, et à plusieurs niveaux, comme le notent tous les commentaires, à cause de sa rareté[76] et de la syntaxe du passage. Le participe moyen a-t-il ou non un sens actif? La plupart des commentaires optent pour le sens actif, mais avec une connotation négative ou polémique («ayant dévêtu» au sens de «ayant dépouillé», «ayant désarmé»)[77], alors que d'autres y voient une

---

[75] Interprétation suggérée pour la première fois, semble-t-il, par Blanchette, «Cheirographon». Selon Bandstra, *Law*, 166, ce livre serait la représentation céleste de notre corps de chair et de péché, celui-là même que Christ cloua sur la croix, rendant vaines les accusations formulées par les puissances mauvaises et sataniques. Et, encore récemment et avec des variantes, Martin, *Colossians, ad loc.*; Lincoln, *Paradise*, 113-114; Sappington, *Revelation*, 215-217.

[76] A la différence de ἐκδύειν/εσθαι, le verbe ἀπεκδύειν/εσθαι n'est pas employé, jusqu'à preuve du contraire, dans les écrits grecs et hellénistiques (y compris les versions grecques de la Bible) antérieurs au NT, où il n'apparaît d'ailleurs, à l'instar du substantif ἀπέκδυσις, qu'en Col (2,11; 2,15; 3,9). Lightfoot, *Colossians*, 189-192, a magistralement et pour la première fois traité systématiquement les difficultés proverbiales de ce verset, des Pères grecs à la fin du siècle dernier. Nous suivrons ici les étapes proposées par lui et suivies par tous les commentateurs après lui.

[77] Cf. Lohse, *Kolosser*, 141 et 165; Martin, *Colossians*, 86-87 («il désarma»); Schweizer, *Kolosser*, 105 (comme Martin); Gnilka, *Kolosserbrief*, 118 («dévêtit»); O'Brien, *Colossians*, 127; Bruce, *Colossians*, 107.111; Pokornỳ, *Kolosser*, 93 et 118 (même traduction que Martin et Schweizer). Egalement, l'étude de C. Burger, *Schöpfung*, p.103. Pour ces exégètes, les puissances mentionnées en 2,15 sont soit les puissances démoniaques, soit les puissances spirituelles dépossédées de leur pouvoir (discrétionnaire) sur l'humanité.

connotation positive: «ayant mis à découvert (au sens de faire connaître) les principautés et les puissances»[78]; selon eux, le participe et l'indicatif qui suit (ἐδειγμάτισεν) n'ont aucune nuance agressive, car une inimitié entre les puissances et Dieu ne va pas avec le reste de Col, où Dieu est le créateur tout-puissant des êtres célestes (1,16) et le Christ leur chef absolu (2,9). La traduction de tout le verset devient ainsi, en une série quelque peu tautologique: «ayant mis à découvert les principautés et les puissances, Il (Dieu) les exposa ouvertement, les faisant connaître en lui (Christ)». Refusant le sens actif (dévêtir, voire dépouiller quelqu'un), à cause du contexte proche, à savoir Col 3,9, où la nuance réflexive est évidente[79], certains exégètes pensent que le participe doit être rendu de la même façon: «s'étant dévêtu lui-même». Le sujet du verbe est alors le Christ. Mais de quoi ce dernier s'est-il donc dévêtu (ou dépouillé)? A cause de la mention de la croix, à la fin du v.14, ainsi que de Col 2,11 («l'action-de-se-dévêtir du corps de chair»), où l'Apôtre utilise le substantif de même racine ἀπέκδυσις, et de 3,9 («vous étant dévêtus du vieil homme»), on peut, avec les mêmes exégètes, supposer qu'il s'agit du corps de chair, et l'on traduira alors: «s'étant dévêtu lui-même (de sa chair, par la mort)». Cette lecture a été récemment remise en vigueur[80]. Notons cependant que la suite participe + accusatif favorise le sens adversatif («s'étant dévêtu/dépouillé des principautés et des puissances»), comme en Col 3,9; si l'ordre syntaxique était différent (ἀπεκδυσάμενος ἐδειγμάτισεν τὰς ἀρχὰς καὶ τὰς ἐξουσίας), l'autre lecture s'imposerait; on objectera sans doute que Paul utilise les verbes ἐκδύεσθαι et ἐνδύεσθαι à l'état absolu en 2Co 5,3.4. Mais, en ces versets, toute ambiguïté syntaxique est exclue, alors qu'en Col 2,5, pour interpréter de la même façon, il faut oublier l'accusatif qui suit immédiatement, restituer un pan entier de phrase pour trouver - selon quels critères d'ailleurs? - le référent ad hoc (quitter-le-corps-charnel par la mort); tout compte fait, considérer les deux accusatifs pluriels comme les compléments de ἀπεκδυσάμενος est syntaxiquement plus naturel et sémanti-

---

[78] Egan, «Lexical Evidence», 53; Carr, *Angels*, 59, refuse également la connotation «dépouiller»; il faut, selon lui, en rester au sens «dévêtir» et laisser à la voix moyenne sa force réflexive: «s'étant dévêtu de sa chair (par la mort en croix)».

[79] Pour le problème grammatical, voir Col 3,9.

[80] Yates, «Colossians 2.15», 580-583. C'était déjà la lecture faite par de nombreux Pères latins.

quement plus fondé. Deux traductions sont alors possibles et autorisées: «s'étant dépouillé des principautés et des puissances», si l'on tient à la nuance réflexive, ou bien «ayant dépouillé/désarmé les principautés et les puissances», si l'on opte pour le sens actif. Même si ces deux traductions ne s'opposent pas, la seconde convient davantage, car, au niveau syntaxique, le sujet probable est Dieu, et le participe moyen exprime moins la réflexivité («se dévêtir de»[81]) que l'avantage retiré par le sujet de l'action: il dépouille les puissances pour lui-même, pour son propre bénéfice. Les exégètes qui préfèrent le sens réflexif pour ἀπεκδυσάμενος ont tous fait du Christ le sujet des actions du v.15 (il se dépouille, il expose, il emmène en sa procession triomphale) et, par contre-coup, des versets précédents; le ἐν αὐτῷ qui clôt le v.15 désigne alors la croix (mentionnée au v.14), lieu à partir duquel la métaphore de la procession triomphale fonctionne.

2° Les principautés et les puissances.

Qui sont-elles? Un point est sûr: l'exégèse de Col 1,16 a montré que par *«puissances et autorités» Col entend les êtres supérieurs spirituels*. L'Apôtre utilise deux fois l'article défini et dit «LES puissances et LES autorités», sans les qualifier: cela signifie-t-il que toutes[82], bonnes ou mauvaises, ennemies ou amies (de Dieu et/ou des humains) sont incluses? Pour avoir quelque valeur, l'interprétation doit s'interroger sur cette indistinction et l'extension qu'elle pourrait impliquer.

La désignation dépend en partie de la connotation choisie pour

---

[81] Cela impliquerait que Dieu (ou le Christ) se soit auparavant «vêtu des puissances»: quel sens donner à une telle expression, qui n'a d'ailleurs pas son équivalent dans la littérature de l'époque? Dans les Psaumes, Dieu a revêtu la beauté et la puissance (Ps 92,1, LXX): l'emploi de substantifs abstraits est une figure de rhétorique commune dans les écrits bibliques.

[82] La variante textuelle «les puissances et autorités» (l'article s'appliquant aux deux substantifs et renvoyant à une seule catégorie) importe peu pour le point qui nous occupe ici. L'article défini de 2,15 implique-t-il une extension aussi grande que l'adjectif πᾶς de Col 2,10 (πάσης ἀρχῆς καὶ ἐξουσίας), ou bien indique-t-il seulement une classe d'êtres? Noter que l'article des syntagmes τὰ ἐπὶ τῆς γῆς et τὰ ἐν τοῖς οὐρανοῖς de Col 1,20c n'indiquerait pas nécessairement une extension maximale (ne concernerait pas tous les êtres de la classe) s'il n'y avait le τὰ πάντα de 1,20a - que les syntagmes de 1,20c ont pour fonction d'expliciter et préciser.

les verbes ἀπεκδυσάμενος et ἐδειγμάτισεν. Tous les référents ont pratiquement été proposés: puissances terrestres ou humaines - magistrats, empereurs et toute sorte de pouvoir -, cosmiques personnifiées, démoniaques, angéliques. Mais à lui seul le référent ne détermine pas toute l'interprétation; nous avons en effet vu que la relation peut être négative ou positive. Ceux qui y voient des pouvoirs démoniaques, comprennent évidemment le verset comme une victoire. Mais si le passage s'applique aux anges qui restèrent soumis à Dieu, deux voies sont encore possibles. (a) Celle déjà mentionnée à propos de ἀπεκδυσάμενος, et selon laquelle rien de négatif n'est fait contre ces anges: Dieu (ou le Christ) les expose au contraire en public, avec fierté, comme un général vainqueur le fait de ses officiers et soldats fidèles, ainsi que le suggère l'image du triomphe[83]; et si la procession céleste du Christ et de ses anges se donne à voir publiquement, cela ne signifierait-il pas que loin d'être réservée à une minorité ésotérique ou obtenue par des pratiques ascétiques, cette procession est au contraire proposée aux regards de tous les croyants en Christ[84]? (b) Ou bien le verset dit que Dieu/Christ a privé les anges d'une autorité qu'ils avaient sur les humains avant la mort en croix, ainsi par exemple les anges que le judaïsme considérait comme chargés de faire observer la Loi[85] ou ceux qui étaient chargés d'exécuter les sentences punitives à l'encontre des humains pécheurs[86]. Mais, si ces anges n'ont en rien désobéi à Dieu, on voit mal pourquoi ils seraient exposés en public, à moins que ce ne soit pour souligner leur dépouillement et leur soumission en une procession céleste où ils exprimeraient leur vénération humble à ce Dieu tout-

---

[83] Cf., tout récemment Yates, «Colossians 2.15», 580. Christ (sujet des verbes) conduit en procession son armée triomphale.

[84] Cf. Yates, «Colossians 2.15», 583.

[85] Cf. M. Cambe, «Puissances célestes», 163: «les êtres célestes ont perdu, depuis la mort du Christ, tout droit de plier les hommes à un régime d'observances».

[86] Sur les anges exécuteurs des fléaux et des jugements divins, voir l'Apocalypse de Jean (9,2; 9,15; 15,6; 16,1ss). Motif relativement récurrent dans la littérature juive (spécialement apocalyptique) de l'époque: sur les anges (bons et méchants selon les textes) chargés des châtiments, voir 1En 53,3; 56,1; 66,1. 1En 63,1 vaut d'être cité: «En ce temps-là les puissants et les rois maîtres de l'aride supplieront les anges du châtiment, auquel ils auront été livrés, de leur accorder un peu de repos afin de se prosterner devant le Seigneur des Esprits, de L'adorer et de confesser leur péché devant Lui».

puissant et à son Christ. (c) Si, avec certains exégètes[87], on interprète ces versets à la lumière de Col 1,13-14, on conclura que la remise des dettes ou le pardon des péchés (2,13-14; cf. 1,14) va de pair avec l'arrachement au pouvoir des Esprits qui accusaient, menaçaient les humains et agissaient comme des forces ennemies; le pardon accordé par Dieu aux croyants les a dépouillées, réduites à l'impuissance et manifesté leur actuelle faiblesse (2,15; cf. 1,13a).

3° Sens et connotation de ἐδειγμάτισεν ἐν παρρησίᾳ.

Si δειγματίζω signifie «donner en spectacle», la connotation dépend évidemment de la finalité: pour être en butte aux vexations et moqueries des spectateurs, ou au contraire pour être applaudi et admiré, voire imité[88]? Or le choix dépend de la façon dont on comprend le verset dans son ensemble: «avec pleine assurance, il (Dieu ou le Christ) les a livrés à la moquerie», ou bien «il les a fièrement fait connaître» (et ce, afin que tous les croyants sans exception puissent voir l'hommage qu'ils lui rendent)? Répétons que ces lectures opposées ont chacune leur cohérence, mais qu'il importe de déterminer leur compatibilité et leur pertinence.

4° Le participe aoriste θριαμβεύσας[89].

Le verbe θριαμβεύειν est un latinisme (cf. *triumphare*)[90], il désigne non la victoire, mais la célébration, à Rome, par une procession

---

[87] Sappington, *Revelation*, 212-213.

[88] Selon Egan, «Lexical Evidence», 53, δειγματίζειν signifie «exposer en exemple», sans la nuance péjorative qu'a le composé παραδειγματίζειν («déshonorer»). En réalité, l'autre occurrence du NT, Mt 1,19, montre le contraire; même connotation péjorative attestée pour le substantif δειγματισμός par certains papyri (cf. le BAGD).

[89] Sur le triomphe dans l'Antiquité, sur son histoire et l'évolution de sa fonction, voir l'étude exhaustive de Versnel, *Triumphus*. Pour Col 2,15, cf. également Williamson, «Led in Triumph»; Egan, «Two Pauline Passages»; Hafemann, *II Corinthians 2.14-3.3*; Breytenbach, «thriambos»; Duff, «Led in Triumph»; Yates, «Colossians 2:15».

[90] Selon Blass-Debrunner, *Grammatik*, n°5, l'évolution linguistique serait la suivante: θρίαμβος désignait originellement, en Asie Mineure, les chants et le cortège de fête en l'honneur de Dionysos et s'appliquait (comme surnom) à Dionysos même. Moyennant un passage par l'étrusque, devenu *triump(h)us* en latin, le mot en vint à désigner la célébration des généraux vainqueurs, désignation qui serait rétroactivement revenue sur θρίαμβος, le verbe grec θριαμβεύειν ayant à son tour été créé à partir de *triumphare*.

et des chants, de la victoire d'un chef d'armée, et, dans son usage
intransitif, premier, il signifie «célébrer une victoire antérieure au moyen
d'une procession triomphale».

(a) L'usage intransitif. Le sujet du verbe est presque toujours le général
qui fête sa victoire[91]; la préposition μετά («avec») indique avec qui (les
officiers, les soldats, parfois expressément mentionnés) il la célèbre[92],
et d'autres prépositions (ἀπό, κατά, ἐπί) expriment les raisons de la fête
(victoire sur qui, etc.)[93].

(b) L'usage transitif est second et beaucoup plus rare. On a très justement
distingué entre la signification et la désignation du verbe. La signification
reste la même que pour l'emploi intransitif, à savoir «célébrer par une
procession triomphale une victoire militaire antérieure», l'accusatif ne
faisant que mentionner ceux sur qui la victoire a été acquise. On ne peut
donc, en rigueur de termes, changer la signification en «emmener
quelqu'un avec soi dans un triomphe», comme le font plusieurs
commentateurs. De plus, la célébration n'implique aucunement la
présence des chefs ennemis vaincus (le plus souvent morts ou exter-
minés) dans la procession triomphale; quant à la désignation, elle requiert
une connaissance des circonstances et des modalités du rite (la présence
des captifs enchaînés au tout début de la procession, les soldats et les
officiers du général vainqueur, les porteurs d'encens, etc.)[94]. Si l'on
respecte la signification de θριαμβεύειν en son usage transitif, Col 2,15
doit donc être traduit ainsi: «célébrant/ayant célébré par une procession
triomphale sa victoire sur les principautés et les puissances»; cela
n'implique pas que ces dernières fassent partie de cette procession, et si
la traduction la plus courante, «les ayant emmenés comme ennemis
vaincus (ou comme soldats) dans son cortège triomphal», tient pour
assurée la double présence des captifs enchaînés et/ou des soldats du
vainqueur, cela vient du verbe ἐδειγμάτισεν, qui se trouve juste avant.

Dans son analyse de 2Co 2,14, Duff note aussi que le verbe

---

[91] Breytenbach, «thriambos», 260, signale que les soldats sont sujets du verbe chez
Appien, *Bell.Civ.*, 2.13.93.18. Le participe ὁ θριαμβεύων ou ὁ θριαμβεύσας
s'applique à la personne qui fête sa victoire. Cf. Breytenbach, «thriambos», dont la
documentation vient principalement de H.J. Mason, *Lexicon*.

[92] Encore Appien, *Bell.Civ.*, 2.13.93.13.

[93] Breytenbach, «thriambos».

[94] Breytenbach, «Thriambos», 261-262.

θριαμβεύειν renvoie à une célébration en forme de procession, mais selon lui le cadre est à la fois plus précis et plus large: y serait inclus l'hymne chanté à Dionysos (Bacchus) durant sa procession et durant celles des généraux romains[95]; θρίαμβος était un titre de Dionysos (d'autres divinités également, parmi lesquelles Isis, recevaient des épithètes analogues[96]). Le sens varierait donc selon le type de procession: pour celles en faveur de la divinité il s'agirait de dévots, et pour celles célébrant une victoire militaire, de vaincus traînés et enchaînés[97]. Quelle que soit la justesse de cette interprétation de 2Co 2,14[98], peut-on l'appliquer à Col 2,15? Le contexte favorise-t-il une quelconque allusion à une procession où les puissances célébreraient (dévotement) le triomphe de Dieu? Ne sont-elles pas plutôt données en spectacle comme des prisonniers vaincus, dans la procession qui célèbre la victoire divine? Egan et d'autres après lui, tel Yates, retiennent la connotation positive du verbe comme la plus probable[99] car le reste de la section semble exclure l'idée d'inimitié et donc de «triomphe SUR»: si en 2,9 Christ est le chef des puissances, autrement dit si ces dernières sont sous ses ordres[100], comment peut-il les avoir traînées en ennemis vaincus? Voilà pourquoi Egan traduit Col 2,15 ainsi: «mettant à découvert les principautés et les puissances, Il (Dieu) les exposa ouvertement, les faisant connaître en lui (Christ)», et Yates: «il (Christ) fit connaître ouvertement les puissances angéliques, en les conduisant dans sa procession triomphale et festive, sur la croix». Cette interprétation séduisante va bien au-delà de la signification précise et de l'usage du verbe θριαμβεύειν, elle méconnaît d'autre part la pointe polémique des développements christologiques de Col: pourquoi l'Auteur mentionne-t-il les puissances angéliques à ce point de l'argumentation?

[95] Duff, «Led in Triumph», 83.
[96] Aux pp.84-86, Egan donne plusieurs références à la littérature ancienne.
[97] 2Co 2,14 est souvent sollicité pour l'interprétation de Col 2,15. Mais la difficulté du passage est également proverbiale.
[98] Selon Duff, 2Co 2,14 parle d'une participation de Paul comme dévot à la procession triomphale, et non comme vaincu prisonnier, voué à la mort. L'enquête linguistique de Duff est principalement basée sur l'usage latin, elle est également moins poussée que celle de Breytenbach et semble parfois mélanger deux processus différents, celui de la désignation et celui de la signification.
[99] Egan, «Lexical Evidence»; Yates, «Colossians 2.15».
[100] On suppose alors qu'elles ont le rôle de soldats.

5° Le référent du ἐν αὐτῷ final.

Les traductions de Egan et Yates montrent bien que le référent du pronom (Dieu, le Christ ou la croix?) et le sens de la préposition (en, sur, par) ne s'imposent aucunement. Les commentateurs les déterminent en fonction des syntagmes précédents.

6° Reprise des vv.14-15.

La manière de rendre le v.15 dépend évidemment de la réponse donnée aux diverses questions mentionnées plus haut, sur le sujet des actions, sur le sens de ἀπεκδυσάμενος, sur le référent de τὰς ἀρχὰς καὶ τὰς ἐξουσίας, sur la connotation de δειγματίζειν, etc. Cela dit, les traductions peuvent se diviser en deux groupes majeurs, selon qu'elles considèrent ou non les puissances comme désarmées et vaincues. Et, à vrai dire, aucune interprétation ne semble totalement satisfaisante, tant le texte est brachylogique, elliptique. Car, nous l'avons vu, l'usage linguistique et la syntaxe favorisent l'idée de victoire sur les puissances (v.15a) et de célébration triomphale à leurs dépens (v.15b). Mais on voit alors assez mal comment Dieu pourrait livrer en spectacle et traiter en vaincus celles qui, parmi les principautés et les puissances angéliques, ne lui ont jamais été insoumises ou ennemies. Si l'on veut donc respecter à la fois la syntaxe du verset et la désignation généralisante - «LES puissances» - semblant les englober toutes, bonnes et mauvaises, il n'est d'autre solution que de traduire de façon elliptique, en reliant ce verset à Col 1,13-14, Col 1,20 et 2,10, où l'on ne peut nier les mentions d'antagonisme à plusieurs niveaux: entre le Royaume du Fils et celui de la Ténèbre, entre les êtres créés supérieurs, également entre ces derniers et les êtres terrestres. La pacification ne s'est pas faite sans lutte: il y a un vainqueur et des vaincus. En nommant le Christ «tête», Col signifie que désormais tout pouvoir allant contre cette pacification est réduit à l'impuissance et que tout pouvoir, même soumis, mais dont le rôle était auparavant punitif voire coercitif, a été désarmé. Allons plus loin: le rédacteur semble avoir tout fait pour que les termes de Col 2,15 puissent s'interpréter doublement, s'appliquer à toutes les «seigneuries et autorités», quelque soit leur statut ou leur situation. Sans changer de signification, le participe ἀπεκδυσάμενος peut en effet viser aussi bien les puissances bonnes que les mauvaises, car Dieu/Christ a désarmé ses ennemis, mais il a encore ôté à d'autres, fidèles celles-là, le pouvoir punitif ou coercitif qui était le leur, selon la littérature juive de l'époque.

De la même façon, le verbe principal ἐδειγμάτισεν a une connotation négative si Dieu donne ses ennemis en spectacle pour leur dérision, mais également neutre, voire positive, si l'action touche les anges fidèles: les ayant dépouillés d'une autorité qu'ils avaient sur les humains avant sa mort en croix, Il les expose en public, pour que le culte d'obédience qu'ils rendent à Lui-même (et au Christ) soit connu de tous les croyants (et pas seulement de quelques initiés): leur soumission et leur dépendance doivent être manifestes à tous, proclamées par tous. Enfin, si la célébration triomphale suppose une inimitié et une victoire sur les puissances mauvaises, elle peut aussi toucher les autres, à qui la croix du Fils a ôté tout pouvoir sur les croyants.

Il importe aussi de s'interroger sur la fonction du verset, puisque, tout comme en 2,10, la raison de la mention des puissances n'y est pas davantage donnée. Nous savions déjà que le Christ en est le chef incontesté; pourquoi dès lors l'Auteur tient-il à signaler qu'il les a dépossédées, les a données en spectacle et a célébré sa victoire sur elles? L'apparition des «principautés et puissances» au v.15 ne se comprend que si déjà le v.14 renvoie à un document ayant quelque chose à voir avec elles, parce qu'elles devaient précisément veiller à son application et à son exécution. Or, sur ce point, comme l'analyse du v.14 l'a montré, l'angélologie juive fournit toutes les confirmations souhaitées. Le χειρόγραφον désigne très certainement le livre où les anges consignaient les péchés des hommes[101], et que la mort du Christ en croix a fait disparaître, les péchés étant pardonnés, graciés. On peut ainsi voir la montée rhétorique du passage:

v.13 Il a gracié toutes les transgressions,

v.14 et a détruit le document qui les consignait,

avec les décrets transgressés et les punitions correspondantes,

v.15 et a ôté tout pouvoir aux anges chargés des punitions.

En finissant sur la défaite des puissances, en la mettant en relief, l'Auteur montre encore que l'enjeu est celui de la médiation, et donc de la suprématie du Christ sur les êtres spirituels, de sa plénitude et, en

---

[101] Et que les péchés aient été conçus comme des dettes, les nombreux témoignages de la littérature intertestamentaire le donnent à entendre. Cf. aussi Mt 6,12, pour le NT. Telle est aussi la raison pour laquelle Col 2,13 parle de παραπτώματα, de transgressions de la volonté divine - lesquelles supposent que l'ordre rompu soit restauré -, et pas seulement de ἁμαρτίαι.

conséquence, de celle des croyants. On ne voit pas pourquoi Col insisterait tant sur la supériorité absolue, éternelle, du Christ, s'il était seulement question de pratiques favorisant les visions et la participation au culte que rendent les anges à Dieu (et à son Christ). Seule une médiation ou un pouvoir reconnu à ces êtres supérieurs - concernant le salut des croyants et des humains en général - peut expliquer la répétition de la primauté, de la plénitude du Christ et de ce qu'elles procurent aux croyants. On ne peut que répéter, pour ces versets, ce qu'un commentateur déclara à propos d'un autre passage, Col 1,12-14: «Il va sans dire que ceux qui ont déjà part au Royaume du Fils bien aimé de Dieu ne devraient pas - ne doivent pas - se laisser intimider par des *forces spirituelles inférieures* qui ne sont plus capables d'exercer leur pouvoir tyrannique contre eux»[102].

a' = vv.16-19 - RÉSISTER À LA DOCTRINE ERRONÉE

16 Que personne donc ne vous juge pour le manger et le boire, en matière de fête ou de nouvelle lune ou de sabbat, **17** tout cela est l'ombre des choses à venir, mais *la réalité* est du Christ. **18** Que personne ne vous disqualifie, *qui se complaît* dans l'humilité et le culte des anges, donnant toute son attention à ce qu'il a vu, infatué en vain par son intelligence charnelle, **19** et ne tenant pas à la tête, de qui le corps tout entier, pourvu et uni par les jointures et les ligaments, tire la croissance *que Dieu lui donne*.

* v.17, litt.: «le corps».
* v.18, litt.: «se complaisant».
* v.19, litt.: «de Dieu».

Ayant brièvement donné les raisons pour lesquelles les croyants

---

[102] Sappington, *Revelation*, 201. Observation analogue, p.223: «les croyants n'ont rien à craindre des pouvoirs spirituels qui accusent». Mais qui accusent-ils, les seuls pécheurs ou tous les hommes?

n'ont à s'attacher qu'au Christ, l'Auteur va maintenant indiquer les points concrets sur lesquels ils doivent résister aux discours spécieux. L'un ou l'autre exégète[103] a récemment proposé de retenir ces versets, plus polémiques, comme représentatifs de l'erreur de Colosses, car ils manifestent les ressemblances étonnantes existant entre cette erreur et la piété ascético-mystique de l'apocalyptique juive, au moins sur quatre points: (a) la nécessité de révélations célestes, (b) les conditions pour en bénéficier - sainteté, justice, prière, ascèse -, et leur medium - songes, visions, (c) leur contenu[104], (d) leur fonction[105]. Le (a) est déduit de l'ensemble de la discussion de Col 2,6-23; le (b) est explicitement présent aux vv.16.18 et 23; le (c) au v.18, avec la mention de la liturgie angélique; le (d) aux vv.16.18, où l'on peut inférer que les tenants de l'erreur exigeaient l'observation des calendriers liturgiques et des pratiques ascétiques et condamnaient les récalcitrants. Seule une exégèse détaillée du passage permettra de vérifier cette hypothèse et d'autres, opposées, par exemple celle sur l'arrière-fond mystérique, en vogue depuis le début du siècle[106].

L'articulation syntaxique de ces versets n'est pas évidente, même si un réel parallélisme existe entre les vv.16-17 et 18-19. Voici la dernière proposition de composition et de traduction en date[107]:

vv.16-17
(i) «donc, que l'on ne vous juge pas
(ii) pour le manger et le boire et en matière de fête, ou de nouvelle lune ou de sabbat,

---

[103] Sappington, *Revelation*, 146-147 et 150-170.

[104] Le contenu des visions apocalyptiques est varié, mais Sappington retient très justement trois éléments récurrents: 1) la vision du trône (merkabah) céleste; 2) la cour céleste et sa liturgie de louange; 2) le jugement (les témoins; le livre où sont consignés les actions des hommes; la sentence et son exécution).

[105] La fonction des visions célestes est multiple. Sappington retient les éléments suivants, susceptibles d'éclairer Col: 1) susciter la consolation et l'espérance des justes dans l'épreuve, 2) favoriser une observance stricte et scrupuleuse de la Torah, en particulier des fêtes et des observances liturgiques, 3) menacer tous les réfractaires, en rappelant la rigueur du châtiment final des impies.

[106] Cf. M. Dibelius, dans la première édition, en 1912, de son commentaire sur Colossiens.

[107] Sappington, *Revelation*, 157.

(iii) ces choses qui (ἅ) sont l'ombre de ce qui devait venir, mais la réalité (σῶμα) est du Christ».

v.18

(i) «que personne ne vous disqualifie
(ii) (parce que) se complaisant dans les pratiques humbles et le culte des anges,
(iii) ces choses qu' (ἅ) il a vues en entrant (dans le sanctuaire céleste), infatué en vain par son intelligence charnelle, et ne tenant pas à la tête, de qui le corps (σῶμα)...»

Chaque impératif serait suivi d'une liste de matières à propos desquelles les croyants de Colosses se voient discrédités par leurs opposants, et chaque liste est à son tour résumée par un relatif neutre (choses qui/que), suivi aussitôt d'un commentaire négatif de la part du rédacteur de l'épître. Il va de soi que ce parallélisme, qui requiert d'ailleurs plus ample examen, ne résout pas tous les problèmes liés à la signification des différents vocables utilisés et à leur arrière-fond religieux.

La pointe du paragraphe est de mettre en valeur la contradiction à laquelle s'exposent les «docteurs» de Colosses, qui en faisant profession de pratiques visant à l'humiliation de la chair en vue des visions, arrivent à l'opposé de leur attente, à savoir à l'orgueil et au mépris des autres croyants. Ce qui doit être favorisé au contraire, c'est la croissance harmonieuse du corps ecclésial par l'unique suprématie du Christ.

v.16

V.16a: «Qu'on ne vous juge donc pas pour le manger et le boire»[108]. Les exégètes voient les exigences sur la nourriture et la boisson comme étant celles des représentants de l'erreur de Colosses: ces derniers voulaient imposer le jeûne, partiel ou total, à tous les membres de la communauté[109]. Encore rien n'est cependant dit sur le contenu de

---

[108] Certains commentateurs (cf. Lohse, *Kolosser*, 169) pensent, avec raison, que le texte joue ici sur la différence entre «nourriture» (βρῶμα) et «manger» (βρῶσις), entre «boisson» (πόμα) et «boire» (πόσις), pour renvoyer plus aux pratiques qu'aux aliments. Distinction analogue chez Paul: cf. Rm 14,17; 1Co 8,4 qui décrivent l'agir (manger, boire), et Rm 14,15; 1Co 3,2; 6,13; 8,8.13; 10,3 qui traitent des aliments.

[109] Pour des témoignages de tels réquisits dans la piété juive, spécialement essénienne, cf. Sappington, *Revelation*, 65-66, avec bibliographie.

ces exigences (s'il fallait manger, boire, et quoi, comment, ou, au contraire, jeûner, quand et combien de temps)[110]. De soi, le couple «manger et boire» ne renvoie pas nécessairement aux abstinences juives, telles que les reflètent les écrits esséniens, le livre des Jubilés, etc.[111], car des pratiques alimentaires analogues existaient en d'autres religions; l'argument décisif vient des vocables subséquents, «nouvelle lune et sabbat», dont le milieu de vie est manifestement juif.

V.16b: «en matière de fête, ou de nouvelle lune ou de sabbat». On a récemment montré que cette séquence revient plusieurs fois dans les écrits bibliques et dans la littérature juive intertestamentaire[112] et que pour le judaïsme d'alors elle désigne et résume à la fois les exigences et les observances qui font d'Israël le peuple de l'élection et de l'Alliance. Que l'arrière-fond de notre verset soit juif et non mystérique ou même syncrétiste, cela ne devrait pas devoir faire l'objet d'une démonstration en règle. L'hypothèse d'un arrière-fond juif pour ce verset fut pourtant refusée, jusque tout récemment, car les commentateurs étaient convaincus que, si la «philosophie» de Colosses avait des points communs avec les représentations juives, en particulier esséniennes, les points de contact n'étaient pas directs, et que jamais un juif n'aurait rendu de culte aux «éléments du monde»[113]. Le choix du milieu porteur des vocables du v.16 est ainsi déterminé par l'interprétation des

---

[110] Pour les expressions qui pourraient indiquer l'abstinence sexuelle (et pas d'abord alimentaire), voir *infra* 2,21.

[111] Cf. Sappington, *Revelation*, 65-70.

[112] P. Giem, «SABBATON in Col 2.16». Leur ordre d'occurrence, ainsi que leur nombre, peut changer selon les textes. Pour la LXX, voir Nb 10,10 (fêtes, néoménies); 4R 4,23 (néoménie, sabbat); 1Ch 23,31 (sabbats, néoménies, fêtes); 2Ch 2,3 (sabbats, néoménies, fêtes); 8,13 (sabbats, *mois*, fêtes) 31,3 (sabbats, néoménies, fêtes); 1Esd 5,52 (sabbats et néoménies); 2Esd 3,5 (néoménies et fêtes); 2Esd 20,34 (= Neh 10,33: sabbats, néoménies, fêtes); Jdt 8,6 (sabbats, néoménies); Os 2,13 (fêtes, néoménies, sabbats); Is 1,13 (néoménies, sabbats) et 1,14 (néoménies, fêtes); Ez 45,17 (fêtes, néoménies, sabbats); 46,3 (sabbats, néoménies) et 46,9 (fêtes). Pour les Pseudépigraphes de l'AT, voir 1En 82,7 (*mois*, fêtes); Jub 1,10 (fêtes, sabbats) et 1,14 (*mois*, sabbats, fêtes); 2,9 (jours, sabbats, mois, fêtes); 6,37 (*mois*, sabbats, fêtes et jubilés); 23,19 (fêtes, mois, sabbats et jubilés). On retrouve la même série à Qumran: cf. CD 3,14 (sabbats, fêtes); 6,18 (sabbat, fêtes); 12,4 (sabbat, fêtes); 1QM 2,4 (néoménies; sabbats). La formulation de Ga 4,10 (mois, temps, années) est différente, et ne renvoie pas nécessairement au même milieu.

[113] Cf., par exemple, Lohse, *Kolosser*, 170. Tout en mentionnant les possibles réminiscences juives, Gnilka signale d'autres milieux de vie possibles, *Kolosserbrief*, 146.

syntagmes «éléments du monde» (v.8; repris au v.20) et «culte des anges», syntagmes qu'il faut donc analyser.

v.17

Après avoir présenté les requêtes faites par les «docteurs», l'Auteur de Col les qualifie négativement, en faisant allusion aux raisons christologiques déjà présentées (vv.9-15). Mais le verset reste énigmatique par sa brièveté; il commence par déclarer que les pratiques requises sont «ombre des choses à venir», autrement dit elles ne reflètent qu'imparfaitement les réalités eschatologiques[114], solides, éternelles, et restent liées au monde périssable, en voie de destruction, charnel; même si, comme ombres, elles ne sont pas une pure illusion, elles sont inadaptées pour ce que les croyants ont à vivre, à savoir la réalité finale advenue par et avec Christ. On peut donc paraphraser la seconde partie du verset ainsi: «mais la réalité, les biens impérissables viennent du Christ, sont christiques».

L'opposition entre σκία et σῶμα n'est pas inconnue de la littérature hellénistique[115], laquelle invite, avec le contexte proche de Col 2,17, plus précisément l'adverbe σωματικῶς de 2,9, à traduire σῶμα par «réalité». Ce même contexte interdit cependant de négliger une possible allusion au «corps du Christ», l'Eglise, d'autant plus qu'au v.19 le mot apparaît de nouveau: la réalité, c'est (déjà) la croissance et l'unité du corps du Christ.

v.18

Ce verset difficile a été interprété de diverses manières, pas toutes compatibles les unes avec les autres[116].

L'impératif négatif μηδεὶς καταβραβευέτω peut être traduit de diverses manières: «que personne ne disqualifie» (Bruce, *Colossians*,

---

[114] Sur l'expression τὰ μέλλοντα et son correspondant dans la littérature rabbinique pour désigner les réalités eschatologiques, voir Strack-Billerbeck, IV p.820. Voir une expression analogue en Heb 10,1.

[115] Cf. Philon, *rer. div. her.* 72; *leg. alleg.* 3,96; *conf. ling.* 190; *post. Caini* 112; *migr. Abr.* 12; Flavius Josèphe, *Bell.* 2,28. L'origine de l'image est évidemment platonicienne (voir *Republ.* 514A-518A).

[116] Lyonnet, «Col 2,18»; Francis, «Humility and Angelic Worship»; Id., «EMBATEUEIN»; Evans, «Colossian Mystics»; Sappington, *Revelation*, 153-158.

117) ou encore «que personne ne frustre de la victoire» (TOB). Les mots de même racine, βραβεύς («arbitre», dans les jeux publics), βραβεῖον («prix» décerné par le βραβεύς)[117] permettent de repérer qu'il s'agit d'un contexte d'émulation, de compétition: certains croyants déclarent (comme s'ils étaient juges en la matière et comme s'il s'agissait d'une compétition) les autres inférieurs en matière de piété (pratiques auxquelles il a été fait allusion au v.16). La phrase manifeste une réelle ironie: si l'objectif de ces croyants est l'humilité (cf. le mot ταπεινοφροσύνη), comment peuvent-ils se placer en juges des autres, pour les disqualifier et arriver ainsi au contraire de ce qu'ils désirent et prônent?

Le participe θέλων a, lui aussi, donné lieu à diverses interprétations, selon qu'on le rattache à l'impératif ou aux substantifs qui suivent. La plupart des Bibles et commentaires préfèrent relier ce participe au contexte subséquent, comme la TOB: celui qui se pose en arbitre, «se complaît dans (θέλων ἐν)» des visions, etc.; l'expression est alors vue comme un sémitisme (cf. l'hébreu בּ + חפץ). Selon d'autres, très peu nombreux, le participe θέλων déterminerait l'impératif et le renforcerait: «que personne ne vous disqualifie *volontairement* en matière de....»[118], interprétation qui souligne inutilement l'aspect volontaire déjà impliqué par le sens des deux verbes.

Le terme ταπεινοφροσύνη, dont le signifié («humilité») ne fait pas difficulté, est généralement considéré comme un emprunt fait par l'Auteur de Col au vocabulaire de l'erreur combattue, puisqu'il est deux fois utilisé négativement en ces versets (vv.18.23), avec d'autres, qui semblent indiquer le même milieu religieux. Son extension est vaste: il renvoie aux pratiques favorisant l'humilité (en particulier le jeûne, mais pas d'abord ni seulement, comme le soulignent les commentateurs[119]) aussi bien qu'à l'esprit qui les anime. La ταπεινοφροσύνη est alors vue comme une condition d'admission à la liturgie céleste, et l'on paraphrasera ainsi: se complaisant en pratiques humbles (autrement dit: en

---

[117] Le mot βραβεῖον est employé en 1Co 9,24; Ph 3,14.

[118] McClellan, «Colossians II.18», 388.

[119] Cf. déjà Francis, «Humility and Angelic Worship», 168-171; *Re-examination*, 30-38, qui ne renvoie pas seulement à des parallèles chrétiens (Hermas; Tertullien) et juifs (Philon, *vita Mosis* 1,67-70; *somn.* 1,33-37), mais aussi à des antécédents bibliques (cf. ταπεινοῦν et ταπείνωσις en Lv 26,29.31; 23,27.29.32; Is 58,3.5; Ps 34,13-14; Jdt 4,9).

mortifications) *pour* participer à la liturgie céleste. On a récemment fait observer que le substantif ne devrait pas désigner les pratiques des ascètes de Colosses, car (a) en rattachant ταπεινοφροσύνη et θρησκεία à la même préposition (ἐν), le texte suggère que le génitif τῶν ἀγγέλων détermine les deux substantifs, comme celui de 2,22, et l'on traduira «l'humble culte des anges», comme pour un hendiadys; (b) en utilisant également un relatif au neutre pluriel (ἅ) il donne à entendre que l'humilité fait partie des choses contemplées et serait donc une activité angélique, celle de l'adoration[120]. Une telle hypothèse ne saurait être a priori repoussée, mais s'il est vrai que le terme renvoie de façon obvie au monde biblique et juif, s'il s'agit donc de jeûne et de rites, on voit mal comment le lecteur pourrait, sans errer, attribuer de telles pratiques à des êtres célestes. L'exégèse du v.23 confirmera d'ailleurs notre objection.

Le terme «anges» apparaît seulement ici en Col. Désigne-t-il les mêmes êtres que les «puissances» et les «autorités» mentionnées en 1,16 et 2,10? Si la réponse est positive, comment expliquer le changement d'appellation? Qu'en Col les principautés et puissances désignent les armées célestes, cela ne fait aucun doute, mais nous avons vu que cette dénomination vient de ce que l'Auteur les considère comme ayant exercé un pouvoir discrétionnaire, judiciaire ou punitif, désormais perdu, le Christ ayant en effet monopolisé toute espère de pouvoir dans l'ordre de la création et du salut. L'expression θρησκεία τῶν ἀγγέλων indique donc très probablement qu'il ne s'agit pas d'un culte rendu aux anges (Col aurait alors employé les termes «puissances» ou «autorités»), mais de l'adoration de Dieu par ses anges! L'analyse linguistique confirme cette hypothèse basée sur la logique rhétorique de Col[121]. Certes, beau-

---

[120] Sappington, *Revelation*, 159-160.

[121] Le génitif qui suit θρησκεία n'est pas nécessairement objectif. Pour le génitif objectif, voir Sg 14,27 (culte rendu aux idoles); pour le subjectif, Jc 1,26. On sait qu'à cette époque, le terme θρησκεία reçut une extension large; cf. par ex. Ac 26,5. Pour l'usage du terme (comp. avec λατρεία, utilisé aussi par Paul), voir K.L. Schmidt, art. «thrèskeia», in *TWNT* III (1938), 155-159. Les diverses occurrences du terme dans la littérature hellénistique païenne et juive, dans le corpus patristique montrent la fluctuation de l'usage, qui va de la simple désignation (caractériser la religion juive, par ex.) à la connotation négative (culte des idoles ou des démons), en passant par la positive (religion vraie). En LXX la racine n'apparaît que dans les livres deutérocanoniques (hellénisti-ques): Sg 14,18.27 (pour le subst); 11,15; 14,16 (pour le verbe): en ce livre, la

coup de commentaires pensent le contraire[122], mais pour un nombre croissant d'exégètes, l'expression ne renvoie pas à un culte en l'honneur des anges, non attesté dans le judaïsme et les communautés chrétiennes de l'époque[123], bien plutôt à celui rendu par les anges eux-mêmes devant Dieu et contemplé par les visionnaires de Colosses[124].

Quant à la relative ἅ ἑόρακεν ἐμβατεύων, elle a été l'objet de

connotation y est négative (il s'agit du culte des idoles); neutre en 4Mac 5,7.13 (ἡ θρησκεία τῶν Ἰουδαίων/ὑμῶν: l'expression désigne la religion juive). Dans le NT: en plus de Col 2,18 et 2,23 (ἐθελοθρησκία, à connotation également négative), voir Ac 26,5 (neutre); Jc 1,26.27 (adj. θρησκός en Jc 1,26: «pieux»), rendu négatif puis positif par le contexte.

[122] Cf. les commentaires de Lohse, *Kolosser*, 173-189; Bruce, *Colossians*, 118-120, qui optent pour un culte en l'honneur des anges; d'autres, tel Schweizer, *Kolosser*, 122-123, laissent la question ouverte. D'autres encore, comme Gnilka, *Kolosserbrief*, 150, lui opposent la totale absence dans le judaïsme et le christianisme d'un culte envers les anges. Le verset serait-il le premier témoin d'une pratique repérable seulement au temps des gnostiques? On en est alors réduit à voir l'hérésie de Colosses comme prégnostique. Francis, puis Sappington pensent qu'il s'agit plutôt d'une allusion à une participation à la liturgie céleste, et les autres données du texte semblent leur donner raison.

[123] Cf. l'observation déjà mentionnée de Gnilka, *Kolosserbrief*, 150, lequel se demande si des passages comme Apo 19,10 et 22,8-9 ne seraient pas toutefois des avertissements, autrement dit des réactions négatives à un début de culte des anges. Qu'une telle dévotion envers les anges soit plus tardive et qu'ainsi s'explique l'absence de témoignages écrits à l'époque, n'interdit pas a priori de voir précisément en Col 2,28 le premier texte dénonçant une pratique qui ne faisait peut-être que commencer. Noter la même réaction de l'ange en *ApoSoph* 10 (akhmimique; numérotation Steindorff): les correspondances multiples existant entre cette apocalypse et certains passages du NT soulèvent évidemment la question d'une possible dépendance (de *ApoSoph* par rapport au NT, voire du NT par rapport à *ApoSoph*).

[124] L'interprétation fut d'abord défendue par Francis, *Conflicts at Colossae*, 176-183, reprise, entre autres par Bandstra, «Colossian Errorists», 331, et Sappington, *Revelation*, 150-153, où l'on trouvera un bref état de la question. En *ApoSoph* 13, les dizaines de milliers d'anges sont en prière (προσεύχεσθαι) et le voyant se joint à eux. Autre témoignage sur la liturgie céleste en 4QSl (avec la description de l'heptade angélique, déjà mentionnée par Tobit 12,15; 1En 20,1-8). Pour les nombreux passages de la littérature intertestamentaire mentionnant le culte rendu à Dieu par les anges, voir 2En 20,3-4; *TestJob* 48-50; *ApoAbraham* 17 (où Abraham récite avec l'ange l'hymne que ce dernier lui a appris); 1QH 11,13. A.T. Lincoln, *Paradise*, 112, signale d'autres passages: *AscIsaïe* 7,37; 8,17; 9,28.31.33. Ajoutons à cette liste *AscIsaïe* 9,34.37.42, où le voyant s'associe à la louange angélique, et l'étrange verset 9,36 du même livre, où l'ange qui dialogue avec le voyant lui dit, à propos d'un (autre) ange supérieur: «vénère-le, car c'est l'ange de l'Esprit Saint».

nombreuses émendations[125], et son arrière-fond, du début du siècle à
aujourd'hui, fut cherché du côté des religions à mystèrfavorisant l'humili-
tées, le participe ἐμβατεύων étant considéré comme un terme technique
de l'initiation, désignant l'entrée dans le sanctuaire; d'où la traduction
«les choses qu'il a vues lors de son initiation»[126], ou encore «les
visions qu'il a eues durant les rites mystériques»[127]. Depuis peu,
l'arrière-fond apocalyptique est revenu en vogue, non seulement parce
que l'argument constitué par le verbe ἐμβατεύειν, comme témoin
irrécusable du vocabulaire des mystères, a perdu de sa force, mais aussi
parce que le contexte, dans son ensemble, semble aller dans le sens des
visions célestes[128]. C'est sans doute pour éviter de donner une traduction trop influencée par l'hypothèse des mystères et contrainte à suppléer
un certain nombre de mots manquants, que d'autres commentateurs
donnent au verbe un sens plus général, lui aussi attesté, «scruter»,
«regarder avec attention», et traduisent ainsi la première moitié du v.18b:

---

[125] Cf. Lohse, *Kolosser*, 175; Bruce, *Colossians*, 120-121, qui relèvent un certain nombre
de corrections, des plus anciennes (ἃ μὴ/οὐχ ἑόρακεν; «ce qu'il n'a pas vu»), au plus
récentes (περιφροσύνη pour ταπεινοφροσύνη; κενεμβατεύων pour ἐμβατεύων, etc.).
[126] Cf. Dibelius, qui, dans son premier commentaire (1912) de l'épître, a proposé cette
interprétation, republiée sous le titre «The Isis Initiation in Apuleius and Related
Initiatory Rites», in *Conflicts at Colossae*, 61-121, et suivie par de nombreux exégètes,
jusqu'à tout récemment encore (Bruce, *Colossians*, 117 et 122; Argall, *Religious Error*,
14-15, selon qui le terme ἐμβατεύων s'apparente plus aux mystères d'Apollon Claros
qu'aux ascensions des visionnaires des apocalypses juives). Etat de la question chez
Lohse, *Kolosser*, 176-177, et Sappington, *Revelation*, 153-158. On sait que le terme a
diverses applications: fréquenter, entrer dans quelque chose ou dans un lieu (2 Mac 2,30,
où l'auteur parle de la manière d'entrer dans un sujet littéraire), entrer en possession de
(cf. Jos 19,49.51 LXX, où il s'agit de la terre promise), enquêter, scruter.
[127] Je résume ainsi le commentaire de Lohse, *Kolosser*, 177, sur cette relative. Cet Auteur
mentionne (p.117) pour la rejeter, l'opinion de Francis, «Humility», 119-126, basée sur
l'arrière-fond juif, en particulier apocalyptique, où l'on relate de nombreuses ascensions
célestes: l'absence du verbe ϵembateuein dans les textes juifs semblerait exclure, selon
Lohse et d'autres, un contexte apocalyptique. Mais les observations de Francis,
«EMBATEYEIN», et de Sappington, *Revelation*, 155-156, ont montré que, de soi, le
verbe n'est pas représentatif de l'entrée dans le sanctuaire mystérique.
[128] Cf. Sappington, *Revelation*, 158. La preuve ne vient pas d'un seul terme, mais d'un
ensemble de données, qui vont des pratiques, des moyens ascétiques mentionnés au
contenu même des révélations.

«continuant à scruter attentivement ces choses qu'il a vues»[129]. La proposition devient alors une conséquence, voire une condition de l'énoncé suivant («infatué en vain...»): les «docteurs» prennent en considération ce qu'ils ont vu, car ils sont bouffis d'esprit charnel, ou à l'inverse, parce qu'ils prennent en considération leurs visions, ils en deviennent vaniteux. Les parallélismes syntaxiques et le contexte autorisent encore une autre solution[130]: si la relative «les choses qu'il a vues» reprend ce qui précède («les visions des anges en adoration»), ἐμβατεύων peut acquérir une nuance temporelle: «ces choses qu'il a vues en entrant (au ciel)». On objectera à cette interprétation que l'humilité du v.18 et celle du v.23 doivent avoir les mêmes agents: si au v.23, ταπεινοφροσύνη, tout comme ἐθελοθρησκία, renvoie à des pratiques ascétiques (humaines donc), comment n'en serait-il pas de même au v.18? De plus, cette exégèse se voit obligée de donner au verbe ἐμβατεύειν un complément, en ajoutant le mot «ciel», complément tellement peu évident que, des Pères à aujourd'hui, aucun commentateur ne l'avait trouvé!

Plus encore que le début du verset, la fin met à nu la contradiction des «docteurs», qui recommandent les pratiques destinées à humilier la chair et qui, en réalité, ne servent qu'à l'enfler jusqu'à l'orgueil. Tout discours et toute pratique qui mènent finalement à la contradiction et à l'orgueil doivent ainsi être suspects et rejetés.

v.19

Le péril de la philosophie est maintenant clairement exprimé par l'Auteur, en des expressions qui rappellent 1,18a: elle sépare du Christ, de qui seul le corps reçoit la croissance. Un autre critère est ici fourni pour déterminer quel type de discours est ou non spécieux: un discours qui en vient à séparer les croyants du Christ, à miner l'unité de l'Eglise et sa croissance, est mortifère, quelques soient ses apparences et la noblesse de ses arguments. Car ne pas tenir au Christ, qui est la tête, équivaut en réalité à se séparer du corps et de sa vie. Le verset suppose

---

[129] Cf. par exemple la BJ «donnant toute son attention aux choses qu'il a vues». La traduction de la CEI «seguendo le proprie pretese visioni» n'a malheureusement aucun appui philologique.

[130] Défendue par Sappington, comme signalé plus haut dans la présentation d'ensemble des v.16-19.

manifestement que l'enseignement des «docteurs» ne donnait pas au Christ la primauté et la place qu'il doit avoir dans la vie ecclésiale.

On aura noté la progression du passage:
- v.16-17: pas de condamnation de la part de quiconque, puisque les pratiques ne sont qu'ombre des réalités finales, et qu'elles ne sont donc pas pertinentes pour déterminer le salut ou la condamnation;
- v.18-19: pas davantage de mépris: la valeur du croyant vient de son union au christ et non des pratiques ascétiques. Au lieu de rendre humbles et de rapprocher de Dieu les croyants, les pratiques ascétiques les rendent plus arrogants et les éloignent en réalité du Christ.

Le vocabulaire de ces versets est sans aucun doute spécifique, mais il existe des ressemblances avec Gal 4,10 (μῆνας, cf. νεομηνίας en Col 2,16) et Rm 14,1-12 (les thèmes du ne-pas-juger le frère, du manger ou non): les différences dans le vocabulaire n'interdisent pas une reprise des positions pauliniennes.

La manière de procéder des Homologoumena (spécialement Galates, qui défend avec vigueur la liberté chrétienne) diffère de celle de Colossiens. En Galates, Paul s'appuie sur l'Ecriture pour montrer que, loin d'offrir la bénédiction et la justice, la Loi rend esclave, et que les convertis du paganisme sont vrais fils de la promesse; même si l'argumentation de Ga a des accents christologiques l'insistance est mise sur l'agir divin et sur sa cohérence. En Col 2,6-23 au contraire, l'argumentation ne se fonde pas sur les Ecritures, et met l'accent sur la plénitude du Christ, qui détermine celle des croyants.

CONCLUSION DE LA SECTION B (vv.20-23)

20 Si vous êtes morts avec le Christ aux éléments du monde, pourquoi être soumis à des règles comme si vous viviez dans le monde - **21** ne prends pas, ne goûte pas, ne touche pas **22** des choses qui sont (pourtant) toutes *destinées à être consommées* - selon les commandements et les doctrines des hommes? **23** *Ces règles ont des accents* de sagesse, par le culte volontaire, l'humilité, et l'ascèse corporelle, (elles ne sont pourtant) d'aucune valeur contre la satiété de la chair.

* v.22, litt.: «pour la corruption par l'usage».
* v.23, litt.: «lesquelles choses ont un langage de sagesse».

Avec le v.20 la section entre dans sa phase conclusive, qui correspond à l'introduction des vv.6-7. Le discours change de ton: il ne s'agit plus d'alerter les Colossiens, ni de donner des raisons leur permettant de résister à un enseignement attirant, mais de rappeler fortement et brièvement la liberté des croyants en Christ.

Un point reste à clarifier. L'argumentation christologique (en particulier les vv.9-15) s'est développée en mentionnant les principautés et puissances, pour affirmer, par contraste, la domination et la primauté absolues du Christ. Mais dans les avertissements des vv.8 et 16-19, la raison de ce recours aux êtres célestes n'est jamais explicitée. Les pratiques ascétiques, déclarées sans doute nécessaires par les «docteurs» pour l'obtention du salut, ont-elles quelque chose à voir avec le pouvoir des êtres célestes? En quoi la participation à la liturgie angélique que ces pratiques sont censées permettre menacerait-elle la primauté du Christ? Le rapport entre les pratiques ascétiques, les puissances célestes et la primauté du Christ ne se comprend que si, pour les «docteurs» de Colosses, les puissances célestes étaient déclarées chargées de faire exécuter scrupuleusement les pratiques et de punir les récalcitrants. Nous avons vu, à propos de Col 2,14-15, que certains écrits juifs intertestamentaires témoignent de cette croyance[131]. Et, à vrai dire, cette proposition de lecture est la seule à vraiment expliquer les particularités de la section.

v.20
«Si vous êtes morts avec le Christ aux éléments du monde, pourquoi être soumis à des règles comme si vous viviez dans le monde?»
Le début du verset a des accents pauliniens prononcés. Les Homologoumena déclaraient déjà que le croyant est mort avec le Christ à la Loi et au péché[132]. Ici la formulation rappelle celle de Ga 4,9-

---

[131] On trouvera en Sappington, *Revelation*, passim, toutes les preuves bibliographiques désirées.
[132] Cf. Rm 6,2.10.11; 7,6; Ga 2,19.

10[133]; une soumission aux éléments du monde (nourriture, boisson)[134], bref à la terre, serait indigne des croyants. A quoi bon revenir à des règles (ne touche pas, ne goûte pas, etc.) qui prétendent libérer du terrestre, et qui en réalité y soumettent encore davantage[135]?

Le croyant étant mort avec le Christ aux éléments du monde ne peut donc plus vivre comme si son existence de croyant était déterminée par les lois du monde. C'est ce que veut dire la proposition «comme si vous viviez dans le monde», qui n'entend absolument pas dire que les croyants n'obéissent plus aux contraintes physiques et sociales communes, mais que les croyants ne peuvent plus s'appuyer sur ce qui auparavant était perçu comme voie de salut (les règles relatives au manger, au boire, aux fêtes, etc.).

v.21

««ne prends pas, ne goûte pas, ne touche pas!»

En 2,21, si l'expression «ne goûte pas» (μὴ γεύσῃ) semble désigner le jeûne ou le respect des règles concernant la pureté culinaire, certains pensent que les deux autres impératifs «ne prends pas» (μὴ ἅψῃ) et «ne touche pas» (μὴ θίγῃς) de 2,21 visent l'abstinence sexuelle[136]. Mais le langage du passage est trop allusif pour qu'on puisse déterminer avec certitude s'il en est ainsi[137]. Pareille ascèse irait

---

[133] Ga 4,10 a aussi une liste relative aux fêtes, comme Col 2,16.

[134] Pour l'interprétation du syntagme τὰ στοιχεῖα τοῦ κόσμου, voir l'analyse de Col 2,8.

[135] Noter que Col ne joue pas, comme Rm et Ga, sur les mots ἐλευθερία, ἐλεύθερος, ἐλευθεροῦν, et δουλεύειν, δοῦλος, lorsqu'il parle du rapport aux décrets ascétiques. Cela vient sans doute de ce que la problématique de Col n'est pas centrée sur la Loi juive et sa fonction.

[136] Pour ἅπτεσθαι comme dénotant l'union sexuelle, cf. Leaney, «Colossians», 92; Schweizer, Kolosser, 127, pense cependant que le contexte n'autorise pas cette interprétation. Lona, Eschatologie, 227, donne également des références pour θιγγάνειν comme dénotant l'union sexuelle. Les passages de l'AT invoqués pour une connotation sexuelle sont Lev 11,24, et surtout Ex 19,12, où les verbes ἅπτεσθαι et θιγγάνειν apparaissent ensemble. Cf. Francis, «Visionary Discipline», 73.

Il est généralement admis que ἅπτεσθαι («prendre, en vue de posséder») est plus fort que θιγγάνειν («toucher»).

[137] Même observation chez Lohse, Kolosser, 181; Gnilka, Kolosserbrief, 158; Sappington, Revelation, 152-153.

bien avec ce qui est dit au v.23 (ἀφειδία σώματος), car qui «ne ménage pas son corps», va en général jusque là. Néanmoins, comme on va le voir, le v.22 pourrait appuyer l'opinion selon laquelle le texte ne considère que les pratiques alimentaires.

v.22

«(des) choses qui sont (pourtant) toutes destinées à être consommées - selon les commandements et les doctrines des hommes»

Le premier membre de la relative, ἅ ἐστιν πάντα εἰς φθορὰν τῇ ἀποχρήσει a été compris de diverses manières:

(1) Le relatif ἅ («ces choses qui») renvoie aux aliments ou pratiques visées par les interdits du v.21. Le sens n'en est pas pour autant déterminé, car la fonction de l'expression peut varier: (a) «Toutes ces choses sont pour la destruction (ou perdition) par l'usage», ou, plus élégamment: «l'usage de toutes ces choses mène (selon les docteurs) à la perdition[138] (de qui les consomme)»: la relative, tout comme les impératifs du v.21, appartiendrait alors implicitement au discours des «docteurs de Colosses» et se présenterait comme une justification des interdits qui la précèdent: pourquoi s'attacher à ce (nourriture, etc.) qui mène à la perdition? Paul réagirait au v.22b en ajoutant que pareille justification s'appuie sur des doctrines humaines; (b) «ces choses sont toutes vouées à la (leur) destruction, par leur usage», ou, en paraphrasant, «ces choses sont toutes faites pour être utilisées et, ainsi, consommées, c'est-à-dire consumées»: ici encore, il peut s'agir d'une justification des docteurs de Colosses, insistant cette fois sur le caractère provisoire, précaire, des aliments ou des pratiques sexuelles[139]; le v.22b serait un ajout de Paul, reprenant Is 29,13, spécifiant l'origine humaine de cette justification; (c) le v.22a est un commentaire critique de Paul: les docteurs imposent des interdits relatifs à des aliments, mais leurs interdits viennent de doctrines humaines, car Dieu a créé toutes ces choses pour

---

[138] Notons cependant que le mot habituellement utilisé pour désigner la destruction humaine est ἀπώλεια. Cf. Rm 9,22; Ph 1,28; 3,19; etc.

[139] Pour une telle interprétation, voir Bruce, *Colossians*, 127, qui reprend celle de Lightfoot et d'autres.

que l'homme les consomme et s'en serve[140].

(2) le v.22a ne s'appliquerait pas aux choses (aliments, voire pratiques sexuelles) pour les qualifier, bien plutôt aux impératifs du v.21, autrement dit aux interdits des «docteurs», visant les excès et abus en matière de nourriture ou de sexe[141].

De ces interprétations, laquelle préférer, étant donné le contexte? La solution proposée ici essaie de respecter autant que possible la syntaxe; voilà pourquoi il a paru nécessaire de rattacher directement la relative (au moins le v.22a) aux trois impératifs du v.21: «ne prends pas, ne goûte pas, ne touche pas des choses qui sont (pourtant) toutes faites pour être consommées». Le v.22a est alors une réflexion de l'Auteur - et non une reprise de la position des «docteurs» - qui a pour fonction de souligner la contradiction des impératifs: pourquoi interdire ce qui a été précisément fait pour être consommé? Quant au syntagme prépositionnel du v.22b, il se rattache directement au v.20 et, indirectement au v. 21, qu'il prolonge et précise, par dessus le v.22a; ce qui donne: «pourquoi être soumis à des règles comme si vous viviez dans le monde... selon les commandements et les doctrines des hommes?»

La position de l'Auteur, relativement à la consommation des aliments, suit celle des Homologoumena[142]: elle vise à défendre la liberté acquise en Christ par les croyants. Quant au v.22b, qui cite implicitement Is 29,13, il pourrait bien faire partie des arguments utilisés dans les disputes légales, comme le montre Mt 15,9 et par.: son usage courant (au point de devenir un topos?) en de telles disputes explique sans doute qu'ici l'Auteur n'ait pas cru nécessaire de le citer formellement. La fonction du recours à Is 29,13 est claire: même si les opposants renvoient à des traditions anciennes pour justifier leurs règles, l'Auteur objecte que ces règles ont été fabriquées par des hommes et non directement demandées par Dieu.

---

[140] Traduction du v.22a: «ces choses sont toutes destinées à être consumées par l'usage»; le ἐστιν du v.22 est ainsi traduit par «sont destinées à», comme en Ac 8,20; 2P 2,12. Comme représentants de cette exégèse, voir Lohse, *Kolosser*, 182; Schweizer, *Kolosser*, 127-128; Gnilka, *Kolosserbrief*, 158.

[141] Cf. Francis, *Re-examination*, 160-164. Le sens «abus» donné à ἀπόχρησις est possible, parce qu'attesté à l'époque.

[142] Cf. Rm 14; 1Co 8-10.

v.23

«Ces règles ont des accents de sagesse, par le culte volontaire, l'humilité, et l'ascèse corporelle, (elles ne sont pourtant) d'aucune valeur contre la satiété de la chair».

Le dernier argument insiste une nouvelle fois sur la contradiction dans laquelle se trouvent les «docteurs», et finit avec un jugement sans appel sur l'utilité sotériologique des pratiques ascétiques.

De l'avis de tous les commentateurs, la difficulté majeure vient du caractère amphibologique du verset. Le seul mot aisé à traduire est le relatif ἅτινα, qui renvoie très certainement à l'expression «les règles et enseignements humains» du verset précédent. La plupart des exégètes comprennent le début du verset ainsi: «ces règles ont l'apparence de la sagesse», faisant du ἐστιν ἔχοντα un présent périphrastique. Mais on a récemment proposé de séparer le ἔχοντα du ἐστιν et d'en faire un participe concessif: «ces règles, bien qu'ayant une apparence de sagesse en matière de culte, d'humilité et d'ascèse, sans aucun honneur, conduisent en réalité à (ἐστιν πρός) l'insolence de la chair»[143]. D'autres pensent que la préposition πρός avec l'accusatif indique l'opposition («contre») ou des rapports divers («concernant», «par comparaison avec», «en proportion de»), ce qui augmente le nombre des traductions pour la fin du verset (οὐκ ἐν τιμῇ... σαρκός)[144]: les pratiques ascétiques des docteurs ont des accents de sagesse,

(a) «mais elles ne sont d'aucune valeur[145] contre la satisfaction de la chair»;

(b) «en fait elle n'ont aucune valeur concernant l'insolence de la chair»;

(c) «elles sont dénuées de toute valeur et ne servent qu'à contenter la chair»[146].

---

[143] Hollenbach, «Col 2,23». Cette traduction a l'inconvénient de ne savoir quoi faire du οὐκ ἐν τιμῇ τινι («sans aucun honneur»), pourtant inséparable du syntagme qui le suit.

[144] Le terme πλησμονή, bien attesté dans l'AT, signifie «abondance», «satiété». Il apparaît souvent dans des expressions comme «à satiété» (εἰς πλησμονήν), etc. On peut le traduire ici par «pleine satisfaction», «satiété».

[145] Le syntagme οὐκ ἐν τιμῇ τινι peut être rendu par «pas en honneur», ou, comme ici, par «d'aucune valeur».

[146] Traduction de la TOB. La préposition πρός acquiert ici une connotation positive («en faveur de»; «pour»), et le sens devient contraire de celui de (a) et (b); on ne voit pas sur quels critères le verbe «servir à» et la restriction qui l'accompagne, «ne...que», ont été ajoutés. Traduction fautive.

Les traductions (a) et (b) sont les seules à respecter le déroulé syntaxique et à mettre en valeur la technique rhétorique du verset, qui souligne les contradictions existant entre, d'un côté, le discours et les idéaux des «docteurs», parlant d'humilité, de sévérité[147] envers le corps, et, de l'autre, les effets concrets, à savoir l'orgueil, par quoi la chair, loin d'être humiliée, gagne en insolence.

Le terme ἐθελοθρησκία, qui ne semble pas avoir été employé avant Col, n'est pas facile à interpréter. Forgé à l'image d'autres mots commençant par ἐθελο-[148], il met en valeur le désir et la volonté de ceux qui se préparaient à entrer dans le sanctuaire céleste grâce aux visions, mais il peut aussi signaler que le culte prôné par les docteurs est le produit de leur propre vouloir, bref leur invention. Voilà pourquoi certains commentateurs pensent que le verset reprend ironiquement le terme ἐθελοθρησκία des «docteurs»[149], mais rien ne permet de le prouver.

Ce verset final insiste donc encore sur une contradiction: des pratiques faites pour humilier la chair, autrement dit favoriser l'humilité, ont en réalité des conséquences opposées.

4° L'argumentation et son rapport aux Homologoumena

L'analyse des versets a relevé les nombreux points communs avec les lettres unanimement reconnues comme pauliniennes[150]:
- le περιπατεῖν («marcher»; il s'agit de l'agir moral): Col 2,6; cf. Rm

---

[147] Le verbe ἀφείδειν et le substantif ἀφειδία évoquent une vie sévère et austère, tant dans la manière d'user des biens matériels qu'au niveau moral et corporel. Le terme peut s'entendre aussi de l'abstinence sexuelle, et certains commentateurs pensent que c'est le cas ici (en lien avec les impératifs «ne touche pas», «ne prends pas» du v.21); les «docteurs» de Col auraient ainsi des exigences semblables à celles des hétérodoxes dénoncés par 1Tm 4,3. Pareille extension n'est pas impossible, même si le v.16 renvoie seulement aux domaines alimentaire et cultuel.

[148] Voir ceux fournis par Lohse, *Kolosser*, 185 (qui les reprend de Blass-Debrunner, n°118): ἐθελοδιδάσκαλος (enseignant qui s'est voulu tel et s'est nommé lui-même), ἐθελόδουλος (qui a voulu être esclave), ἐθελοκακεῖν (vouloir être maltraité).

[149] Cf. par ex. Lohse, *Kolosser*, 185.

[150] Cf. E. Lona, *Die Eschatologie im Kolosser*, 148-172; Wessels G.F., «The Eschatology of Colossians».

6,4; 8,4; 13,13 1Co 3,3; 7,17; 2Co 4,2; 5,7; 10,2; 12,18; Ga 5,16; Ph 3,17; 1Th 4,1.12.
- le binôme παρελάβετε/περιπατεῖτε (recevoir/vivre): Col 2,6; cf. 1Th 4,1.
- le βεβαιοῦν («rendre fort»): Col 2,7; cf. 1Co 1,6.8; 2Co 1,21.
- le περισσεύειν («surabonder») Col 2,7; mais non suivi de τῇ εὐχαριστίᾳ dans les Homologoumena.
- les στοιχεῖα τοῦ κόσμου («éléments du monde»): Col 2,8.20; cf. Ga 4,3.9.
- le πλήρωμα («plénitude»); Col 2,9; Paul parle de la plénitude des temps (Ga 4,4), de l'amour (Rm 13,10), d'Israël et des Nations (Rm 11,12.25), mais c'est la première fois que le terme qualifie l'habitation de la divinité dans le Christ.
- le πληροῦν («remplir», «combler»): Col 2,9; Dieu comble les croyants de joie et de paix en Christ (Rm 15,13).
- la circoncision: Col 2,11; cf. Rm 2,29; mais c'est ici (Col 2,11) la première fois que le terme désigne le baptême.
- ἀχειροποίητος «pas-fait-avec-les-mains» (Col 2,11); cf. 2Co 5,12, où cela est dit de la demeure éternelle.
- l'être-mort avec Christ: «ensevelis avec (Christ)» (Col 2,12); même expression en Rm 6,4 où l'on parle aussi du baptême. Même thème en Col 2,20 (avec les mêmes mots qu'en Rm 6,8).
- Dieu qui ressuscite Christ des morts (Col 2,12); l'expression est la même en Rm 6,4; voir aussi Rm 4,24; 8,11; 1Co 6,14; 2Co 4,14 (en ces deux passages le lien entre la résurrection de Jésus et celle, future, des croyants, est souligné); Gal 1,1; 1Th 1,10.
- Dieu qui fait vivre les morts (cf. Col 2,13): Rm 4,17; 8,11; thème semblable en Rm 6,5 (avec le mot ἀνάστασις), où Paul dit que nous aurons une résurrection semblable à celle du Christ.
- Dieu qui a gracié: Col 2,13; cf. Rm 3,24 (justification par grâce).
- les «principautés» et «puissances» vaincues ou impuissantes: Col 2,15; cf. Rm 8,38; 1Co 15,24.
- ne pas juger le frère sur des questions de nourriture: Col 2,16; cf. Rm 14,1-12;
- les néoménies («nouvelles lunes»): Col 2,16; cf Gal 4,10.
- l'Eglise corps du Christ: Col 2,19; cf. 1Co 12,12-27 (mais, en 1Co 12, il n'est pas dit que Christ est la tête du corps ecclésial);
- les traditions humaines opposées à la vraie sagesse divine: Col 2,8.22-

23; expressions semblables en 1Co 2,13.

La liste des thèmes de teneur paulinienne est impressionnante. Surtout les parallèles entre Col 2,11-13.20 et Rm 6,3-5.8. Ici et là est soulignée l'union entre Christ et les croyants. Et l'on ne peut simplement opposer trivialement l'eschatologie de Col et celle des lettres précédentes, où l'insistance sur le «déjà-là» de l'existence du croyant avec le Christ est beaucoup plus fréquent qu'on ne le dit souvent[151].

Mais il existe aussi des différences entre les deux passages. En Rm 6,4, le baptême est un moyen, un instrument permettant de communier à la mort de Jésus; en Col 2, il devient le lieu de l'ensevelissement et de la résurrection du croyant avec son Seigneur. Si, en Rm 6, la résurrection du croyant est encore future (cf. Rm 6,8), en Col 2,11-13 et 3,1 elle est déjà effectuée. Il ne s'agit pas toutefois, comme en Rm 6 (1Th 4; 1Co 15), de la résurrection finale des morts: le sens est figuré, parce que, nonobstant son être-ressuscité avec le Christ, le croyant reste dans l'histoire, ici-bas et trépassera, comme tous les hommes, croyants en Christ ou non. Col 2 ne dit pas que la résurrection finale des morts est déjà advenue, il ne la nie pas davantage; bref, la tension eschatologique (le «pas encore») n'a pas disparu: cf. 3,4 et 3,24.

Ce qu'il faut expliquer, c'est donc le glissement des catégories. Plusieurs exégètes invoquent l'hérésie de Colosses (qui se présenterait comme une eschatologie réalisée ou comme une «theologia gloriae»); d'autres voient une influence des religions à mystères (baptême, rite d'initiation interprété comme mort et résurrection avec la divinité). Il semble plus cohérent avec l'insistance christologique de Col de voir ce glissement comme une conséquence de la plénitude du Christ: si tout a été pleinement donné en Christ aux croyants, et si tout le corps de l'Eglise est vivifié par sa plénitude (de Fils de Dieu et de Ressuscité), alors le croyant a déjà accès à la vie du Ressuscité: l'être ressuscité avec Christ a la même fonction en Col que le don de l'Esprit dans les grandes épîtres pauliniennes. Et ceci se fait encore dans la ligne paulinienne, celle de Ga 2,20; 2Co 4,11, etc. Bref, le glissement des catégories est davantage dû à la logique interne de l'épître qu'à un changement radical d'eschatologie: Col 2 reste vraiment dans le cadre de la pensée paulinienne.

---

[151] Cf. Ga 2,20; Rm 6,11; 8,9-11.15. Voir Wessels, «The Eschatology of Colossians», 186-187.

La section a pour fonction de mettre à nu les contradictions majeures d'un langage ayant toutes les apparences de la sagesse. Au niveau rhétorique, face à des gens considérés comme sages et qui discréditent les croyants ne se pliant pas aux règles ascétiques et rituelles prônées par eux, l'Auteur s'efforce de mettre en valeur la dignité de tous les croyants et leur plénitude en Christ, pour ensuite montrer la fausse noblesse de la doctrine qu'il combat. Il est intéressant de noter que la critique du discours des «docteurs» vient de l'intérieur de la foi, par une réflexion sur la situation du Christ et sur celle des croyants unis à lui. C'est à ce niveau de vérité et d'expérience que les effets et les contradictions d'une doctrine attirante peuvent être relevées et soulignées. Ce faisant, l'auteur de Col procède comme le Paul des Homologoumena, qui se préoccupe peu de développer et d'entrer dans la mentalité de ceux qui professent des idées jugées nocives par lui, mais observe avant tout les effets concrets d'une doctrine pour la vie des communautés: le scandale de la croix du Christ est-il oublié, l'unité de l'Eglise envolée, certains croyants méprisés par les autres, etc? Quant à la manière dont Col 2 insiste sur la christologie et le rapport des croyants au Christ, rapport inaliénable, elle est encore paulinienne.

Col 2 et les Homologoumena ont aussi en commun de décrire de manière assez floue ou schématisée l'erreur qu'ils stigmatisent, au point que plusieurs milieux de vie pourraient convenir. Qu'on ait pu voir dans la doctrine dénoncée par Col 2 un début de gnosticisme, l'initiation des religions mystériques, le judaïsme de type essénien ou encore apocalyptique, ne surprendra que ceux qui oublient la façon de faire des Homologoumena, où l'Apôtre essaie toujours d'élargir le débat, pour que ses observations s'appliquent à plusieurs situations et milieux de vie. Au niveau rhétorique donc, l'hypothèse pseudépigraphique reste fragile pour Col 2,6-23, où la manière de raisonner est typiquement paulinienne. On objectera sans doute que, par son nombre impressionnant d'hapax legomena (des lettres pauliniennes et du NT) et sa syntaxe tourmentée, ce chapitre reste assez loin du vocabulaire et style pauliniens. Certes, mais comme nous venons de le dire, la plupart des mots et expressions rares sont choisis à dessein pour valoir en des situations diverses ou peuvent aussi refléter le vocabulaire de la philosophie incriminée.

EXCURSUS 1

L'erreur de Colosses: vers une solution[1]

La difficulté de Col 2 vient de ce qu'on peut déterminer quelques-uns des traits saillants du discours des «docteurs», sans pour autant cerner avec une totale certitude leur milieu porteur. L'exégète cherche avec obstination l'arrière-fond le plus approprié: judaïsme apocalyptique, religions à mystères, cercles (pré)gnostiques, ou groupes de type syncrétiste[2]. Les commentaires présentent d'ailleurs leur propre option avec beaucoup d'imagination et assez de cohérence, sans réussir toutefois à expliquer tous les phénomènes textuels. Nous avons déjà dit que l'incapacité où se trouvent les critiques à reconstruire exactement l'arrière-fond religieux et culturel de l'erreur, tient moins à leur absence de sagacité qu'à la manière dont l'Auteur procède, en élargissant le champ de ses observations pour qu'elles puissent valoir en des situations diverses et différentes. C'est pour des raisons *rhétoriques* que l'Auteur reste discret sur l'origine ou le milieu de l'erreur qu'il combat, et dont il montre les conséquences funestes[3].

Ceci dit, la section Col 2,6-23 autorise un certain nombre de résultats sur la nature de l'erreur de Colosses.

(a) Les êtres célestes y jouent un rôle important. S'il faut exclure, pour les raisons indiquées au cours de l'exégèse de 2,8 et 18, un culte en l'honneur des anges, il n'en demeure pas moins que les êtres supérieurs devaient avoir, selon les «docteurs», un rôle décisif, pour faire connaître les desseins divins, les faire exécuter, et châtier les contrevenants. La manière dont Col 1,15-20 et Col 2,9.15 mettent en valeur la primauté du Christ aux dépens des êtres célestes ne se comprendrait pas autrement. Ce qui était affirmé, c'était leur pouvoir sur les humains et les pratiques qu'ils exigeaient en conséquence pour gagner l'amitié de Dieu.

Il est clair que l'Auteur de Col a perçu les périls d'une telle

---

[1] La bibliographie est en partie la même que celle mentionnée au début de la section. Ne sont signalés ici que les pages correspondantes des commentaires traitant de cette question: Lohse *Kolosser*, 186-191; Schweizer, *Kolosser*, 100-102; Gnilka, *Kolosserbrief*, 163-170. Bruce, Colossians, 17-26; Pokornÿ, *Kolosser*, 95-101.

[2] Pour ces différentes hypothèses, voir l'introduction pp.13-18.

[3] La manière de faire de Col est , sur ce point, la même que celle des Homologoumena.

angélologie pour la christologie et, par voie de conséquence, pour la sotériologie. Mais cela ne signifie pas nécessairement que les «docteurs» refusaient le kérygme, l'importance de la croix et de la résurrection: on ne peut, à partir de Col, dire si les «docteurs» faisaient le lien entre leur angélologie et la situation du Christ: déclaraient-ils le Christ inférieur aux puissances, ou, au contraire, le plaçaient-ils au-dessus? Car deux manières de situer le Christ par rapport aux êtres célestes étaient pensables. Les «docteurs» pouvaient tout simplement nier la primauté du Christ sur les puissances, en disant par exemple que, même ressuscité, le Christ avait une gloire inférieure à la leur, parce que gloire d'un homme, d'un être corporel, et parce que les puissances spirituelles étaient depuis toujours devant le trône divin[4]. Ils pouvaient aussi admettre la primauté du Christ, mais laisser aux êtres célestes un pouvoir énorme, sans réaliser que cela portait ombrage à la médiation salvifique du Christ et à la situation des croyants eux-mêmes. Cette dernière hypothèse suppose un milieu théologique très probablement juif, comme l'indiquent les raisons fournies par F.F. Bruce[5], où les anges représentent le Dieu infiniment transcendant, le Très Haut, pour donner des ordres, intercéder, punir, introduire au ciel les élus, etc. Une telle angélologie a ses racines dans les théophanies bibliques, elle s'est développée en de nombreux écrits juifs, jusqu'à l'époque où fut écrite Col, et même après. Cette exégèse, défendue ici même, va malgré tout au-delà du texte, car Col 2,6-23 ne dit pas que la doctrine en vogue à Colosses sur les anges de Dieu menace la primauté du Christ. N'est mentionnée, en Col 1,20, qu'une inimitié entre êtres célestes et entre êtres terrestres, antérieure à la croix et surpassée grâce à elle.

(b) L'importance donnée à la médiation et au pouvoir des êtres célestes constitue donc très probablement la *cause* ou la racine du mal que Col veut guérir. Mais, cette médiation des puissances s'opère à propos de pratiques ascétiques et rituelles qui ont aussi des *effets* nocifs au niveau

---

[4] En recourant à la médiation créatrice et en mettant les puissances en dépendance du Christ pour leur exister, la première partie de ce qu'il est convenu d'appeler «l'hymne» de Col répond implicitement à une possible négation de la primauté du Christ sur les puissances. Mais Col n'attribue jamais directement une telle position aux «docteurs», on peut se demander si les «docteurs» défendaient de telles positions, franchement hérétiques.

[5] *Colossians*, 118-120.

communautaire (jugement, discrédit, etc.). Col 2 montre que ces pratiques devaient constituer, selon les «docteurs», un moyen indispensable pour avoir des visions - autrement dit pour être admis dans le sanctuaire céleste et participer au culte rendu par les anges. Ce voyage vers le ciel devait à son tour être considéré comme les prémices du salut, comme un être-avec-Dieu[6] préfigurant la glorification finale et seule à même de la permettre. On ne peut expliquer autrement l'accentuation mise par l'Auteur de Col sur l'être-avec-Christ de tout baptisé dès maintenant et sans vision, précisément pour prendre le contre-pied des «docteurs». Si, comme le dit l'Apôtre, nous avons déjà tout reçu en Christ et pouvons tout espérer en lui (surtout la gloire), pourquoi s'adonner à des pratiques censées favoriser et préparer la communion avec Dieu mais qui, en réalité, nient les effets déjà présents de la médiation christique?[7]. Le milieu de vie des pratiques ascétiques et du culte des anges mentionnés en Col 2 est manifestement juif (plus probablement apocalyptique). Cela ne signifie pourtant pas que les docteurs étaient d'origine juive ou des chrétiens judaïsants, d'abord parce que la problématique n'est pas du tout celle de la Loi, ensuite parce que l'angélologie juive avait, à la fin du premier siècle[8], fortement pénétré les communautés chrétiennes d'Asie Mineure, comme en témoigne l'Apocalypse de Jean et d'autres, non canoniques, où les anges ont une place énorme.

Col 2 ne permet pas de conclusions plus précises sur l'erreur de Colosses. Celles qui viennent d'être suggérées peuvent néanmoins être considérées comme fermes et solides.

---

[6] On pourrait supposer que les «docteurs» voulaient favoriser par les pratiques et visions une meilleure connaissance du Christ et de ses trésors de sagesse (2,3). Mais cela est impossible, car le lien entre pratiques ascétiques et connaissance supérieure du Christ n'est jamais fait en Col, et l'Apôtre ne reproche pas aux docteurs de dire que les pratiques ascétiques sont un nécessaire prélude à la vision du Christ et à l'union totale avec Lui.

[7] Telle est l'exégèse que Sappington, *Revelation*, 179, fait de Col 2,2-3: «les pratiques des hétérodoxes, à finalité révélatoire, manquent leur but, car la plénitude de la révélation a déjà été donnée à tous ceux qui sont 'en Christ'».

[8] Dans la discussion sur l'authenticité de Col, l'importance de l'angélologie est peut-être le seul élément (externe) susceptible de faire pencher la balance du côté de la pseudépigraphie, indiquant probablement une époque tardive de la vie de Paul, peut-être même postérieure à sa mort.

C = COLOSSIENS 3,1 - 4,1

L'AGIR ETHIQUE DES CROYANTS

1° Bibliographie

Lohse, «Christologie und Ethik im Kolosserbrief»; Halter, *Taufe und Ethos*, 204-226; Merklein, «Eph 4,1 - 5,20 als Rezeption von Kol 3,1-17»; Hartman, «Parenesis of Col 3:6--4:1».

2° Composition et présentation d'ensemble

Après avoir montré aux Colossiens pourquoi ils doivent refuser les injonctions que leur font les «docteurs», l'Auteur étend maintenant son propos à toutes les dimensions de la vie éthique.

Les articulations de la section sont aisément repérables. Les vv.1-4 forment une introduction en bonne et due forme, et jouent aussi le rôle d'une *partitio* annonçant clairement les deux vagues d'exhortations qui vont être égrenées dans le corps de la section, à savoir les vv.5-17, et qui reprendront en ordre inverse les thèmes annoncés: se dépouiller du vieil homme et revêtir l'homme nouveau. Le corps de la section finit avec une série d'exhortations relatives à la vie domestique (3,18-4,1); et les vv.2-6 de Col 4 élargissent, pour la conclure, la section entière:

3,1-4 exhortations introductives
3,5-4,1 exhortations particulières (3,5-17; 3,18-4,1)
4,2-6 exhortations conclusives[1]

Les exhortations éthiques commencent, à la différence de toutes celles des Homologoumena, par une motivation christologique. Mais, ce faisant l'Auteur continue dans le sens de Col 2, où l'argumentation était de même nature: c'est encore l'être-ressuscité-avec-le-Christ du croyant

---

[1] Ces exhortations concluent la section exhortative, mais elles reprennent aussi un certain nombre de thèmes de la lettre et acquièrent une fonction plus large, pérorante pour l'ensemble de Col.

qui définit l'horizon et les modalités de l'agir des croyants.

Le schéma qui suit montre aussi que le corps de la section est bâti comme Col 2,8-19, les exhortations périphériques étant tenues ensemble par une réflexion sur l'être nouveau en Christ:

vv.5-9a: exhortations (cf. Col 2,8)
vv.9b-11: motivations christologiques (cf. Col 2,9-15)
vv.12-17: exhortations (cf. Col 2,16-19)

La section éthique souligne ainsi à sa manière que la christologie a envahi toutes les dimensions de l'existence chrétienne. Elle montre surtout que pour l'Auteur de Col, la dimension éthique est celle où doit se manifester la plénitude reçue, faite pour être partagée: l'agir éthique des croyants est à la fois le fruit de la plénitude vécue avec Christ et le lieu où elle se donne à lire, à reconnaître.

La manière dont l'Auteur commence est étrange, car il mentionne d'abord la résurrection des croyants avec Christ (v.1), et seulement ensuite leur mort (v.3). Les raisons de cette apparente bizarrerie sont stylistiques et théologiques: les exhortations des vv.1-4 (α et β) seront reprises en ordre inverse par la suite, car l'Auteur veut finir avec les recommandations positives, pour mettre en valeur la manière dont les croyants peuvent vivre l'être-ressuscité-avec-Christ et la plénitude reçue en lui. La préparation des deux types d'exhortation (autrement dit, la *partitio*) interdit d'ailleurs qu'on rattache les vv.1-4 à la section précédente, comme le font certains commentaires. L'introduction (vv.1-4) et le corps de la section (vv.5-17) ont ainsi une composition *concentrique*, dont nous avons déjà noté, dans la présentation de Col 2,6-23, qu'elle est typique des exhortations pauliniennes:

┌ *a* motivation christologique: ressuscités avec Christ (v.1a)
│ *b* exhortations: opposition entre
│ β céleste, à désirer et penser (vv.1b-2a)
│ α et terrestre, à ne pas penser (v.2b)
└ *a* motivation christologique: morts, et cachés avec Christ (vv.3-4)

- - - - -

┌ *B*α vv.5-9 exhortations à mortifier (mettre à mort) l'homme terrestre
│ *A* vv.9b-11 motivations (α) = vous vous êtes dépouillés du vieil homme v.9b
│   (β)= vous avez revêtu l'homme nouveau v.10-11
└ *B*β vv.12-17 exhortations à vivre la nouveauté en Christ
     + 3,18--4,1 exhortations pour la vie familiale

3° Exégèse des versets

I - INTRODUCTION: EXHORTATIONS GÉNÉRALES ET PRINCIPES (3,1-4)[2]

1 Si donc vous êtes ressuscités avec le Christ, recherchez les choses d'en haut, là où est le Christ, assis à la droite de Dieu. **2** Songez aux choses d'en haut, non à celles de la terre. **3** Car vous êtes morts, et votre vie a été cachée avec le Christ en Dieu. **4** Lorsque paraîtra le Christ, votre vie, alors vous aussi vous paraîtrez avec lui *dans la gloire*.

* v.4, litt.: «en gloire».

v.1

La section commence par l'être-ressuscité-avec-le-Christ et manifeste clairement (par le «donc» initial) que l'agir éthique du croyant vient de sa situation, qui est d'être-vivant de la vie même du Christ. Cette situation du croyant n'a pas besoin d'être décrite, car elle l'a déjà été au chapitre précédent (cf. 2,12). Elle sert seulement de tremplin à l'exhortation apostolique. Il importe évidemment de voir comment l'Auteur va concrètement, au cours de la section, relier l'agir du croyant au Christ: en prenant Christ comme modèle de son agir (faites comme il a fait)? en obéissant à ses paroles, à ses commandements (faites ce qu'il a dit)? ou en fonction d'un type d'agir déclaré conforme à la vie en Christ (manifester la richesse de sa résurrection et de sa vie)? L'Auteur choisit encore une autre voie, puisqu'il invite les croyants à regarder «là où est le Christ, à la droite de Dieu», à désirer «les choses d'en haut»[3]. Mais, comme toute introduction, celle-ci reste inchoative, et il faudra attendre le corps de la section pour savoir ce qu'il faut entendre par

---

[2] Cf. Grässer, «Kol 3,1-4».

[3] Par «choses d'en haut» (τὰ ἄνω), il faut entendre le domaine céleste, là où est Dieu, comme dit le Ps 113,11 LXX, ou encore le «Notre Père», Mt 6,9. Pour d'autres références, voir Gnilka, *Kolosserbrief*, 172. L'intérêt de ces versets vient évidemment de ce qu'ils ne mentionnent pas le mot «cieux». On va voir pourquoi.

Comme parallèle à l'exhortation du v.1, voir Philon, *leg. alleg.* III 214 et *quis rerum divinarum heres sit*, où les croyants sont aussi invités à regarder «vers les cieux».

«cherchez les choses d'en haut». Car cela pourrait indiquer une fuite des
réalités du monde ou une éthique utopique impraticable: le croyant doit-il
contempler les idéaux célestes à partir desquels il réglera sa conduite? Le
v.1a doit être bien compris: il ne dit pas que les croyants regardent le
Christ d'en-bas, mais qu'étant ressuscités avec lui, étant donc avec lui,
ils doivent regarder les réalités du lieu où ils sont, celles de «là-haut».
Et le même verset donne un début de réponse, lorsqu'il déclare que le
Christ est «assis à la droite de Dieu», en position royale[4], acquise par sa
résurrection: Christ est le Seigneur, et c'est en regardant vers lui,
autrement dit en lui obéissant, que les croyants doivent conduire leur
existence. Mais comment connaître la volonté du Ressuscité? Le reste de
la section va répondre.

v.2

L'Auteur mène jusqu'au bout sa métaphore spatiale, mais sans
que les termes se correspondent exactement: l'opposition n'est ni entre
ciel et terre, ni entre haut et bas, mais entre haut et terre. On peut
maintenant deviner pourquoi il n'est pas dit aux Colossiens ou aux
croyants qu'ils sont «dans les cieux»: ils ne doivent pas croire qu'on les
invite à vivre dans le rêve. Mais ils ne doivent pas pour autant songer
(φρονεῖν)[5] aux «choses de la terre»[6]. Cette dernière expression n'est
pas immédiatement précisée - n'oublions pas que nous sommes dans une
introduction -, elle le sera ensuite. Car, avec cette seconde recommandation à ne pas «songer» aux choses terrestres, l'Auteur annonce la série

---

[4] L'allusion au Ps 109-110,1 est obvie.

[5] Le verbe φρονεῖν indique le désir (songer à quelque chose pour le posséder, s'en
emparer, etc.) et la manière de voir les êtres et les choses (en les jugeant positivement
ou négativement). La connotation vient du contexte. Ainsi, on peut songer aux choses
terrestres et charnelles, pour les désirer (Rm 8,5; Ph 3,19); etc. Cf. encore Rm 12,3.16;
14,6; 15,5; Ph 2,2.5; 4,2.

[6] Le verset reprend ici un syntagme déjà employé en Col 1,20, mais lui donne une
connotation négative: il s'agit du terrestre en sa pesanteur. Si l'on met à part Ph 3,19,
très proche de notre verset (τὰ ἐπίγεια φρονεῖν), l'expression n'apparaît pas dans les
Homologoumena, qui emploient l'adjectif «charnel» (σάρκινος/σαρκικός; Rm 7,14;
15,27; 1Co 3,1.3.; 2Co 1,12; 3,3; 10,4), ou le substantif «chair» (σάρξ; Rm 7,7; 8,5,
avec le syntagme τὰ τῆς σαρκὸς φρονεῖν, que reprend peut-être Col 3,2; etc.). Le choix
de «terre» est dû à la logique des équivalences, de type spatial (haut/bas; ciel/terre),
suscitées par le registre de la résurrection et de la seigneurie du Christ.

d'exhortations négatives des vv.5-9a.

v.3

L'Auteur vient de dire que les croyants sont ressuscités avec Christ, vivants donc. Or, il ajoute laconiquement: «vous êtes morts». Les croyants ne peuvent songer aux choses terrestres, parce qu'ils sont morts *au terrestre*, qu'ils n'en dépendent plus, et que leurs décisions, leurs désirs, ont désormais leur source en Christ. Le verbe ἀπεθάνετε n'a pas le même sens que le νεκροί de 2,13 - qui était une mort spirituelle -; il renvoie plutôt à l'ensevelissement de 2,12. On dira sans doute, que le langage est contradictoire: si les croyants furent ressuscités, comment pourraient-ils *encore* être morts? N'oublions pas que le verbe est à l'aoriste et qu'il renvoie à l'événement du baptême: les chrétiens sont passés par la mort, comme le Christ, pour entrer dans la vie du Ressuscité, et vivre de sa vie[7]. La mort dont parle le verset est *une mort à*, comme celle de Rm 6,2.8.10, chapitre dont dépendent manifestement Col 2,13 et 3,1-2[8]. Le texte indique d'ailleurs comment il doit être lu, puisqu'il passe de l'aoriste ἀπεθάνετε à l'aujourd'hui de la vie: «votre vie a été cachée avec le Christ en Dieu»[9]. Ainsi, la mort eut lieu dans le passé, et la vie caractérise le présent. Si l'Auteur mentionne la mort, c'est sans doute aussi pour exploiter l'union entre Christ et les croyants et l'identité de leur itinéraires. De même en effet que Christ est mort et ressuscité, mais reste invisible aux yeux de chair, les croyants morts et ressuscités avec lui n'apparaîtront en gloire, encore avec lui, que lorsque lui-même se manifestera tel.

v.4

Le verset prolonge le précédent et n'a apparemment rien à faire avec les exhortations éthiques. Mais, en réalité, il signale implicitement le lien entre la vie éthique des croyants et la gloire future: le croyant est fait pour la gloire et ne peut vivre sa vie éthique comme s'il n'en était pas ainsi[10]. Mais surtout, l'Auteur affirme que les croyants auront leur

---

[7] Cf. Rm 6,9 «Nous savons que Christ, ressuscité d'entre les morts, ne meurt plus».

[8] Voir encore Rm 7,4; 2Co 5,14; Ga 2,19.

[9] Le parfait κέκρυπται («a été caché») indique une situation qui dure encore.

[10] Col 3,4 ne dit cependant pas que la gloire future dépend de l'agir éthique des croyants.

manifestation glorieuse, et qu'elle sera liée à celle, finale, du Christ[11]:
l'être-avec-Christ commencé au baptême n'aura pas de fin; et il identifie
totalement (par les trois événements décisifs: mort, résurrection, gloire)
les croyants au Christ.

Le verbe exprimant la manifestation glorieuse finale du Christ[12],
φανεροῦν, avait déjà été employé en 1,26[13] (et le sera de nouveau en
4,4) pour la proclamation du *mystèrion* par les Apôtres. On voit pourquoi
l'Auteur reprend le même verbe: il s'agit chaque fois (a) d'une manifestation (b) officielle, perceptible par tous (c) du Christ, auparavant caché;
et de même que le *mystèrion* a la particularité de notifier la venue et la
présence du Christ parmi les Nations, la manifestation finale sera elle
aussi celle du Christ et de tous les croyants avec lui. Leur sort est
totalement lié au sien. L'analyse de Col 2,13 a déjà permis de signaler
les différences entre les expression de Rm 6 et celles de Col à propos de
la résurrection - non encore effectuée pour Rm 6, déjà effectuée pour Col
3,1 - des croyants. Nous avons cependant noté que les glissements de
vocabulaire, dûs aux impératifs de la sotériologie de Col, n'équivalent
pas à un bouleversement de l'eschatologie paulinienne.

Le Christ est «votre vie»[14]. Cette formulation rappelle Ga 2,20

---

[11] Sans pour autant ajouter que leur gloire sera celle même du Christ.

[12] L'un ou l'autre commentaire (tel Gnilka, *Kolosserbrief*, 175, qui reprend Volz,
Eschatologie, 115-116 et Strack-Billerbeck I, p.179) signale quelques passages juifs sur
la manifestation de la seigneurie du Messie (ApoSyrBa 39,7; etc.). Ces quelques
parallèles doivent être traités avec circonspection, car, dans la plupart des Apocalypses
juives, la figure du Messie n'a qu'une place secondaire. Sur ce point, Col dépend moins
des courants apocalyptiques que de la manière dont l'Eglise primitive a développé sa
propre apocalyptique, en fonction de Jésus, Messie, Sauveur, Fils de l'homme, Fils de
Dieu.

[13] Voir l'exégèse de ce verset.

[14] Certains témoins lisent «votre vie» (avec p[46] ℵ D* etc.), et d'autres, non moins
respectables, «notre vie» (B D^c syr^p). Les Bibles et commentaires contemporains sont
divisés. Ceux qui choisissent la leçon ὑμῶν («de vous» ou «votre») s'appuient sur
l'excellence des manuscrits; les autres pensent au contraire que le ὑμῶν est une
harmonisation postérieure visant à mettre toute la section en «vous» (la leçon ἡμῶν serait
donc *difficilior*). Mais on peut retourner l'argument et soutenir qu'un copiste a élargi à
tous les croyants le ὑμῶν original, d'autant plus que les témoins de la leçon ὑμῶν n'ont
pas une tendance marquée à modifier les pronoms. Quoi qu'il en soit, l'interprétation du
verset n'est en rien changée.

et Ph 1,21. Elle peut être comprise au moins de deux façons: (a) le Christ est modèle de vie des croyants, (b) sa vie de Ressuscité est celle-là même que les croyants reçoivent au baptême et qui les anime en tout, aux niveaux ecclésial, social, éthique. Le contexte n'autorise pas la première interprétation. Quant à la manière de parler de la vie des croyants, notons la progression de Col 3,4 par rapport à 2,13, où l'Auteur dit seulement que Dieu les a fait revivre avec Christ: le «avec Christ» indiquait une proximité, mais pas encore l'identité de vie; car, ici, la vie des croyants est celle même du Christ.

Ces quatre versets continuent à décrire, avec encore plus de force, la vie des croyants en rapport au Christ, pour souligner comment en et avec lui ils ont tout reçu. Il reste à voir en quoi cette vie du Christ que les croyants ont reçue détermine leur agir.

Notons, en ces vv.1-4, les motifs pauliniens et leur transformation:

- L'être mort (ἀπεθάνετε v.3) des croyants au péché: Rm 6,2.11 (morts au péché); Rm 7,4 (morts à la Loi); 2Co 5,14; Ga 2,19 («par le moyen de la Loi je suis mort à la Loi»).
- Christ, vie du croyant (v.4): Ga 2,20a. Ph 1,21.
- «Christ assis à la droite de Dieu» v.1 (Ps 110,1); si Paul fait allusion une fois au Ps 110,1 (en 1Co 15,25: «jusqu'à ce qu'il mette tout sous ses pieds»), le stique antérieur du même verset est repris ici pour la première fois (ensuite, en Ep 1,20). En Col 3,1, c'est la royauté du Christ et sa proximité avec Dieu, autrement dit sa seigneurie, qui reçoit l'accentuation, et non sa victoire sur les puissances ennemies, comme en 1Co 15.
- le φρονεῖν (v.2), avec ses différents emplois.
- l'opposition terrestre/céleste (v.2): Ph 3,19-20.
- Le «déjà-là» et le «pas encore» de la sotériologie en Col 3,1-4. Le pas encore de la vie nouvelle se déplace du salut final ou de la résurrection avec Christ (cf. Rm; 1-2Co; Ga; 1Th; Ph) vers sa manifestation (Col 4): les croyants sont déjà là-haut avec le Christ ressuscité, partagent sa vie, d'une manière encore cachée certes, mais pleine de la plénitude même du Ressuscité. En d'autres termes, le déjà effectué concerne l'*être* des croyants, et le pas-encore la *manifestation* de cet être.

De ces similitudes et différences, on ne peut rien conclure de définitif sur l'authenticité de Col. Comme les précédents, ce passage, d'inspiration fortement paulinienne, manifeste des écarts interprétables à

l'intérieur même de l'hypothèse de l'authenticité: si déjà les Homologoumena manifestent des évolutions de 1Th à Ph, pourquoi Col devrait-elle
répéter textuellement les épîtres précédentes pour être déclarée authentique?

II - L'AGIR ÉTHIQUE EN SES EXPRESSIONS NÉGATIVES: Bα = 3,5-9[15]

5 Mortifiez donc les/vos membres terrestres: fornication, impureté,
passion, désir mauvais et la cupidité, qui est idolâtrie; **6** *voilà qui attire
la colère de Dieu* [contre les fils de la désobéissance]; **7** *voilà
comment vous vous êtes conduits* alors, lorsque vous viviez *en ces
vices* **8** mais maintenant, rejetez vous aussi toutes ces choses: colère,
irritation, méchanceté, injures, grossièreté *sortie de vos lèvres* **9** ne
vous mentez plus les uns aux autres.

* v.6, litt.: «choses à cause desquelles vient la colère de Dieu».
* v.7, litt.: «en ces choses où vous avez marché alors». Et à la fin du
verset: «en eux».
* v.8, litt.: «hors de votre bouche».

Rappelons que ces versets étaient annoncés par le v.2b «non les
choses de la terre» (α) et qu'ils forment la première partie (Bα) exhortative du corps de la section.

Cette sous-section, dont les éléments sont aisément identifiables,
reprend un schéma déjà suivi dans les Homologoumena, qui déborde
d'ailleurs les vv.5-9a:
* une liste de vices: v.5.8; cf. 1Th 4,3-6a; Ga 5,19-21a; Ep 4,31; 5,3-4;
* une mention du jugement divin: v.6; cf. (1Th 4,6b); Rm 1,32a; Ga
5,21b; 1Co 6,9a.10b; Ep 5,5;
* une opposition entre l'agir passé (πότε) négatif et celui présent (νύν)
positif: v.7-8; cf. Ga 5,24; 1Co 6,11; Ep 5,8;

---

[15] Sur les listes néotestamentaires de vices et de vertus, voir Easton, «New Testament
Ethical Lists»; Vögtle, *Tugend- und Lasterkataloge*; Wibbing, *Tugend- und Lasterkataloge*; Kamlah E., *Die Form der katalogischen Paränese*.

* à quoi s'oppose une liste de vertus: v.12; Ga 5,22-23. Ep 4,2.32; 5,9. Les exégètes reconnaissent en ces listes de vices et de vertus un sous-genre éthique, la mise en catalogue devant faciliter la mémorisation, l'enseignement et l'exhortation. Ils ont depuis longtemps reconnu l'influence du milieu ambiant (la philosophie stoïcienne et peut-être aussi le judaïsme) sur le Nouveau Testament, car ces listes de vices et de vertus, effectivement très proches, y étaient connues et parfois juxtaposées[16], comme en Ga 5, Col 3 et Ep 5. Dans la liste des vertus, à la différence des autres traditions, le NT met en valeur l'ἀγάπη et la πραΰτης ; quant aux vices, ceux qui reviennent le plus souvent sont la πορνεία, la πλεονεξία et l'εἰδωλατρεία.

Il est intéressant de noter que le NT a repris les modèles éthiques recommandés ou déconseillés à l'époque: suivant en cela la tradition biblique, il ne montre aucun ostracisme pour ce que la raison découvre avec ses forces et par révélation divine. Cela est spécialement vrai pour les listes de Col, qui ne sont pas reprises d'abord parce que l'Auteur n'aurait rien d'autre à proposer, mais parce qu'il a réalisé que la médiation créatrice du Christ s'exerce aussi à ce niveau.

v.5

«Mortifiez donc vos membres terrestres: fornication, impureté, passion, désir mauvais et la cupidité, qui est idolâtrie».

Le début du verset, «mortifiez donc vos[17] membres terrestres» reprend le v.2b (l'annonce introductive[18]) et enclenche la première partie des exhortations. Cette exhortation contredit apparemment les affirmations précédentes: si le vieil homme est déjà mort au baptême, il n'y aurait en principe plus rien à faire mourir! Une autre formulation, comme celle de Rm 6,11: «Considérez-vous vous-mêmes comme morts (νεκροί) au péché et vivants pour Dieu en Christ Jésus»[19], aurait eu

---

[16] Cf. Diogène Laerce, VII,110-114; Plutarque, *Stoic. Rep.* 15, 1041a). Pour les listes juives, voir par ex. *TestBenjamin* 6-7; 1QS 4,2-11.

[17] ou «les», si l'on suit la majorité des témoins.

[18] Voir Col 3,2 pour l'exégèse du syntagme «les membres de la terre».

[19] Les Homologoumena n'emploient pas le verbe νεκροῦν à l'actif, pour l'action de «mortifier». Cf. la seule occurrence, Rm 4,19, où il est question du σῶμα νενεκρωμένον d'Abraham. Mais voir la formulation très proche de Rm 8,13: «si, par l'Esprit, vous mettez à mort (θανατοῦτε) les pratiques du corps (τὰς πράξεις τοῦ σώματος), vous

l'avantage de signaler que l'agir devait se conformer à l'être, alors que Col 3,5 semble dire que ce qui a déjà été fait au baptême reste encore à faire! Col, pas plus que les Homologoumena, n'explique pourquoi l'oeuvre de mort (aux péchés) et de résurrection avec Christ opérée par le baptême doit encore se réaliser de façon progressive dans le quotidien. Mais cette section exhortative n'est pas un traité sur le rapport entre l'indicatif de l'être-avec-Christ et l'impératif de l'agir éthique. Il ne faut d'ailleurs pas comprendre l'exhortation comme si le vieil homme de péché vivait encore dans le croyant[20], car le v.9b dit le contraire. Le contexte subséquent autorise en réalité à comprendre la directive comme une demande à ne pas retourner dans l'état antérieur à la conversion: n'agissez plus comme vous faisiez naguère.

Qu'entend l'Auteur par «membres terrestres»: les membres corporels (yeux, langue, bras, jambes, etc.) de chacun, les membres de l'Eglise qui se conduisent mal[21], ou, métonymiquement, les mauvaises actions[22]? Le contexte subséquent montre qu'il s'agit des mauvaises actions correspondant aux membres par lesquelles elles sont effectuées: sexe, yeux, bouche. L'Auteur ne demande évidemment pas aux croyants de se crever les yeux, de se couper la langue, ou le sexe, mais de supprimer toute action qui, effectuée par ces membres, serait indigne de leur être-avec-Christ.

La liste de cinq[23] vices ne renvoie pas à des manières d'agir en

---

vivrez».

[20] Ainsi comprend (à tort) la BJ.

[21] Interprétation rendue possible par l'absence du ὑμῶν (on paraphrasera ainsi: châtiez les membres de la communauté qui ont encore des moeurs indignes de leur être-chrétien), mais improbable en raison du contexte, car ici l'Auteur ne développe pas l'image tête-corps-membres.

[22] Selon certains exégètes (R. Reitzenstein, *Das iranische Erlösungsmysterium*, Bonn 1921, 152-163; voir Lohse, *Kolosser*, 198, Gnilka, *Kolosserbrief*, 179-180; etc.), on aurait ici les traces d'une influence iranienne, où les membres seraient les bonnes ou mauvaises actions. Mais l'influence sur Col s'est faite par l'intermédiaire du judaïsme et des Homologoumena: Rm 6,13.19; 7,5.23, où l'usage métonymique est évident (cf. Gnilka, *Kolosserbrief*, 179, qui s'appuie sur Strack-Billerbeck I, p.901 et III, p.94, pour les textes rabbiniques).

[23] Le nombre cinq, traditionnel si l'on en croit les commentaires, aurait une origine iranienne. Cf. Lohse, *Kolosser*, 199. Comme les listes pauliniennes sont de longueur inégale, il est difficile (impossible même) de montrer que celles de Col 3,5.8 renverraient

vigueur à Colosses, mais à des désordres sexuels considérés par le judaïsme et la tradition chrétienne comme typiques des païens[24]. Mentionnée la première, la πορνεία («fornication»), qui désigne toute espèce de relation sexuelle illicite, et qui, dans les Homologoumena, équivaut pratiquement à la débauche[25]. L'ἀκαθαρσία («impureté»), plusieurs fois liée à la πορνεία Paul[26], désigne aussi génériquement la conduite sexuelle immorale, comme le montre Rm 1,24. En troisième position, le πάθος («passion»), qui renvoie à l'origine intérieure des désordres sexuels[27], tout comme la mauvaise ἐπιθυμία, désir concupiscent, parce qu'il veut s'approprier le bien d'autrui, en particulier son corps[28]. Enfin la πλεονεξία («avidité», «cupidité»), qui emprisonne, rend esclave, idolâtre (de l'argent surtout), et détourne fondamentalement de Dieu[29]. En bref, la liste va des effets aux causes. Elle ne fait que stigmatiser brièvement la conduite de ceux qui ne connaissent pas Dieu et dont l'état reste désespéré.

v.6

«voilà qui attire la colère de Dieu* [contre les fils de la désobéissance]».

La liste des vices est suivie, comme ailleurs chez Paul et dans le judaïsme, d'une mention du jugement futur, en un langage entièrement traditionnel. Le v.6b («contre les fils de l'impiété») ne figure pas chez

---

(indirectement ou non) à ce milieu culturel et religieux.

[24] Pareilles listes viennent sans doute du judaïsme. On en retrouve de nombreuses dans les écrits intertestamentaires, mentionnés par tous les commentaires de Rm 1,19-32. Voir aussi les auteurs cités plus haut, Easton, Vögtle, Wibbing, qui fournissent toute la documentation.

[25] Cf. Rm 1,29; 1Co 5,1; 6,13.18; 7,2; 10,8; 2Co 12,21; Ga 5,19; 1Th 4,3.

[26] Cf. 2Co 12,21; Ga 5,19; 1Th 4,7. Mentionnée encore en Rm 1,24; 6,19.

[27] Cf. Rm 1,26; 1Th 4,5. Le contexte paulinien, tout comme le juif, a restreint l'usage du terme, alors que pour la Stoa, son extension est plus large et indique toute incapacité à dominer ses sentiments et désirs.

[28] Cf. Rm 1,24; 6,12; 7,7.8; 13,14; Ga 5,16 (ἐπιθυμία σαρκός).24; 1Th 4,5 (avec πάθος). Le terme peut avoir une connotation positive (Ph 1,23; 1Th 2,17), voilà pourquoi l'Auteur ajoute l'adjectif «mauvais».

[29] Cf. Rm 1,29; 2Co 9,5; 1Th 2,5. Egalement Lc 12,15. Sur les cupides, voir 1Co 5,10.11; 6,10. Le rapport cupidité/idolâtrie est aussi souligné par Ep 5,5.

d'éminents témoins[30], mais sa facture traditionnelle va bien avec le contexte et pourrait garantir son caractère originaire. Quelle que soit la leçon choisie, le sens du verset ne change pas.

La phrase renvoyant au jugement divin ici et dans les Homologoumena[31], et en particulier le terme ὀργή, reprend de manière stéréotypée le langage biblique et juif, pour signifier que Dieu, au jugement final, ne laissera pas le mal invaincu et triomphera de l'injustice[32]. Les destinataires de la colère sont également nommés à la manière du judaïsme intertestamentaire, «fils de la désobéissance».

v.7

«voilà comment vous vous êtes conduits alors, lorsque vous viviez en ces vices».

Le verset peut être traduit de plusieurs manières, selon la leçon (brève ou longue) choisie pour la fin du v.6. (a) Si, comme en ce commentaire, on préfère la leçon brève, alors le relatif ἐν οἷς et le ἐν τούτοις final renvoient tous deux aux vices: «en ces vices vous aussi vous avez marché alors, lorsque vous viviez en eux». On pourrait croire que les deux propositions se répètent gauchement, car «marcher» (περιπατεῖν) et «vivre» (ζῆν) sont pratiquement synonymes; en réalité, l'Auteur semble vouloir souligner que l'agir éthique mauvais est l'expression d'une vie habituellement[33] vicieuse. (b) Si l'on opte pour la leçon longue au v.6, on peut encore donner deux référents différents à ἐν οἷς et à ἐν τούτοις, et paraphraser ainsi (b[1]): «les impies parmi lesquels vous avez marché vous aussi en ce temps là, lorsque vous viviez dans ces vices», solution qui tient compte de l'ordre syntaxique, ou, avec la BJ, inverser les référents et lire (b[2]): «vous aussi vous vous conduisiez alors de manière vicieuse, quand vous viviez parmi les impies».

---

[30] Cf. p[46] B sa Clem Ephr. Ceux qui préfèrent cette dernière, pensent que la leçon longue indique une dépendance par rapport à Ep 5,6.

[31] Cf. Rm 1,18; 2,5; 3,5; etc.

[32] Le mot colère n'exprime pas ici une réaction affective brutale, mais la puissance avec laquelle Dieu fera triompher sa justice aux dépens de tous ceux qui la bafouent. Sur la colère dans les Homologoumena, en particulier en Rm, voir Aletti, *Comment Dieu est-il juste?*, 54-87. Que Dieu ne puisse juger le juste comme l'impie, les références bibliques ne manquent pas de Gn 18,23 aux écrits prophétiques et sapientiaux.

[33] Cf. l'imparfait ἐζῆτε.

Le temps des verbes indique bien que cette vie adonnée aux vices fait partie du passé, que les Colossiens ont abandonné leur conduite païenne. Mais s'il en est ainsi, pourquoi leur répéter de rejeter le terrestre qu'ils ont déjà rejeté? S'agit-il d'une pure figure de style, ou au contraire, cela signifie-t-il que les croyants venus du paganisme ont encore du mal à rendre effective éthiquement une adhésion pourtant généreuse et sincère à l'Evangile? Mais alors, c'est le v.7 et tout le début de l'exorde (Col 1,3-8) qui deviennent des affirmations vides, fausses. En réalité, si la répétition des vices à fuir vient de ce que les croyants restent dans un monde qui continue de séduire et de tenter, elle exprime surtout la conviction que la foi en l'Evangile doit impérativement se manifester au niveau éthique comme rejet de toute idolâtrie. L'importance de l'éthique, comme vérification du salut à l'oeuvre, n'en ressort que davantage.

v.8

«mais maintenant, rejetez vous aussi toutes ces choses: colère, irritation, méchanceté, injures, grossièreté sortie de vos lèvres».

A la vie pécheresse passée (πότε), doit s'opposer le «mais maintenant» (νυνὶ δέ) de la vie selon l'Evangile. Le «maintenant» s'oppose certes à l'«autrefois», il indique aussi que le changement n'est pas à remettre à plus tard. Mais, de façon surprenante, le texte ne propose pas immédiatement une série d'attitudes positives, mais une autre liste de cinq ou six vices - si le v.9a -, que les croyants doivent rejeter[34], ayant surtout rapport à la parole et pouvant détruire toute relation vraie: colère, irritation, méchanceté, injures, grossièreté de langage, mensonge. Le nombre est seulement indicatif, car à travers ces vices, c'est toute espèce (cf. le τὰ πάντα) d'attitude méchante qui est visée. L'ordre semble être dicté par la logique de la relation: partant des réactions violentes pour les offenses reçues (colère et irritation), l'Auteur passe à la méchanceté active, qui se manifeste par la parole[35]. Si la liste

---

[34] L'impératif «rejetez» (ἀπόθεσθε) pourrait reprendre Rm 13,12 «rejetons les oeuvres de la ténèbre» (ἀποθώμεθα τὰ ἔργα τοῦ σκότους).

[35] La colère, comme vengeance, doit être laissée à Dieu (cf. Rm 12,19). Même chose pour le θυμός (traduit ici par «irritation»; cf. Rm 2,8). Pour la méchanceté, voir Rm 1,29 (qui est une liste de vices). Le terme βλασφημία n'est pas employé dans les Homologoumena, et αἰσχρολογία est un hapax du NT.

du v.5 visait le désir de s'approprier autrui, celle-ci dénonce au contraire le désir de le détruire.

L'un ou l'autre commentaire[36] signale que, conjuguées ensemble, les listes des vv.5 et 8 donnent l'impression de dépendre du décalogue, au moins pour certains commandements de la deuxième table (adultère, vol, faux témoignage, désir de s'approprier les biens du prochain). Le seul critère susceptible d'appuyer une telle hypothèse est la parenté de vocabulaire entre les listes de Col et le décalogue (Ex 20 ou Dt 5). Or, à ce niveau, les résultats sont pauvres, car les deux ensembles n'ont en commun que les racines ἐπιθυμία/ἐπιθυμεῖν[37]. Il semble plus raisonnable de voir ces listes comme des restes de la catéchèse faite aux païens voulant entrer dans l'Eglise et reprenant, comme cela a déjà été indiqué lors de l'exégèse du v.5, des comportements critiqués par les philosophes, mais aussi par le judaïsme d'alors.

v.9a
«Ne vous mentez plus les uns aux autres».

La sous-unité (vv.5-9a) finit avec l'impératif «ne vous mentez plus les uns aux autres»[38]. Par «les uns les autres», il faut entendre les membres de l'Eglise. Serait-il permis de mentir à ceux qui ne sont pas membres du Corps du Christ? Certainement pas, mais comme l'Evangile est «la parole de vérité» (Col 1,5), les croyants ne sauraient vivre entre eux dans le mensonge. Il y va de la vérité même de l'Evangile.

III - LES CONDITIONS - L'ÊTRE EN CHRIST: A = 3,9B-11.

9b Vous *vous êtes* dévêtus du vieil homme avec ses agissements, **10** et vous *vous êtes* vêtus du nouveau, qui, pour accéder à la connaissance, ne cesse d'être renouvelé à l'image de son créateur; **11** là il n'y

---

[36] Gnilka, *Kolosserbrief*, 185.

[37] Les mots εἴδωλα et εἰδωλατρία n'ont pas la même fonction dans le décalogue, qui interdit le culte des idoles, et en Col 3,5 où c'est la cupidité qui est idolâtrie.

[38] Même observation chez Gnilka, *Kolosserbrief*, 178. La BJ divise aussi de cette façon. L'impératif présent négatif invite à cesser de faire quelque chose, et doit donc être rendu par «cessez de...» ou «ne... plus».

a ni grec ni juif, ni circoncision ni incirconcision, barbare, Scythe, esclave, homme libre, mais Christ qui est tout et en tous.

v.9b, litt.: «vous étant»;
v.10, litt.: «vous étant».

La présentation des vv.6-17 en trois sous-sections nettement découpées peut donner l'impression que les vv.9b-11 sont fortement séparés des précédents. Or, il n'en est rien. Les deux participes des v.9b-10, ἀπεκδυσάμενοι et ἐνδυσάμενοι, ne sont pas séparables syntaxiquement des impératifs qui précèdent, en particulier du «ne mentez pas». Néanmoins, ils sont plus que de simples modalités d'exécution de ces impératifs, ils en déterminent l'effectivité et ont une fonction causale: c'est *parce que* les croyants se sont dépouillés du vieil homme et ont revêtu l'homme nouveau, qu'ils peuvent rejeter les vices qui constituaient leur mode d'existence antérieur. Les vv.9b-11 relient, en leur donnant un fondement - dans le prolongement des motivations christologiques des vv.1-4, et en les précisant -, les deux séries d'exhortations, celles à rejeter les vices d'autrefois (vv.5-9a) et celles à promouvoir les valeurs évangéliques (vv.12-17).

v.9b
Le participe ἀπεκδυσάμενοι est-il un impératif, comme le εὐχαριστοῦντες de Col 1,12[39]? L'exégèse de Col 1,12 a déjà fourni les raisons qui autorisent à refuser cette hypothèse. La voix est moyenne, comme en 2,15, et le sens n'est manifestement pas actif: «ayant dépouillé le vieil homme avec ses agissements», comme s'il s'agissait de se séparer de certaines pratiques pour que le vieil homme soit mis à nu, pour être bien lavé ou exposé aux regards, mais non abandonné; ἀπεκδυσάμενοι a le sens réflexif de «se dévêtir», voire «se dépouiller»; le sujet et l'objet de l'action coïncident: «vous étant dépouillés vous-mêmes du vieil

---

[39] Ainsi, Lohse, *Kolosser*, 197.

homme»[40] et, à l'opposé, «vous étant vêtus du nouveau». Par là, l'Auteur affirme que le vieil homme est mort, et il dépend sans doute de Rm 6,6, qui relie cette mort au crucifiement («notre vieil homme a été crucifié), et de Rm 8,13 («si, par l'Esprit, vous mettez à mort les πράξεις du corps, vous vivrez»). Ici, l'opposition entre les deux hommes, le vieux et le nouveau, vient de *l'arrière-fond baptismal* des vv.1-4 et de l'invitation du v.5 à mortifier les membres terrestres: on comprend comment, des membres, le texte est passé à l'homme en son entier.

v.10

De l'image du vieil homme, le texte passe à celle de «l'homme nouveau», qui n'apparaît pas telle quelle dans les Homologoumena[41], même si la formulation de 2Co 4,16 a pu influencer notre verset: «notre (homme) intérieur se renouvelle (ἀνακαινοῦται) de jour en jour». Les vv.9b-10 forment donc une unité articulée systématiquement autour de deux images opposées, mais dont l'opposition s'est résolue par la disparition du premier terme, la mort du vieil homme, au baptême:

se dévêtir du vieil homme --> se vêtir de l'homme nouveau[42].

---

[40] Sur l'image de se dévêtir, voir *supra* l'exégèse de Col 2,11. Selon les commentaires, cette image viendrait de la tradition de l'Eglise primitive, qui, suivant en cela les religions mystériques, faisait changer d'habit le nouveau baptisé. Cette hypothèse d'un emprunt aux religions mystériques a été récemment remise en question, et avec raison, par Wedderburn, *Baptism*. L'emploi figuré du verbe «se dévêtir» est attesté dans la littérature grecque (un des premiers témoins serait Euripide, *Iph. Taur.* 602: ἐκδῦναι κακῶν) et est passé dans le judaïsme hellénistique; voir Gnilka, *Kolosserbrief*, 186, qui renvoie à quelques passages de Philon, *cher.* 66; *mut. nom.* 223; en *leg. all.* 2,55: *somn.* 143; Philon parle de l'âme qui, parce qu'elle aime Dieu et veut aller à Lui, se dévêt du corps. Egalement *lettre d'Aristée* 122; *Odes de Salomon* 11,10-11.

[41] Il y est question de nouvelle création (2Co 5,17; 6,15), de nouvelle alliance (2Co 3,6). Noter que l'opposition vieil homme/homme nouveau, et la manière de la résoudre, sont propres au christianisme. On ne les trouve ni dans le judaïsme ni dans les religions alentour.

[42] L'image du «se vêtir» est tout à fait paulinienne. Cf. Rm 13,14: «revêtez-vous du Seigneur Jésus Christ»; Ga 3,27: «vous tous qui avez été baptisés, vous vous êtres revêtus du Christ». Egalement 1Th 5,8 (repris d'Is 59,17). Mais elle vient de l'AT et est connue du judaïsme hellénistique. Gnilka, *Kolosserbrief*, 187, fournit les références désirées. Voir aussi 1En 62,15, où, lors du jugement, «les justes et les élus seront relevés

C'est sans aucun doute la logique même de l'argumentation qui explique l'apparition du couple vieux/nouveau: car, en contraste à un agir bien connu, celui des païens alentour, avec leurs vices, l'agir en Christ ne peut être défini qu'en termes nouveaux, par un comportement impensable pour quiconque reste immergé dans la pesanteur du péché. Le verset joue d'ailleurs avec les mots, puisqu'il combine les deux racines exprimant la nouveauté: νέος et καινός (ici le participe présent ἀνακαινούμενος, exprimant la durabilité: «étant constamment renouvelé»). On peut certes dire que les deux racines ont un sens équivalent, et que l'Auteur emploie d'abord νέος pour des raisons stylistiques, autrement dit pour ne pas répéter deux fois la même racine[43], car il joue souvent sur les synonymes; mais il n'hésite pas, l'une ou l'autre fois, à répéter des mots de même racine, par mode d'insistance[44]. Et le contexte baptismal invite aussi à voir une nuance entre νέος et καινός. Que veut dire en effet «se revêtir de l'homme nouveau»? Si «se dévêtir» indiquait la mort aux pratiques anciennes, aux vices, «se revêtir» doit désigner la naissance à une humanité noble, vivant dans la justice et adonnée aux vertus. Et si le baptisé est un néophyte, un nouveau-né - ce qu'exprime l'adjectif νέος -, sa nouvelle humanité, sa nouvelle vie ne peut être que la vie du Christ (3,4). Cette croissance se fait, ajoute le texte, par un continuel renouvellement. Mais quelles figures prend-il? Car, on le sait, ce qui est nouveau ne peut jamais être adéquatement nommé en son émergence, seulement comme «nouveau»: dire de quelque chose qu'il est «nouveau», c'est souvent admettre qu'on n'a pas d'autre mot pour le qualifier. Le texte redouble d'ailleurs la difficulté linguistique, en ajoutant que cette nouveauté baptismale ne cesse d'être nouvelle, impossible donc à figer en des concepts et termes stables. Si le nouvel homme est totalement différent de l'ancien, ils ont tout de même en commun un élément décisif *l'être-homme*: la transformation se fait sans changement de nature. L'Auteur ajoute cependant que l'homme nouveau est renouvelé «à

de terre... et revêtus d'un vêtement de gloire».

[43] Suggestion de Lohse, *Kolosser*, 205.

[44] Cf. ἐν πάσῃ δυνάμει δυναμούμενοι en 1,11; κατὰ τὴν ἐνέργειαν αὐτοῦ τὴν ἐνεργουμένην en 1,29. On aurait pu donc avoir ici une expression tautologique: τὸν καινὸν τὸν ἀνακαινούμενον (ἄνθρωπον).

l'image de son créateur», c'est-à-dire de Dieu[45]. Telle est la première description du renouvellement: tout en gardant son humanité, l'homme nouveau devient de plus en plus semblable à Dieu. En son agir? Comment les versets suivants vont-ils préciser cette affirmation?

Si l'Auteur n'a pas encore dit en quoi exactement consiste la nouveauté - au niveau éthique -, il en indique la finalité: la connaissance (ἐπίγνωσις); et si l'on veut bien se rappeler les affirmations de Col 1,9, la connaissance était elle-même subordonnée au «mener une vie digne du Seigneur et qui (lui) plaise en tout»: le renouvellement a une finalité éthique; car si le croyant devient toujours plus semblable à Dieu, c'est pour être saint, juste, bon, patient, parfait, ce qui souligne encore l'importance de l'agir éthique pour qui veut vivre en Christ.

v.11

On pouvait se demander pourquoi l'Auteur n'avait pas dit, au début du v.10, que les baptisés avaient revêtu le Christ, à la manière de Ga 3,27. Nous venons de voir que c'était pour exploiter pleinement toutes les facettes de la métaphore utilisée. Le v.11 va permettre de répondre à un autre niveau, en décrivant les rapports nouveaux en fonction du Christ.

Que désigne l'adverbe relatif ὅπου («là où»)? L'homme nouveau lui-même, ou bien, comme le disent les commentaires, le corps ecclésial[46]? L'Eglise est sans aucun doute le lieu où chaque croyant se renouvelle sans cesse à l'image de son créateur, dans la mesure où s'y donnent à vivre des relations nouvelles entre hommes nouveaux. Le verset vérifie la remarque faite plus haut: la nouveauté commence par se définir négativement, en opposition au déjà connu et vécu; or, l'humanité ancienne est une humanité où certaines différences fondamentales, bien loin de favoriser les échanges et les accords, accentuent au contraire les

---

[45] Il ne peut s'agir du Christ, car en Col, il est celui *en* qui, *par* qui, *pour* qui, toutes choses furent créées, mais pas celui qui les créa. De plus, la formulation traditionnelle, à la manière de Gn 1,27, montre qu'il s'agit de Dieu. N'oublions pas aussi que plusieurs fois Col nomme Dieu indirectement: procédé elliptique qui met évidemment en relief la christologie.

[46] Col 3,11, pourtant très proche d'Ep 2,15, n'exploite pas, comme ce dernier texte, la métaphore en sa dimension ecclésiale.

discriminations et les barrières, à différents niveaux[47]: femmes n'ayant qu'un statut de second plan dans la société, esclaves n'ayant aucun droit, païens (grecs) n'appartenant pas au peuple de l'Alliance et n'ayant pas droit aux bénédictions divines. En niant les discriminations, Ga 3,28 et Col 3,11 ne proclament pas l'égalité des statuts sociaux et des cultures (ou même, si l'on préfère un anachronisme, «une société sans classes»), mais la non pertinence des catégories mondaines à définir le statut des croyants[48]: l'absence de discrimination indique, en positif, la dignité à laquelle tous sans exception participent. Pour Col 3,11b, l'homme nouveau est celui qui reçoit sa dignité de la présence du Christ en lui! Les croyants ressemblent de plus en plus à Dieu parce que Christ est «tout en tous». Cela implique-t-il que tous les croyants sont en toutes choses semblables les uns aux autres[49]? Ga 3,28 et Col 3,11 clament-ils donc l'inexistence de la diversité, au niveau fondamental de la foi au Christ, et seulement à ce niveau? Certains commentateurs concluent d'ailleurs, à partir de ces versets, qu'il n'y a dans l'Eglise ni dirigeant ni dirigé, ni supérieur ni inférieur, que tous les chrétiens peuvent exercer les mêmes fonctions ecclésiales, les mêmes ministères. On peut évidemment répondre que cette interprétation ne respecte ni la fonction argumentative de Col 3,11, ni la cohérence du discours paulinien, qui, ailleurs (en 1Co 12,29 par exemple) demande: tous sont-ils Apôtres, tous sont-ils prophètes, tous sont-ils enseignants, etc.? L'absence de discrimination n'empêche ni la stratification du tissu ecclésial, ni, a fortiori, celle du tissu social, dans la mesure où il existe des différences essentielles à la vie d'un corps (tous sont-ils la tête? etc.).

Col 3,11 reprend Ga 3,28, au point qu'on en a fait une réplique parfaite, sans toujours prêter attention aux différences existant entre les

---

[47] Noter que, par leur caractère brachilogique, Ga 3,28 et Col 3,11 peuvent donner lieu à des interprétations erronées, telle celle-ci: «Où les différences culturelles existent, l'Evangile les ignore» (Bruce, *Colossians*, 149). Il faut en effet distinguer les niveaux où la différence, la diversité demeurent et sont source de richesse, et ceux où elles n'existent pas. Ces versets ne disent pas que les croyants ne sont pas sexués, qu'ils n'appartiennent pas à une race donnée, que l'Eglise ne connaît pas la diversité de cultures.

[48] Noter que le texte ne dit pas «il n'y a plus (οὐκέτι) ni Grec ni Juif, etc.», mais «il n'y a ni Grec ni Juif»; malgré tout, le contexte antérieur de Col 3,11, en particulier l'opposition auparavant/maintenant des vv.7-8, n'infirme pas la traduction de la plupart des Bibles qui lisent «il n'y a plus...»

[49] En anglais: des «clones»!

deux versets[50]:

Ga 3,28	*Col 3,11*
il n'y a pas Juif ni Grec,	il n'y a pas Grec et Juif,
	ni circoncision ni incirconcision,
	barbare, Scythe,
il n'y a pas esclave et homme-libre,	esclave, homme libre,
il n'y a pas mâle et femelle,	
car tous vous êtes un en C.J.	mais Christ tout et en tous.

Comment expliquer les variations entre ces deux listes? Dira-t-on, par exemple, qu'en Col 3,11 l'Auteur a omis de signaler qu'il n'y a ni mâle ni femelle parce qu'il va ensuite (en 3,18) dire le contraire en demandant aux épouses d'être soumises à leurs maris? Mais il ne s'agit pas tout à fait de la même relation: Ga 3,28 parle du rapport homme/femme en général, d'une société où la femme est mineure face à la Loi, alors que Col 3,18-19 restreint le champ au rapport entre époux et épouse, dont on verra ce qu'il connote exactement. De même, l'opposition entre δοῦλος et ἐλεύθερος de Ga 3,28 et Col 3,11 ne recouvre pas exactement celle entre δοῦλος et κύριος de Col 3,22-4,1. L'exégèse des exhortations domestiques (Col 3,18-4,1) devra cependant s'interroger sur la compatibilité des différentes affirmations.

Col 3,11 insiste bien plus que Ga 3,28 sur l'absence de discrimination religieuse, et à l'aide de termes qui vont mieux avec l'argumentation de Ga qu'avec celle de Col, où le problème n'est pas celui de la supériorité du juif sur le non juif ou du circoncis sur l'incirconcis. Voilà pourquoi, selon certains commentateurs, l'Auteur ne ferait que répéter une liste traditionnelle[51]. Cela est vrai, mais n'oublions pas que cette insistance initiale glisse progressivement vers d'autres oppositions, pour élargir le champ des discriminations, en une série dégressive et dépréciative:

du Juif au Grec,

---

[50] Hendricks, «All in All»; MacDonald, *There is No Male and Female*; House, «Neither... Male nor Female». Voir déjà 1Co 12,13 avec les oppositions Juif/Grec et esclave/homme-libre.

[51] Ainsi Lohse, *Kolosser*, 207.

du Grec au barbare[52],

et, parmi les barbares, ceux qu'on considère comme les derniers[53].

A n'en pas douter, cette liste vise à montrer que tous sans exception, de ceux qui ont eu le privilège d'être le peuple de l'Alliance à ceux qu'on croit être les derniers des humains, ont la même dignité, celle d'être des hommes nouveaux en Christ, désormais saints et bien-aimés de Dieu.

Le syntagme final du verset est intéressant, car il confirme la christologie haute de Col. En effet, ce que 1Co 15,28 dit de Dieu pour la fin des temps, qu'Il sera «tout en tous», Col 3,11 l'affirme dès maintenant du Christ, sans doute parce que sa seigneurie, sa primauté, mais aussi sa plénitude sont totales; il est tout pour les croyants qui sont définitivement comblés en lui. L'absence de distinction au niveau de l'identité, de la dignité et de la capacité éthique des croyants, a donc sa source dans la christologie.

IV - L'AGIR ÉTHIQUE EN SES EXPRESSIONS POSITIVES. Bß = 3,12-17.

12 Comme des élus de Dieu saints et bien-aimés, revêtez-vous donc de *compassion miséricordieuse*, de bonté, d'humilité, de douceur, de patience; 13 vous supportant les uns les autres et vous faisant grâce les uns aux autres, si l'un a un grief contre l'autre; comme le Seigneur vous a fait grâce, vous aussi (faites de même). 14 et par-dessus toutes ces choses (revêtez-vous de) la charité, qui est le lien de la perfection 15 et que règne en vos coeurs la paix du Christ à laquelle aussi vous avez été appelés en un seul corps. et *vivez dans la reconnaissance*. 16 Que la parole du Christ habite chez vous en abondance: en toute sagesse *enseignez* et *exhortez-vous* les uns les autres, par des psaumes, des hymnes, des cantiques inspirés, *chantez* à Dieu en vos coeurs avec action de grâces. 17 Et tout ce que vous faites en parole et en acte, tout, (que ce soit) au nom du Seigneur Jésus, rendant grâces par lui à Dieu le

---

[52] Comme l'indiquent tous les dictionnaires, c'est la désignation habituelle du non-Grec. Cf. Rm 1,14; 1Co 14,11. Egalement Ac 28,2.4.

[53] Flavius Josèphe, dans le *Contre Apion* 2,269, les estime de très peu supérieurs aux bêtes sauvages.

Père.

* v.12 litt.: «entrailles de compassion».
* v.15 litt.: «soyez reconnaissants» (εὐχάριστοι).
* v.16 litt.: «enseignant», «vous exhortant», «chantant».

L'Auteur peut maintenant décrire, en ses principales composantes positives, qui couvrent tous les champs de la vie humaine, le comportement éthique nouveau auquel sont invités les croyants, en des termes qui rappellent les Homologoumena.

v.12

Comme au v.5 (cf. le «donc»), l'exhortation est encore développée sur la base du rapport des croyants au Christ. La manière dont l'Auteur appelle ses destinataires, «élus et bien-aimés de Dieu» indique aussi que c'est l'expérience de l'amour de Dieu qui stimule l'agir croyant: parce qu'il reconnaît la miséricordieuse compassion de Dieu à son égard, sa bonté, sa patience, le baptisé devra faire de même pour les autres croyants: ce n'est donc pas de l'extérieur que l'Auteur exhorte, mais en ramenant les croyants à leur propre itinéraire et à leur nouvelle identité: l'Evangile reçu et vécu reste en définitive la seule motivation de l'agir chrétien.

La liste des «vertus», a plusieurs éléments en commun avec celle de Ga 5,22-23: bonté (χρηστότης), douceur (πραΰτης), patience (μακροθυμία), charité (ἀγάπη, au v.14) et paix (εἰρήνη), et à cause des précédents points de contact avec le même passage constatés à propos de l'exégèse des vv.5 et 8, on peut vraiment parler de reprise.

Mais la liste de Col 3,12 a moins d'extension que celle de Ga 5,22-23; elle ne retient dans un premier temps que la miséricordieuse bonté envers les autres croyants. De cette insistance, il faut se garder de conclure que les chrétiens de Colosses ne pratiquaient ni la charité ni la miséricorde[54]: l'Auteur ne met pas implicitement le doigt sur des manques, pas plus que les listes de vices des vv.5 et 8 ne décrivaient

---

[54] Seule peut-être l'humilité (ταπεινοφροσύνη), renvoie directement à la situation de Colosses, puisque les pratiques humbles (pour humilier la chair) prônées par les «docteurs» menaient au contraire à l'orgueil.

nécessairement les désordres de la communauté: pour Col, la nouveauté éthique à laquelle sont appelés les croyants consiste à avoir l'attitude même du Christ, qui a gracié, fait miséricorde; puisque Christ est la vie du baptisé, on comprend que ce dernier ait la même attitude que son Seigneur, et ainsi s'explique la position première de la miséricorde et de la bonté.

La formule «entrailles de compassion» (σπλάγχνα οἰκτιρμοῦ) s'inspire très certainement de Ph 2,1, mais l'exhortation à la miséricorde semble faire aussi partie des exhortations juives et chrétiennes primitives[55]. Comme la compassion, les vertus suivantes apparaissent aussi dans les Homologoumena[56], où elles désignent d'abord l'attitude même de Dieu et du Christ envers les humains[57]; le v.12 ne fait donc qu'illustrer le v.11, où il était dit que la transformation du baptisé consiste à devenir toujours plus semblable à Dieu.

v.13

Si la composition globale des exhortations de Col 3,6-17 vérifie en ses grandes lignes le schéma suivant,

a exhortations (vv.5-9a)
b motivations ou conditions (vv.9b-11)
a' exhortations (vv.12-17),

ce verset, qui contient une brève motivation, montre la souplesse de l'Auteur, qui ne cherche pas à suivre scolairement des schémas préétablis.

Les participes ἀνεχόμενοι («en supportant») et χαριζόμενοι («en faisant grâce») expriment les modalités de l'impératif («revêtez-vous de....») du verset précédent. On peut évidemment, avec la plupart des commentaires et des Bibles, les traduire par des impératifs qui s'ajoutent au premier, mais on perd alors la nuance que ces participes visent à exprimer.

---

[55] Thème fréquent dans les testaments des douze patriarches: cf. par exemple, *TestZabulon* 7,3; *TestNephtali* 7,4; *TestSimon* 4,4. Voir aussi *Joseph et Aseneth* 6,1; 1QS 4,3. Egalement 1P 3,8; Ep 4,32.

[56] Χρηστότης («bonté») en Ga 5,22; ταπεινοφροσύνη («humilité») en Ph 2,3; πραΰτης («douceur») en Ga 5,23; 6,1; μακροθυμία («patience») en Ga 5,22; 1Th 5,14.

[57] Σπλάγχνα οἰκτιρμοῦ cf. Rm 12,1; 2Co 1,3; χρηστότης cf. Rm 2,4; 11,22; ταπεινοφροσύνη cf. Ph 2,8; πραΰτης cf. 2Co 10,1; μακροθυμία cf. Rm 2,4; 9,22.

Les baptisés doivent se faire grâce comme le Seigneur leur a fait grâce[58]. Le Seigneur est modèle de l'agir du baptisé; ce modèle n'est pourtant pas extérieur, car c'est plutôt l'expérience du pardon reçu qui meut le croyant et le rend capable de pardonner à son tour[59]. Mais qui est le κύριος, Christ ou Dieu?[60] Si l'on considère que le sujet du verbe χαρίζομαι est le même ici et en Col 2,13, la réponse, nous l'avons vu à propos de ce verset là, n'a rien de facile; nous avions cependant noté la tendance de Col à éluder Dieu comme sujet des actions de création et de salut, afin de mettre en relief la médiation unique du Christ. Si l'on passe d'autre part en revue l'emploi de «Seigneur» en Col, les conclusions peuvent être plus fermes: (a) «Dieu» (θεός) apparaît seul ou accompagné du titre «Père» mais jamais de «Seigneur», alors que «Christ» est plusieurs fois flanqué de «Seigneur»[61]; (b) un verset comme Col 1,10 et le passage sur la morale domestique (3,18-4,1) indiquent aussi que Col réserve «Seigneur» pour le Christ[62].

v.14

---

[58] Pour le même type d'argumentation, voir Rm 15,7: «accueillez-vous les uns les autres, comme (καθώς) le Christ vous a accueillis».

[59] Le participe χαριζόμενοι renvoie directement au pardon des péchés opéré au baptême, comme le suggèrent Col 3,1-4. Il n'est pas impossible que l'Auteur fasse aussi allusion à la mort en croix, car le lien entre baptême et croix est explicitement fait en 2,11-15.

[60] La leçon κύριος est très bien attestée; les autres (avec Χριστός ou θεός), d'ailleurs peu nombreuses, sont manifestement des ajouts visant à clarifier le référent de κύριος. L. Cerfaux, «Kyrios dans les citations pauliniennes de l'Ancien Testament» in *Recueil Lucien Cerfaux*, vol.1, Paris 1954, pp.173-188, a montré que κύριος (au nominatif et sans article) renvoie à Dieu le Père dans les citations de l'Ancien Testament faites par Paul. Mais ce résultat n'est d'aucune utilité pour Col, puisque le terme n'apparaît pas dans les allusions vétérotestamentaires (il n'y a pas de citation explicite en Col). On peut seulement noter qu'en général, dans le NT et chez Paul en particulier, lorsque le substantif κύριος, au nominatif, est utilisé seul et précédé de l'article, il désigne le Christ, ce qui pourrait très bien être le cas ici. Voir cependant Lc 1,28; 2,15; Ac 7,33; 13,47; etc...

[61] «Dieu» seul ou avec «Père»; 1,1.6.10.15.25.27; 2,2.12.19; 3,1.3.6.12; 4,3. «Christ» seul ou avec «Jésus» 1,1.2.4.7.24.27.28; 2,2.5.8.11.17.20; 3,1.3.4.11.15.16; 4,3.12. «notre Seigneur Jésus Christ» 1,3; 2,6; «Seigneur Jésus» 3,17; «Seigneur Christ» 3,24b.

[62] La Vulgate traduit le κύριος de Col 1,10 par *Deus*. Le référent de κύριος et de θεός est alors le même. Voir l'exégèse de 1,10, où sont énumérées les raisons favorisant le Christ Jésus comme référent de κύριος.

Ce verset continue la métaphore du «se-revêtir». Sa tonalité est franchement paulinienne[63]: il met la charité par-dessus toutes les vertus précédentes, pour les couvrir (si l'on suit la métaphore du se-vêtir) ou les mettre ensemble, sans pour autant leur être identique.

L'Auteur ne parle que de la fonction de la charité (ἀγάπη), fonction que le syntagme «lien de la perfection» indique. Le génitif «de la perfection» peut être compris de deux manières différentes et non exclusives[64]: de qualification (la charité, lien par excellence, lien parfait[65]) ou objectif (lien qui a pour objet la perfection ou qui y mène[66]). Le génitif de qualification n'est pas à écarter, car il ne fait aucunement double emploi avec «par dessus toutes ces choses» du début du verset, qui peut très bien ne pas viser la supériorité ou la primauté de la charité, mais sa fonction de couverture: étant au-dessus des vertus mentionnées, les enveloppant donc et les mettant ensemble, la charité se trouve être le lien parfait[67]. Mais il est également possible d'opter pour la seconde interprétation, qui donne la raison ultime de l'agir des baptisés, la perfection[68]. L'Auteur ne précise pas ce dont la charité est le lien: des vertus énumérés au v.12 ou des baptisés? Comme le v.15 reparlera du lien entre membres d'un même corps, celui considéré ici s'applique davantage aux vertus qui, grâce à l'agapè, parviennent à leur perfection.

---

[63] Sur l'ἀγάπη («charité») dans les exhortations dans les Homologoumena, voir Rm 13,8.10; 1Co 13; Ga 5,14. On retrouve ici plusieurs éléments de 1Co 13 (cf. la charité est patiente, supporte, etc.), repris autrement, car il n'est pas dit: «la charité est la perfection», mais «le lien de la perfection».

[64] Selon Schweizer, *Kolosser*, 156, les différentes interprétations ne diffèrent pas fondamentalement.

[65] Interprétation de la TOB, de Bruce, *Colossians*, 152; Gnilka, *Kolosserbrief*, 197. Le génitif d'apposition ou épexégétique (la charité, qui est le lien, la perfection) est moins fondé, car il suppose que l'Auteur réfléchit sur le rapport entre σύνδεσμος et τελειότης.

[66] Ainsi, Lohse, *Kolosser*, 214, qui parle de génitif de destination ou de finalité, et se montre peu favorable au génitif de qualification.

[67] Cf. 1Co 13,1-3. Y aurait-il une allusion aux Pythagoréens, qui considéraient l'amitié (φιλία) comme le lien de toutes les vertus? Cf. Simplicius, *Epictetus* 208a. Cf. Bruce, *Colossians*, 156; Gnilka, *Kolosserbrief*, 197.

[68] Déjà, dans les Homologoumena (1Co 14,20; Ph 3,15) les croyants sont nommés τέλειοι ou appelés à être tels; ils doivent aussi rechercher ce qui est parfait (τὸ τέλειον).

v.15

La phrase suivante «et que règne en vos coeurs la paix du Christ à laquelle vous avez été appelés en un seul corps» ressemble plus à un souhait qu'à une invitation à «faire la paix» ou à la favoriser[69]: ici, la paix semble davantage une grâce à recevoir qu'une valeur à promouvoir[70]. En réalité, le verbe βραβευέτω, rendu ici par «que règne», reprend sans doute indirectement le μηδεὶς καταβραβευέτω de Col 2,18: «que personne ne vous disqualifie»[71]. Autrement dit, les Colossiens sont invités à une attitude opposée à celle de tous ceux qui dédaignaient ou méprisaient les baptisés non adonnés aux pratiques ascétiques: le critère du jugement, de la manière de voir les autres, doit être celle de la paix, car voulue et donnée par le Christ.

La paix est définie doublement, par son origine, christique[72], et sa finalité, ecclésiologique: les croyants ont été appelés à la paix, qui est celle d'un corps unique et unifié. Il vaut la peine de suivre l'itinéraire complexe de cette paix du Christ: elle doit régner au coeur de chaque baptisé, pour ensuite s'étendre au corps ecclésial; l'unicité (et l'unité) du corps ecclésial trouve dans la paix à la fois sa finalité et son instrument.[73]

Encore une fois, le Christ reçoit un rôle fondamental dans l'éthique des baptisés, telle que la voit Col. Mais la coloration christologique de la dimension ecclésiale de l'éthique vient évidemment de la façon dont Col décrit les rapports privilégiés entre le Christ et son Eglise dès le commencement, en 1,18: la paix promue par les baptisés vient du

---

[69] Comme en Rm 14,19

[70] Comme au début ou à la fin des Homologoumena. Voir encore Rm 15,13, Ph 4,17. Certains manuscrits, sans doute influencés par Ph 4,17, lisent ici: «que la paix de Dieu règne en vos coeurs, etc.»

[71] Voir à Col 2,18 la sémantique de ce verbe. Comme le dit Lohse, *Kolosser*, 215, Paul entend dire que la paix doit dominer dans le coeur de chaque baptisé, autrement dit avoir un pouvoir régulateur sur les sentiments et penchants.

[72] Le génitif Χριστοῦ indique l'origine (gen. auctoris) et/ou la qualification. Les Pères ont commenté ce verset en le rapprochant de Jn 14,27. Voir encore Ep 2,14 (Christ notre paix).

[73] Sur la paix comme bien eschatologique, voire messianique (selon les traditions), cf. déjà la tradition biblique (Is 9,5-6; 52,7.19; Mi 5,4). Egalement diverses traditions du judaïsme intertestamentaire 1QH 15,16; 1En 71,13-17; *TestLévi* 18,4; *TestJuda* 24,1-5; etc.

Christ, qui règne sur son Eglise et lui donne vie. Col 3,15 souligne ainsi de manière indirecte la grande cohérence de l'épître.

Le «vivez dans l'action de grâces»[74] qui fait suite, ne vise pas directement la prière d'action de grâces (dont parlera le v.17), mais l'attitude par laquelle on reconnaît les bienfaits reçus et le bienfaiteur: plus qu'un agir, c'est une manière d'être ou, mieux, de se rapporter à Dieu et aux autres. Ici est énoncé l'autre face de l'éthique chrétienne, qui ne consiste pas seulement à aller vers le frère pour lui pardonner, l'aider et l'aimer, mais à recevoir la charité et l'initiative de l'autre (Dieu le premier) à mon égard.

v.16
La syntaxe du verset soulève quelques difficultés. Tous les commentaires, ou presque, traduisent les trois participes comme des impératifs. Cela n'est pas faux, mais en ne les séparant que par de simples virgules, on néglige la hiérarchie syntaxique, car de l'impératif initial dépendent les trois autres verbes[75]:
«Que la parole du Christ[76] habite (ἐνοικείτω) chez vous en abondance:
- en toute sagesse[77] enseignez (διδάσκοντες)
- et exhortez-vous (νουθετοῦντες) les uns les autres,[78]
- par des psaumes, ... chantez (ᾄδοντες) à Dieu»
Les participes, avec leurs déterminants, expriment la manière dont la parole du Christ doit habiter en abondance dans la communauté; cette

---

[74] L'adjectif εὐχάριστος, hapax du NT (et employé une seule fois dans la LXX, en Pr 11,16 où le sens est passif: «une femme gracieuse») a ici un sens actif: il indique la reconnaissance ou même la bienfaisance (en retour).

[75] Sur cette hiérarchie syntaxique, voir l'exégèse de Col 1,12.

[76] Quelques témoins lisent ὁ λόγος τοῦ θεοῦ. Faut-il y voir une réminiscence de Col 1,25? La leçon τοῦ χριστοῦ, excellemment attestée, doit être en tout cas retenue. On peut évidemment faire le lien avec la façon dont Col 1,27 définit le «mystère», «Christ parmi vous».

[77] Le «en toute sagesse» modifie les deux participes διδάσκοντες et νουθετοῦντες.

[78] L'enseignement et l'admonition réciproque sont déjà mentionnés dans les exhortations des Homologoumena, même si les verbes et les modalités qui les accompagnent ne sont pas tout à fait les mêmes. Pour l'enseignement, voir Rm 12,7-8; Ga 6,6. Pour le verbe νουθετεῖν, voir l'exégèse de Col 1,28.

parole, qui est celle-là même du Christ (parlant par les membres de la
communauté) prend les formes de l'enseignement, de l'exhortation
(parole de baptisés à baptisés, à sens unique ou réciproque) et de la
prière (parole des baptisés à Dieu). Il ne s'agit donc pas ici de l'annonce
de l'Evangile par les missionnaires ou les Apôtres[79], mais de l'Evangile
repris, médité, reformulé par les baptisés, les uns pour les autres,
lorsqu'ils veulent croître dans la connaissance de Dieu et de sa volonté:
ainsi la parole du Christ, comme Bonne Nouvelle, n'est pas seulement
un fait du passé, mais continue à animer la communauté, à l'édifier, dans
le présent. Cependant, dans la communauté, toute parole n'est pas
forcément «du Christ» (cf. celle des «docteurs»), voilà sans doute
pourquoi cette exhortation vient à la fin, après que la bonté, la miséricorde, la charité et la paix ont été énoncées comme manières d'être et
d'agir fondamentales, elles aussi christologiquement qualifiées. Voilà
aussi pourquoi l'enseignement et l'exhortation doivent se faire «en toute
sagesse»[80].

　　Le rôle du Christ est ainsi décisif à tous les niveaux et pour
toutes les formes de relations entre baptisés et avec Dieu, puisque sa
parole fait vivre les communautés, à la manière dont les baptisés
pratiquent l'enseignement, l'exhortation réciproque et la prière à Dieu.
On trouvera encore étonnant que l'Esprit ne soit signalé qu'en passant
(«des cantiques inspirés», ᾠδαὶ πνευματικαί) et soit pour ainsi dire
éclipsé par le Christ: nous avons vu que cela n'est pas dû à une
ignorance des propositions pauliniennes relatives à la vie du baptisé sous
la mouvance de l'Esprit - Col ne prétend pas tout dire à tous les niveaux
-, mais à une insistance sur l'Evangile, la parole du Christ, comme lieu
et source où les croyants trouveront toujours tout ce qu'il leur faut pour
connaître la volonté de Dieu et vivre pleinement la grâce reçue au
baptême.

　　La finale, sur les diverses formes de prière reprend pour en
montrer l'importance, ce que disait déjà Col 1,12 de la prière et de l'AG
en particulier: l'Auteur ne prend pas la peine de dire pourquoi l'existence

---

[79] Cf. Col 1,28, où Paul décrivait son activité apostolique comme un «enseigner»
(διδάσκειν) et un «exhorter» (νουθετεῖν). Manifestement, les communautés doivent
reproduire cette activité «évangélique».

[80] Noter de nouveau une reprise (avec quelque modification) d'un passage du début de
la lettre: cf. 1,9 «en toute sagesse et intelligence spirituelle».

chrétienne trouve son achèvement dans la prière communautaire, mais tous les développements sur la plénitude reçue en Christ par les baptisés ne pouvaient que mener à cela: la reconnaissance des dons mène au donateur, pour s'émerveiller de ses voies et les chanter ensemble[81].

v.17

Paul reprend et résume son exhortation en rappelant le même principe christologique: tout faire et dire «au nom du Seigneur Jésus», mais le principe christologique ramène à Dieu le Père: la vie chrétienne est une vie dans l'AG continue, déjà vue comme telle en 1,12[82]. Ainsi s'indique la finalité de la vie éthique des baptisés: faire de toute leur existence une réponse en/avec/par Christ, un acte de reconnaissance à la gratuité divine. Voilà aussi pourquoi Col place l'AG à la fin des exhortations éthiques, avec une insistance qui montre à l'évidence qu'il en fait le sommet de l'existence chrétienne.

Col 3,5-17 et certains thèmes pauliniens.

Comme dans les sections précédentes, le nombre de mots et d'expressions pauliniens, repris tels quels ou avec des modifications, souvent peu substantielles, est impressionnant[83].
. les listes de vices des vv.5 et 8; cf. 1Th 4,3-6a; Ga 5,19-21a; 1Co 5,9-11; 6,9b-10a; 2Co 12,20; Rm 1,29-31. Les vices mentionnés: fornication ($\pi o\rho\nu\epsilon\acute{\iota}\alpha$) 1Co 5,11; 6,13.18; Ga 5,19; impureté ($\mathring{\alpha}\kappa\alpha\theta\alpha\rho\sigma\acute{\iota}\alpha$) Rm 1,24; 6,19; 2Co 12,21; Ga 5,19; 1Th 2,3; 4,7; Ep 4,19 5,3; passion ($\pi\acute{\alpha}\theta o\varsigma$) Rm 1,26; désir mauvais ($\mathring{\epsilon}\pi\iota\theta\upsilon\mu\acute{\iota}\alpha\ \kappa\alpha\kappa\acute{\eta}$) 1Th 4,5; Rm 1,24; Ga 5,16;

---

[81] Si le texte dit «chantez dans vos coeurs», cela ne signifie pas que le chant soit seulement intérieur et individuel, mais qu'il vient du plus profond de l'existence et n'a rien d'une reconnaissance plate, formelle, qui ne vienne que des lèvres, comme dit un Père de l'Eglise.

[82] Voir à 1,12 les raisons pour lesquelles le participe $\epsilon\mathring{\upsilon}\chi\alpha\rho\iota\sigma\tauo\mathring{\upsilon}\nu\tau\epsilon\varsigma$ devait être rattaché aux précédents.

[83] Le critère est évidemment celui de la quantité des mots et thèmes apparaissant dans l'ensemble des lettres, mais aussi celui du nombre de mots apparaissant systématiquement en des passages suivis (surtout Rm 6 et Ga 5).

cupidité (πλεονεξία) Rm 1,29; Ep 5,3;

. la colère divine Col 3,6 = Ep 5,6; cf. Rm 1,18; et, parfois, mention du jour de la colère.

. l'opposition vieux/nouveau vv.9-10: Rm 6,6 («le vieil homme»). Les Homologoumena parlent des croyants comme nouvelle création (κτίσις): 1Co 5,7; 2Co 5,17; Gal 6,15. Le verbe «être renouvelé» (ἀνακαι-νοῦσθαι) v.10; cf. 2Co 4,16.

. l'absence de distinction juif/grec et entre esclave/homme libre v.11. Cf. Ga 3,28, même si, on l'a vu, chaque texte a ses insistances, dues aux impératifs de l'argumentation: en Ga 3,28 Paul met en relief l'unité en Christ (suppression des différences pouvant miner la division ecclésiale), et, en Col 3,11 la présence vivifiante du Christ en tous (effet de sa plénitude: tous sont comblés et sans aucune exception).

. «élus de Dieu et bien-aimés» v.12; cf. 1Th 1,4.

. la liste des vertus des vv.12-14.

. le terme «paix» (εἰρήνη) v.15; cf. Ph 4,7.

. l'unité en un seul corps: v.15; cf. 1Co 12,13.27.

. l'exhortation réciproque et l'enseignement: v.16; cf. Rm 15,14; Rm 12,7.

. «quoi que vous fassiez... que ce soit» v.17; cf. 1Co 10,31.

Mais, au delà des mots, on peut aussi repérer des manières semblables de raisonner et d'argumenter en Col et dans les Homologoumena:

(a) ici et là, on repère la même insistance sur le nécessaire changement (avant/maintenant) de l'agir moral comme manifestation du salut à l'oeuvre;

(b) comme celle des Homologoumena, l'éthique de Col n'a rien de légaliste ni ne cherche ses raisons ou ses légitimations dans la Loi mosaïque;

(c) comme celle des Homologoumena, elle est avant tout ecclésiale, non parce qu'elle ignore ceux «du dehors» (Col 4,5-6 prouve le contraire), mais parce que la vérité de l'Evangile se joue d'abord entre les membres de l'Eglise: l'unité, la paix, l'aide réciproque sont des valeurs que les croyants doivent promouvoir continûment;

(d) le rapport entre croyants est un effet de l'expérience du pardon reçu (vv.12-13); l'humilité, la patience, le pardon mutuel viennent de là et trouvent là leur raison d'être;

(e) l'agapè enfin est bien, en Col et dans les Homologoumena, le sommet de la morale chrétienne.

(f) le dernier élément paulinien, bien qu'appliqué pour la première fois par Col à l'agir éthique, est l'absence de distinction discriminatoire au niveau de l'identité (et ici de l'agir éthique) des croyants. Parce que Christ est tout en tous, tous les croyants peuvent se revêtir de l'homme nouveau, sans qu'il y ait deux catégories de chrétiens, les parfaits et les autres. Tous sans exception sont invités à la perfection parce que tous en ont été rendus capables par le baptême.

Ce qui est propre à Col, c'est la motivation continûment christologique des exhortations adressées aux croyants. Et à tous les niveaux, puisque Christ est modèle de leur agir (v.13)[84], celui qui, par sa présence dans l'Eglise, assure la compétence des baptisés, celui au nom de qui ils se parlent (enseignement, exhortation) les uns aux autres, au nom de qui il s'adressent à Dieu dans leurs prières, au nom de qui ils oeuvrent (v.17), celui dont la parole continue d'opérer dans la communauté (v.16), qui donne la véritable paix (v.15). Cette pan-christologie ne provoquerait-elle pas une dangereuse distorsion de l'éthique chrétienne? Les exégètes font en général observer que Col ne fait aucune place (ou presque) à *l'Esprit Saint* comme guide de l'agir croyant[85]. Nous reviendrons sur cette question en conclusion. L'autre caractéristique de l'éthique de Col, c'est l'importance qu'elle donne à l'action de grâces continuelle (vv.15-17; confirmé par 4,2), comme si elle devait être le sommet de tout, le lieu où se vit et se reconnaît le «sola gratia».

Ces éléments propres à Col 3 s'expliquent par la rhétorique de l'argumentation, et, à ne considérer que ce chapitre, il est impossible, par le seul vocabulaire et la syntaxe, de se prononcer pour ou contre son authenticité. Ceux qui optent pour la pseudépigraphie font noter que l'Auteur maîtrise suffisamment les techniques littéraires pour n'être pas un imitateur servile de Paul[86]. Et les autres répètent, à juste titre d'ailleurs, que les différences thématiques existant entre Col et les Homologoumena s'expliquent plus par les nécessités de l'argumentation que par un changement d'Auteur; quant aux particularités syntaxiques de Col, elles peuvent, jusqu'à preuve du contraire, venir d'une évolution liée, entre autres choses, à l'âge, laquelle se constate chez beaucoup

---

[84] Pour Christ comme référent de κύριος au v.13, voir l'exégèse de ce verset.

[85] A la différence de Rm 8,14; 1Co 2,12; 3,16; 6,19; Ga 5,16.18.22.

[86] La servilité disqualifiait un écrivain.

d'auteurs connus, anciens et récents.

V - LES EXHORTATIONS DOMESTIQUES. 3,18-4,1

18 Femmes, soyez soumises à vos maris, comme cela convient dans le Seigneur. **19** Maris, aimez vos femmes et ne soyez pas amers contre elles. **20** Enfants, obéissez à vos parents en tout, car cela est agréable dans le Seigneur. **21** *Parents*, n'exaspérez pas vos enfants, afin qu'ils ne se découragent pas. **22** Esclaves, obéissez en tout à ceux qui sont vos maîtres (κύριοι) *d'ici-bas, en servant non pour attirer l'attention, comme si vous cherchiez à plaire aux hommes*, mais avec simplicité de coeur en craignant le Seigneur. **23** Quoi que vous fassiez, travaillez *de bon coeur*, comme pour le Seigneur et non pour les hommes, **24** sachant que vous recevrez du Seigneur *l'héritage en récompense*. C'est le *Maître* (κύριος) Christ que vous servez. **25** Celui qui commet l'injustice *sera payé de son injustice*, et il n'y a pas d'acception des personnes. **4,1** *Maîtres*, accordez à vos esclaves le juste et l'équitable, sachant que vous aussi avez un *Maître* au ciel.

* v.21: le contexte (l'ensemble des oppositions du passage) et l'usage grec invitent à traduire οἱ πατέρες non par «(vous) les pères», mais par «parents» (père et mère).
* v.22 litt.: «selon la chair, non par service-pour-les-yeux, comme si cherchant à plaire aux hommes».
* v.23 litt.: «à partir de (l') âme».
* v.24 litt.: «la récompense de l'héritage».
* v.25 litt.: «recevra ce qu'il a commis d'injustice»
* v.1 même mot grec κύριος qu'au vv.22.24 (traduit partout ailleurs dans l'épître par «seigneur»).

1° **Bibliographie**

Crouch, *Colossian Haustafel*; Munro, «Col III.18-IV.2 and Eph V.21-VI.9»; Schrage, «Ethik der neutestamentlichen Haustafeln»; Lührmann, «Wo man nicht mehr Sklave oder Freier ist»; Balch, *Let Wives be submissive*; Müller, «Haustafel des Kolosserbriefes» Verner, «The Houselhold of God» (1981); Bosetti, «Codici familiari»; Balch, «Household Codes» (1988); Gardner - Wiedemann, *The Roman Household*.

2° Composition et présentation d'ensemble

La composition du passage se laisse aisément repérer. L'Auteur procède par paires, en commençant chaque fois par le pôle ou l'acteur social inférieur[87]: femmes et maris (v.19-20); enfants et parents (v.20-21); esclaves et maîtres (3,22-4,1).

Cette sous-section appartient aux exhortations positives qui suivent les vv.9b-11 et décrivent ce que doit être l'agir des baptisés envers leurs frères dans la foi. Elle semble malgré tout s'y trouver comme un corps étranger, tant par le vocabulaire que par la manière d'argumenter; elle n'entre manifestement pas dans la composition concentrique qui va du v.6 au v.17. Les codes familiaux appartiennent à un sous-genre éthique, qui semble remonter à Aristote[88]. Ils apparaissent également dans les listes stoïciennes d'obligations[89], et l'on peut y voir un modèle littéraire pour leurs homologues néotestamentaires. Pour toutes ces raisons, l'unité littéraire fut considérée comme un ajout ou, pour ceux qui en font un passage faisant originellement partie de la lettre, une simple reprise de codes traditionnels en vigueur dans les Eglises, reprise qui ne se fait toutefois pas sans différences, relevées par les exégètes, et dont la principale touche les motivations: si, dans les

---

[87] Comme l'ont montré les études sur les codes domestiques, cette façon de procéder se retrouve en littérature contemporaine de Col.

[88] Cf. Aristote, *Politique* I 1253b-1255b; *Ethique à Nicomaque* VIII 1160a 23 - 1161a 10; V 1134b 9-18; Pseudo-Aristote, *Magna Moralia*, I 1194b 5-28.

[89] Cf. Epictète, *Diatribai*, II,10,1ss.; 14,8; Diogène Laerce VII,108; Sénèque, *Epîtres* 89, 10-11. 94,1. Voir également un texte d'Arius Didyme (I° av.JC), qui cherche à établir et justifier philosophiquement les rapports domestiques: entre l'époux et l'épouse, la relation est de type aristocratique; entre les parents et les enfants, elle est de type monarchique; et entre enfants, de type démocratique. On trouvera le texte et son commentaire, en Balch, «Household Codes», 28-47.

codes domestiques du monde païen d'alors, la subordination a des raisons principalement économiques, voire politiques (le bon ordre dans la famille comme condition de la structuration harmonieuse et de la survie de la πόλις), dans le NT les raisons sont uniquement théologiques et/ou christologiques.

Les codes domestiques, qui n'apparaissent que dans les épîtres plus récentes du corpus néotestamentaire (Antilegomena, Pastorales et Catholiques) soulèvent de difficiles questions: (a) faut-il y voir, avec certains, un signe de la fin de l'attente eschatologique et un retour à l'ordre ancien du monde[90], qui semble sceller et immortaliser les valeurs de ce dernier, même (et surtout) si les motivations deviennent théologiques? (b) Ou peut-on penser, avec d'autres, que la confession de Jésus Christ comme médiateur de la création et de la réconciliation universelle a rendu possible la cohabitation, voire la réconciliation entre les communautés et l'ordre social du monde environnant[91]? (c) N'y aurait pas aussi quelque chose d'apologétique en ces codes: l'ordre et la paix dans les rapports quotidiens entre les croyants en Christ témoignerait en leur faveur et en celle de l'Evangile (Col 4,5; cf. aussi Ph 4,5)[92]? (d) Ces exhortations ne donneraient-elles pas surtout le coup d'envoi à une évangélisation progressive (toujours à faire) des structures sociales, liées aux cultures, non pour les baptiser et les appuyer inconditionnellement, mais, grâce aux motivations théologiques et christologiques, pour montrer en quoi elles peuvent et doivent même s'ouvrir à l'Evangile? Les variations des motivations qui existent entre les différents codes familiaux néotestamentaires n'indiquent-elles pas un éveil constant pour évangéliser des relations considérées comme normales à un moment et en un monde donnés[93]? (e) Ne peut-on enfin interpréter ces codes

---

[90] Les commentateurs qui interprètent ainsi les codes de Col 3,18-4,1 les voient en contradiction - pour le moins en contraste - avec Col 3,11, qui, dans la ligne paulinienne (cf. Ga 3,28), reflète la nouveauté chrétienne. Voir plus haut l'exégèse de Col 3,11.

[91] Cf. Balch, «Household Codes», 29, qui voit en ces codes «une réponse apologétique à des critiques venant de l'extérieur de la communauté»; il renvoie à 1P 2,12b 3,15b; Col 4,6; Tt 3,5; 1Tm 5,14. Pokornÿ, *Kolosser*, 150 (excursus sur les Haustafeln).

[92] Pokornÿ, *Kolosser*, *ad loc.*

[93] Pokornÿ, *Kolosser*, 151. Il mentionne Phm 16, où il est dit que, dans le Seigneur, maître et esclave doivent vivre en *frères* très chers, et Rm 16,21-23, où Paul mentionne, ensemble et sans distinction de niveau, des croyants portant des noms d'esclaves (Tertius, Quartus) et d'autres ayant des fonctions supérieures.

ecclésiologiquement: devant les revendications des femmes et des esclaves dans les communautés chrétiennes (au nom des directives pauliniennes sur la caducité des statuts sociaux pour signifier les rapports entre croyants), les responsables ecclésiaux les auraient exhortés au réalisme, en rappelant d'abord les règles sociales en usage, qu'il fallait suivre sous peine de passer pour des destructeurs de la société, en évangélisant aussi ces codes, pour les rendre vivables à l'intérieur de l'Eglise? Nous verrons quelles hypothèses l'exégèse des versets confirme.

Avant l'analyse des versets, deux questions doivent recevoir une réponse:
(a) la première, linguistique, se rapporte au référent du terme κύριος (au singulier[94]). Si en 3,13 le référent de κύριος (Christ) ne se laissait pas déterminer aisément, en cette sous-section la tâche semble moins rude, car le v.24b («C'est le κύριος Christ que vous servez»), très bien attesté textuellement, montre qu'en tous ces versets, le κύριος (Seigneur et Maître) est le Christ et non Dieu le Père. Cette exégèse n'est cependant pas sans soulever des difficultés, comme l'attestent certains manuscrits - très peu fiables, à dire vrai -, qui au même v.24, ajoutent θεός après le premier κύριος, et lisent: «sachant que du Seigneur **Dieu** vous recevrez l'héritage en récompense. Servez le Seigneur **Christ**...» On comprend les réticences de ces scribes à identifier chaque fois le κύριος avec Christ, car dans les motivations des exhortations pauliniennes, le jugement et l'impartialité sont réservés à Dieu. Et, ajoutera-t-on, il est sûr que, dans le code qu'a repris l'Auteur de Col, le «Seigneur» désignait Dieu. Mais, d'autre part, outre la lecture christologique du v.24 faite par les témoins les plus nombreux et les meilleurs, la critique interne invite à retenir Christ comme référent unique de toutes les occurrences de κύριος (au sg.) en ces versets. L'analyse de 3,13 a en effet montré qu'en Col «Seigneur» (au singulier) n'est rattaché qu'à «Christ» jamais à θεός (Dieu)[95]. On constate ici, comme en de nombreux passages de Col[96], une même ellipse de l'agir divin, salvifique ou judiciaire, et, en même temps, une attribution de cet agir divin au Christ. Cela n'implique

---

[94] Cf. les vv. 3,18b.20b.22c.23.24a.24b; 4,1b.

[95] Sinon chez quelques témoins chaque fois peu fiables.

[96] Col 1,12-13; 1,27; 2,12; 4,3 font exception. Faut-il rappeler que l'ellipse de l'agir divin est aussi rendue par les passifs théologiques?

aucunement une errance théologique, mais une réelle cohérence de Col, qui ne cesse d'appliquer le principe de la seigneurie totale (voulue et réalisée par Dieu lui-même! cf. 1,13) du Christ sur l'Eglise et sur chacun des baptisés.

(b) la seconde est actantielle. Tous les acteurs du passage sont-ils des baptisés? Il est clair que tous ceux à qui l'Auteur s'adresse le sont, à commencer par les épouses, mais en est-il de même pour leurs maris? Et les maris mentionnés juste après, ont-ils tous des épouses chrétiennes, sont-ils même les maris (baptisés) des épouses mentionnées au verset précédent? L'exhortation vaut-elle seulement si les deux conjoints sont des baptisés? Une baptisée mariée à un non-chrétien doit-elle lui être soumise? De même, les esclaves auxquels il est demandé d'obéir sont des membres de l'Eglise; mais leurs maîtres le sont-ils? Car les maîtres mentionnés juste après sont-ils nécessairement les maîtres des esclaves chrétiens à qui l'Auteur vient de s'adresser: un esclave baptisé ayant un maître non-chrétien doit-il lui obéir? On pourrait répondre qu'à cette époque la conversion d'un *pater familias* entraînait celle de toute la maisonnée[97], et qu'en conséquence l'Auteur ne considère ici que les relations entre baptisés. Un autre texte comme celui de 1Co 7 montre que la situation était beaucoup plus complexe qu'on ne le pense parfois. Et, par ses silences[98], notre passage laisse l'interprétation ouverte.

3° Exégèse des versets

v.18

«Femmes, soyez soumises à vos maris, comme cela convient dans le Seigneur».

La première difficulté est textuelle. La leçon brève, τοῖς ἀνδράσιν («aux hommes»), retenue par les NT grecs semble la meilleure, à cause de l'excellence des témoins (raisons externes) et des exhortations suivantes, brèves elles aussi (raisons internes). Manifeste-

---

[97] Autrement dit, épouse, enfants, esclaves. Cf., par ex., Ac 10,2; 16,15.31.34; 18,8; 1Co 1,16.

[98] Par exemple, il ne dit pas aux hommes: «maris, aimez vos femmes car elles sont vos soeurs en Christ»; «maîtres, traitez vos esclaves avec justice, car ce sont vos frères en Christ» (à la suite de Col 3,11).

ment, les leçons ayant le pronom ὑμῶν («hommes de vous», autrement dit: «vos maris») ou l'adjectif possessif («les propres, ἴδιοι, hommes») apparaissent comme des tentatives visant à supprimer l'ambiguïté et les interprétations erronées que la leçon brève («femmes[99], soyez soumises aux hommes») pourrait entraîner: «vous (toutes) les femmes, soyez soumises à tous les hommes, qu'ils soient ou non vos maris». Mais le contexte subséquent montre immédiatement qu'il faut comprendre l'exhortation à l'intérieur du cadre familial ou domestique: autrement dit, on ne peut déduire de l'exhortation que toutes les femmes doivent être soumises à tous les hommes.

La raison invoquée par l'Auteur est: «comme il convient (ὡς ἀνῆκεν[100]) dans le Seigneur». Le «dans le Seigneur» se rattache évidemment à ἀνῆκεν («comme il convient dans le Seigneur») et non à ὑποτάσσεσθε («soumettez-vous dans le Seigneur»), à cause de la proximité et du parallélisme avec le v.20b. Pour le référent, qui est le Christ, voir *supra*, la présentation du passage. La motivation, qui équivaut à «comme il convient à des baptisés, à des membres de l'Eglise», peut être comprise au moins de deux manières différentes: (a) il convient que des baptisés respectent la hiérarchie familiale en vigueur, ou (b) les épouses baptisées savent comment elles doivent montrer respect et soumission à leurs époux, parce que le Seigneur le leur fait savoir (leur donnant pleine sagesse et intelligence, comme disait le début de Col). La seconde interprétation est de loin la plus probable, parce qu'elle va dans le sens de Col, où l'agir du baptisé est basé sur l'expérience et non sur un ordre social extérieur.

Qu'entendre par «soyez soumises» (ὑποτάσσεσθε; la voie est évidemment passive)? Le passage semble distinguer entre ὑποτάσσεσθαι (manière d'être de l'épouse) et ὑπακούειν (manière d'être des enfants et des esclaves): l'épouse n'est pas, pour le mari, dans la même situation que les enfants et les esclaves (mineurs pour les uns, sans droits pour les autres). Il n'est en tout cas pas dit que le mari est le κύριος de

---

[99] Pour le nominatif, αἱ γυναῖκες, οἱ ἄνδρες, etc., au lieu du vocatif, voir les grammaires. Usage connu déjà dans le grec classique et la LXX.

[100] Imparfait du verbe ἀνήκω, Pour cet emploi de l'imparfait, alors qu'on attendrait le présent (comme en Ep 5,3), voir Blass-Debrunner, n°358.2 (passages mentionnés: Ep 5,4; Ac 22,22).

sa femme! Les commentateurs n'ont pu trouver que deux exemples, dans la littérature non-biblique, où le verbe «être soumis» est utilisé en rapport au mariage[101]. Il se peut également que la distinction faite ici entre soumission et obéissance rejoigne certains passages pauliniens, où la «soumission» indique d'abord (même si pas seulement) la reconnaissance du statut supérieur de l'autre (elle suppose une hiérarchie, quelle qu'elle soit: il n'est de soumission qu'à un «supérieur»); elle n'implique pas de soi un rapport cordial à cet autre[102], à la différence de l'obéissance, qui suppose uniquement une attitude d'écoute dynamique et considère le désir de l'autre pour y adhérer, sans considérer (d'abord) son statut - cela ne signifie évidemment pas que la soumission ne se double pas d'obéissance[103]. L'ὑπακούειν - obéir - engage tout l'être. En ces exhortations de Col 3,18-4,1, on passe donc d'un rapport entre statuts sociaux (celui de l'épouse et celui du mari) à un rapport entre deux volontés (fils/père; serviteur/patron): le rapport femme/mari (et mari/femme) ne semble donc pas considéré de la même façon que les suivants. L'Auteur demande seulement aux épouses de savoir, en baptisées, c'est-à-dire avec la grâce reçue dans le Seigneur, trouver leur juste place dans une société où le statut du mari est supérieur au leur.

Faut-il rappeler que l'exhortation ne va pas au-delà du rapport époux/épouse, et que l'on n'en peut rien conclure sur la façon dont Col conçoit plus globalement le rapport homme/femme, passé d'ailleurs sous silence en 3,11. Sur la soumission des femmes (et pas seulement des épouses), considérée comme normale, autrement dit liée à l'ordre des choses, dans le monde grec, voir Crouch[104]. La brièveté de la motivation indique en tout cas que Col n'affronte pas une revendication de type féministe; le «comme il convient dans le Seigneur» fait au contraire appel à leur responsabilité, à la manière dont elles peuvent, en baptisées comblées par la plénitude du Christ Jésus, trouver néanmoins la manière de signifier à leurs époux le respect qui convient.

---

[101] Plutarque, *Conjugalia praecepta* 33; Pseudo-Callisthène 1,22,4.

[102] Cf. 1Co 15,26-27: le Christ se soumet toutes choses, surtout ses ennemis, les puissances mauvaises, obligées de reconnaître son statut supérieur royal, même si elles n'ont aucune sympathie pour leur vainqueur! Parfois, comme en Rm 13,1-7 ou 1Co 16,16, la soumission semble aller de pair avec l'obéissance.

[103] Cf. Rm 8,7 où la non-soumission équivaut pratiquement à la désobéissance.

[104] *Colossian Haustafel*, 109-110.

v.19

«Maris, aimez (ἀγαπᾶτε) vos femmes et ne soyez pas amers contre elles[105]».

L'exhortation aux femmes n'était pas restrictive: que l'Auteur ne leur enjoigne pas d'aimer leurs maris, ne signifie pas qu'elles n'aient pas à le faire, puisqu'au v.14 l'ἀγάπη est requise de tous les baptisés. Mais que l'Auteur demande à la personne de statut supérieur d'aimer (ἀγαπᾶν) le conjoint de statut social inférieur rappelle les exhortations précédentes: c'est l'humilité et la bonté, et non la supériorité du statut (menant souvent à l'arrogance), qui doivent dicter la conduite des baptisés; voilà pourquoi le rapport du mari à sa femme n'est pas dicté par ses droits (son statut supérieur), mais par une attitude d'un tout autre ordre, qui vient de l'intérieur, plus précisément de l'expérience de la vie en Christ. Ainsi s'explique l'absence de motivation!

v.20-21

«Enfants, obéissez[106] à vos parents en tout, car cela est agréable dans[107] le Seigneur».

Pour cette seconde paire, la composition est différente, puisque chaque exhortation est suivie d'une motivation (encore très brève): «car c'est ce qui est agréable dans le Seigneur», «afin qu'ils ne se découragent pas». Mais comme pour la première paire, la motivation donnée à la personne de rang inférieur est christologique, alors que celle donnée aux personnes de rang supérieur est seulement humaine. Qu'entendre par «cela est agréable (εὐάρεστον) dans le Seigneur»? L'εὐάρεστον désigne une valeur reconnue par le groupe social, faisant en quelque sorte l'unanimité. Mais ici, la valeur est reconnue par le groupe ecclésial (ἐν κυρίῳ): que les enfants de la communauté croyante doivent obéir à leurs parents (chrétiens[108]), autrement dit avoir le désir de les écouter, et en tout, cela va dans le sens des exhortations précédentes, où l'Auteur

---

[105] Ne pas se mettre en colère contre les épouses était-il déjà un topos? Il apparaît en plusieurs passages, postérieurs à Col 3: Plutarque, *contrôle colère* 457ab; le traité *baba meṣi'a* 59a du Talmud de Balylone.

[106] Sur la différence entre «obéir» et «être soumis», voir le v.18.

[107] Certains témoins omettent le ἐν («dans») et comprennent «cela plaît au Seigneur», mais la leçon n'est pas tenable.

[108] Cette exhortation implique que les parents de tels enfants soient eux-mêmes chrétiens.

souhaitait l'enseignement et l'exhortation: la croissance dans la connaissance et la sagesse vient précisément de là. On peut se demander si l'Auteur aurait formulé son exhortation dans les mêmes termes (obéissez *en toutes choses*) à des enfants dont les parents n'appartiendraient pas à la communauté croyante.

Quant à la demande faite aux parents: «n'exaspérez pas vos enfants, afin qu'ils ne se découragent pas», elle peut étonner le lecteur contemporain qui attendrait plutôt «afin qu'ils ne vous rendent pas la vie impossible!» Mais, à l'époque, l'éducation était d'une rigueur et d'une sévérité (avec des sévices corporels) à faire peur. Ce que l'Auteur demande aux parents, c'est de faire preuve de compréhension et d'humanité, pour favoriser la croissance, la joie d'apprendre et de grandir dans la sagesse. L'esprit de l'exhortation est bien le même que celles des vv.12-17.

v.22-25

Comparée aux précédentes, laconiques à l'extrême, la troisième paire (esclaves/maîtres), avec ses diverses motivations aux esclaves montre au contraire qu'il y avait des difficultés: on n'insiste jamais sur ce qui va de soi! Mais de quelles difficultés s'agit-il? On pourrait croire que la multiplication des motivations vient de ce que Col 3,11 a nié qu'il y ait, dans l'Eglise, distinction entre esclave et homme libre, et que l'Auteur doit à présent justifier la permanence les différences sociales. Mais les motivations fournies aux vv.22b-25 vont dans une autre direction. Elles ne font aucune allusion à un désir des esclaves de devenir libres, de changer de statut social: le vocabulaire n'est pas celui de l'ὑποτάσσεσθαι; cela signifie que l'Auteur n'a pas à rappeler la reconnaissance d'un statut, autrement dit que ce statut supérieur n'était donc pas contesté! Ce qui leur est seulement demandé, c'est de ne pas chercher à plaire aux maîtres humains, de ne pas chercher leur faveur - ce qui favoriserait la partialité (la προσωπολημψία, v.23), et mettrait les maîtres en danger de ne plus être justes ni équitables (cf.4,1). Le seul κύριος à qui ils doivent plaire, c'est le Seigneur céleste (cf. Col 1,10): les motivations des codes sont en parfaite cohérence, encore une fois, avec celles du reste de Col.

L'Auteur n'a donc pas à répondre à la contestation d'un statut humain (l'esclavage) qui serait contraire à la liberté proclamée par l'Evangile et qui pourrait y faire obstacle. Il doit plutôt veiller à ce que le comportement des esclaves soit vrai, en rien motivé par le désir de flatter et recevoir les faveurs humaines, mais fondé sur le fait que même si un esclave ne peut espérer devenir libre (ἐλεύθερος) en ce monde, sa dignité de baptisé fait de lui un fils et l'assure de l'hérédité qui va avec. La dernière motivation du v.25 va plus loin, parce qu'elle rappelle l'impartialité divine (ou, ici, christique), qui ne juge pas selon la hiérarchie des statuts sociaux: il n'y a ni privilège ni favoritisme, le statut social n'importe pas, seulement le coeur (v.22 «avec sincérité de coeur») et l'agir qui en jaillit[109].

Si les motivations des vv.22-25 ne supposent aucune revendication sociale ni ne la favorisent, il appert néanmoins qu'elles visent à minimiser la pertinence (ecclésiale) des statuts sociaux: maître et esclave ont tous les deux Christ comme Seigneur qu'ils doivent servir en tout.

Nous avons vu que les exhortations de 3,18-4,1 ne peuvent, au moins pour leurs motivations, être séparées de celles qui les ont précédées (sur la miséricorde, la bonté, l'humilité, la simplicité, patience), ni des conditions qui les déterminent, à savoir la nouvelle humanité en Christ (vv.10-11): elles sont placées à leur suite, parce qu'elles s'en inspirent.

Les motivations sont massivement christologiques, au moins pour les partenaires de statut inférieur. Pour la première paire (épouse/époux) la motivation fournie aux épouses est très brève, et constitue un argument de convenance, qui suppose un consensus, tant sur le statut que sur la manière de le vivre: comme le reconnaissent les historiens de l'époque, la famille (ou la maisonnée) était un élément qui favorisait la stabilité sociale[110]. Le modèle était patriarcal. Mais ce n'est pas une raison pour

---

[109] La motivation de l'impartialité divine est un topos qui vient de l'AT, parcourt la littérature intertestamentaire et même le NT: a) dans la Bible hébraïque: Dt 10,17; 1 S 16,7; 2 Ch 19,7; Jb 34,19 (et Pr 18,5; 24,23-25; 28,21 et Ps 82,1-4). b) Le principe est repris plusieurs fois dans les livres deutérocanoniques et pseudépigraphes: Si 35,12-14; Sg 6,7; *TestJob* 4,7-9; 43,12-13; 1Esd 4,39; Jub 5,12-16; 21,3-5; PsSal 2,15-18; 2,32-35; 2Ba 13,8-12; 44,2-4; *AntBibl.* 20,3-4; 1En 63,8-9. c) On le retrouve aussi dans la littérature rabbinique, chez Philon, et d) dans le NT, où il ne s'applique pas seulement à Dieu (Ac 10,34; Rm 2,11; Ga 2,6; Ep 6,9; Jc 2,1; 1 P 1,17), mais également à Jésus (Mt 22,16 et par) ou au Christ (Col 3,25). Cf. Bassler, *Divine Impartiality*.

[110] Cf., par ex., Bruce, *Colossians*, 161.

conclure que Col cherche à justifier ou même «baptiser» l'ordre social et qu'il oublie la nouveauté chrétienne proclamée en 3,9b-11. Au demeurant, la brièveté des motivations données aux épouses et le contenu de celles présentées aux esclaves indiquent nettement que la pertinence des modèles sociaux ne faisait pas encore question pour les baptisés. Voilà pourquoi l'Auteur, dans la ligne des exhortations précédentes, veut aller plus loin et rappeler que le consensus ne suffit pas et que tout doit se faire sous l'égide du Christ.

On retrouve encore quelques motifs pauliniens importants en ces exhortations domestiques:
. l'insistance sur l'humanité et la sollicitude que doivent avoir ceux qui ont un statut social supérieur;
. le refus de vouloir plaire aux hommes; cf. 1Th 2,4; Ga 1,10. Et lorsqu'on cherche à plaire au prochain, la motivation n'est jamais humaine mais ecclésiale (cf. Rm 15,1-2).
. l'axiome de l'impartialité (du Christ; ailleurs, de Dieu), essentiel aussi, parce qu'il souligne la non-pertinence eschatologique et donc l'aspect provisoire des statuts mondains - Col ne nie pas ces statuts, il en indique la relativité.

Col 4,2-6: EXHORTATIONS CONCLUSIVES

2 Continuez à tenir fermement à la prière, en restant vigilants par elle dans l'action de grâces, **3** en même temps priant aussi pour nous, afin que Dieu ouvre une porte à notre prédication (λόγος), pour dire le mystère du Christ - *c'est à cause de lui (le mystère)* que j'ai été enchaîné -, **4** afin que je le manifeste comme il me faut le dire.
5 Conduisez-vous avec sagesse envers ceux du dehors, sachant tirer parti de l'occasion. **6** Que votre langage (λόγος) soit toujours aimable, relevé de sel, pour savoir répondre à chacun comme il faut.

* v.3 litt.: «à cause de quoi» (δι'ὅ). Voir l'exégèse du v.3 pour la lecture διό.

Ce n'était pas pour répondre à des problèmes spécifiques et urgents que l'Auteur avait adressé ses exhortations aux membres des maisonnées, bien plutôt, semble-t-il, pour reprendre et «christianiser», en leurs motivations, les modèles proposés par les philosophes de l'époque. Il peut désormais conclure ses exhortations et, par là même, sa lettre.

Les vv.2-6 sont vraiment des exhortations conclusives, car elles reprennent les grands thèmes de la lettre en même temps qu'elles ouvrent les baptisés au monde, à ceux qui n'appartiennent pas au corps ecclésial et que l'Auteur appelle «ceux du dehors». Fermeture (vv.2-4) et ouverture (vv.5-6) font que ce passage conclut à la fois la section exhortative et les différents thèmes développés au cours de l'argumentation.

La reprise est assez aisée à repérer, (a) grâce à l'appel à la prière continue et à l'AG, qui renvoie à la section exhortative de Col 3, (b) grâce à la mention des chaînes et de l'annonce du «mystère», laquelle fait écho à Col 1,24-2,5; (c) enfin, le «comme il me faut le dire», pourrait faire allusion à cette nécessité qu'a l'Apôtre d'annoncer Christ sans compromis avec l'erreur (allusion à Col 2,6-23?). Quant à l'ouverture, elle s'impose, puisque l'Apôtre invite ses destinataires à être-dans-le-monde: rien ne les pousse à avoir peur ou à fuir «ceux du dehors», ils doivent au contraire pratiquer l'amabilité et le discernement. Bref, en ces versets, les sections argumentatives de la lettre trouvent un épilogue court et positif.

v.2

Les croyants sont invités à persévérer dans la prière[1]. Cela signifie qu'ils prient déjà et que la prière a pour eux de l'importance; ce qui leur est maintenant demandé, c'est de ne pas l'abandonner, mais de s'y tenir fermement, car elle est un instrument de veille[2], au sens où elle permet au baptisé de ne pas oublier Dieu de qui tout don vient: la prière d'Action de Grâces (AG) est ce lieu où l'existence croyante trouve son sens, puisque c'est par/en elle que se nomment, pour y être confessés et chantés, les dons et le donateur.

v.3-4

Si la prière (προσευχή) du verset précédent s'était spécifiée en AG, maintenant elle s'accompagne d'intercession (prier pour «un tel», afin que...). Rappelons à ce propos la cohérence du langage de Col, qui dès les premières lignes avait procédé de la même façon: en 1,3 une prière toute entière d'AG pour les fruits de l'Evangile, laquelle se prolongeait, à partir de 1,9, en intercession pour que ces fruits arrivent à leur perfection. Ici, ce n'est plus à Paul de prier pour les Colossiens, mais à eux, en suivant le même itinéraire: passer de l'AG à la supplication, et pour l'Apôtre[3]. Paul ne demande pas de prier pour sa santé. La prière des croyants a pour objet ce qui fut toujours pour lui l'essentiel, à savoir son ministère au service de l'Evangile: «que Dieu ouvre une porte à notre prédication (λόγος)»! L'image de la porte ouverte (par Dieu), deux fois utilisée dans les Homologoumena[4], indique bien que, pour Paul, le champ de l'annonce de l'Evangile dépend de Dieu seul: ce

---

[1] L'impératif présent (προσκαρτερεῖτε) indique une action déjà commencée et qu'il faut continuer.

[2] Pour la fonction du participe γρηγοροῦντες («veillant») qui fait suite à un impératif, voir à Col 1,12 (l'exégèse de εὐχαριστοῦντες). Même remarque pour ἐξαγοραζόμενοι en 4,5.

[3] Ce n'est pas la première fois que Paul demande de prier pour lui et pour ses collaborateurs. Cf. 1Th 5,25; Rm 15,30-32. Sur la prière d'intercession, voir l'exégèse de Col 4,12.

[4] 1Co 16,9; 2Co 2,12. L'image n'est pas propre à Paul: cf. Ac 14,27; Apo 3,8.

n'est pas l'Apôtre qui décide des lieux et des temps; il n'est que l'instrument de la volonté divine qui veut diffuser le *mystèrion*. Voilà pourquoi la prière des croyants a son rôle à jouer: parce qu'eux-mêmes, en recevant la bonne nouvelle du *mystèrion*[5], ont connu Dieu, ses desseins pour l'humanité, ses bénédictions, leur demande, auprès de Dieu, doit être la propagation de cette bonne nouvelle. Cette prière est même essentielle, car elle fait entrer l'Apôtre et les croyants dans les voies de Dieu, qui a voulu faire connaître par Paul son *mystèrion* et semble apparemment le laisser dans l'impossibilité de réaliser cette annonce, à cause de son emprisonnement.

On peut, au niveau textuel, lire de deux manières la fin du v.3: comme une proposition indépendante, introduite par l'adverbe διό, ou comme une relative, introduite par δι'ὅ[6], ce qui ne bouleverse pas le sens; on peut aussi la rattacher au contexte qui suit de diverses façons, avec cette fois des conséquences notables pour l'interprétation. Voici les principales options, réductibles à trois: les Colossiens doivent prier «afin que Dieu ouvre une porte à notre prédication», (a) «(prédication pour) annoncer le mystère du Christ - c'est à cause de lui (le mystère: δι'ὅ) que j'ai été enchaîné -, afin que je le manifeste comme il me faut le dire»: la mise aux fers de Paul constitue une incise, mais la finale qui suit se rattache à la première finale, ou même, comme celle-ci, à la prière des Colossiens; (b) «(prédication pour) annoncer le mystère du Christ - voilà d'ailleurs pourquoi (διὸ καί) j'ai été emprisonné -, afin que je le manifeste comme il me faut le dire»: comme dans la solution précédente, la seconde finale est parallèle à la première, et seule change la manière de comprendre le διό/δι'ὅ; (c) «prédication (pour) annoncer le mystère du Christ - c'est à cause de lui que j'ai été emprisonné, afin que je le manifeste comme il me faut le dire»: la dernière finale dépend de la proposition relatant l'emprisonnement, qui n'est plus alors un handicap

---

[5] Le terme «mystère» doit être interprété ici en fonction de ses emplois passés en Col (1,26; 2,2). Voir à ces versets et, plus globalement à la présentation de Col 1,24-2,5.

[6] Pour le διό («c'est pourquoi»), voir Bockmuehl, «Colossians 4:3», 492, qui suit d'ailleurs Aland. Il s'appuie sur le fait que le δι'ὅ καί... constituerait un hapax paulinum, car ailleurs Paul dit toujours διὸ καί (Rm 4,22; 15,22; 2Co 1,20; 4,13; 5,9; Ph 2,9). A vrai dire, le διό est une contraction de δι'ὅ, et la variation de sens est mineure: les changements dans l'interprétation viennent plutôt de la façon dont on rattache la proposition au contexte.

pour la diffusion du *mystèrion*, mais un moyen nécessaire pour sa proclamation adéquate[7]. La syntaxe, assez tortueuse et chargée, ne facilite pas le choix. Si les trois lectures sont grammaticalement justifiables, la première semble davantage en accord avec le contexte: ce que Paul désire, ce pour quoi il fait prier les Colossiens, c'est pour qu'une porte soit ouverte à sa prédication (apparemment fermée par sa mise au cachot), pour qu'il puisse faire connaître le *mystèrion* comme il lui faut en parler.

Le v.4 soulève aussi plusieurs difficultés. (a) Les commentateurs font remarquer que nulle part ailleurs Paul ne dit qu'il «manifeste (φανεροῦν) le *mystèrion*[8]». Cela est vrai, mais le syntagme trouve sa raison d'être dans la logique de l'argumentation[9], selon laquelle (cf 1,26) le *mystèrion*, caché à tous les siècles passés, avait été manifesté aux croyants. Le passif théologique de 1,26 trouve en 4,4 son héraut humain: c'est par Paul que Dieu a voulu jusqu'à présent diffuser le *mystèrion* et c'est pour qu'il puisse continuer à le manifester (en tout lieu et à tous, cf. 1,27) que les Colossiens doivent prier. (b) Paul ajoute: «comme il faut (δεῖ) que j'en parle». Cela signifie-t-il simplement: «avec les mots qui conviennent»? Ne fait-il pas plutôt allusion à ses chaînes (le *mystèrion* doit être manifesté par ce moyen-là, si Dieu le veut), comme le suggérait la troisième interprétation mentionnée ci-dessus? Ou au contraire à toutes les modalités et conditions à remplir par un Apôtre pour que l'Evangile soit diffusé[10]? La phrase est suffisamment large pour englober toutes les modalités: l'exégèse doit ici encore respecter le style allusif de Col.

v.5-6

L'épître finit en s'ouvrant sur les relations des baptisés avec le monde. Paul ne leur demande pas de s'en retirer ni de fuir les non-

---

[7] Interprétation qui va dans le sens de Ph 1,12-13 et d'Ep 3,13. Solution de Bockmuehl, «Colossians 4:3», mais aussi, avec plus de nuances, de Lohse, *Kolosser*, 234.

[8] Ailleurs, les substantifs sont «Evangile», «parole», «Christ»; et les verbes: λαλεῖν («dire», «parler» 1Co 2,7; 2Co 4,13; 1Th 2,2), εὐαγγελίζεσθαι («évangéliser» Rm 1,15; 1Co 1,17; 9,16; 15,1; 2Co 11,7; Ga 1,8.16), καταγγέλειν («prêcher», «annoncer» 1Co 2,1; 9,14; Ph 1,17.18; Col 1,28), κηρύσσειν («proclamer» Rm 10,8.14; 1Co 1,23; 2Co 1,19; 4,5; 11,4; Ga 2,2; Ph 1,15).

[9] Sur les connotations du verbe φανεροῦν, voir Col 1,26.

[10] Interprétation qui rejoint 1Co 9,15-23, mais aussi des passages entiers de 2Co.

chrétiens, mais de se comporter «avec sagesse» à leur égard: «Conduisez-vous avec sagesse envers ceux du dehors[11], sachant tirer parti de l'occasion»[12]. La sagesse dont parle l'Auteur n'est pas seulement une habileté humaine à gérer les rapports avec ceux qui ne partagent pas nos opinions politiques et religieuses; elle est une grâce reçue, un effet de l'être-avec-le-Christ, de la plénitude reçue en lui, «en qui sont tous les trésors de la sagesse» (2,3): grâce reçue pour savoir comment témoigner de la plénitude reçue[13].

Comment interpréter la participiale τὸν καιρὸν ἐργαζόμενοι: comme une invitation à exploiter toute occasion qui se présente (dans les rapports avec ceux du dehors), ou, dans la mouvance de l'apocalyptique, comme une invitation à exploiter «le temps, qui est celui de la fin», et donc le temps de l'urgence, où rien ne doit être différé, pas même la relation à «ceux du dehors»? La plupart des commentateurs considèrent l'expression comme une formule toute faite («saisir toutes les occasions pour...»)[14]. Mais dans les formules toutes faites, l'article manque (cf. Ga 6,10). Ceux qui interprètent la participiale eschatologiquement, s'appuient sur Ep 5,16, où les mots sont exactement les mêmes[15]; mais peut-on s'appuyer sur Ephésiens pour préciser le sens d'un passage de Colossiens, avant de déterminer leur degré de parenté, l'antériorité de l'un ou de l'autre? Le contexte, dont le langage est plutôt neutre, invite à une interprétation courante (saisissez toutes les occasions), mais la présence de l'article n'exclut pas l'autre, eschatologique.

L'Auteur ajoute «que votre langage (λόγος) soit toujours aimable, relevé de sel, pour savoir répondre à chacun comme il faut». Les expressions employées ne sont pas originales: on les trouve dans la

---

[11] Le syntagme οἱ ἔξω («ceux du dehors») est d'origine traditionnelle. L'Auteur de Col le reprend sans doute des Homologoumena (1Th 4,12; 1Co 5,12-13), lesquels semblent le recevoir à leur tour du judaïsme (cf. Strack-Billerbeck III, p.362).

[12] Noter, comme en 4,2-3, mais aussi 1,12, etc., l'impératif suivi d'un participe, qui en précise les modalités d'exercice.

[13] Pour l'attitude envers «ceux du dehors», voir 1Co 10,32; Rm 13,1-7 (les autorités politiques).

[14] Dn 2,8 (LXX et TH) emploie l'expression (sans l'article devant καιρός) avec le sens de «gagner du temps».

[15] Ou encore 1Co 7,29, car καιρός y est précédé de l'article.

Bible et la littérature ambiante[16].

Certains lecteurs trouveront sans doute plate - peu rhétorique - cette manière de finir les exhortations, et avec elles, le corps de la lettre. Mais la plupart des Homologoumena ne finissent pas mieux: la «rhétorique» paulinienne refuse en général les *péroraisons* grandioses et chargées. Il y a d'ailleurs grande cohérence à terminer brièvement, sur des propos qui exhortent précisément à savoir s'exprimer avec grâce et juste ce qu'il faut de piquant pour ne pas ennuyer.

---

[16] Pour χάρις («grâce», au sens de gracieuseté), voir Si 21,16. Pour le lien χάρις/ἅλας («sel»), Plutarque, *propos de table*, 685a :le sel est appelé par certains «charmes» (à l'acc. pl. χάριτας), parce que de la nourriture nécessaire il fait une nourriture agréable; et sur la manière de parler avec grâce, du même auteur, *bavardage*, 514f. Pour les écrits rabbiniques, voir Strack-Billerbeck, I, pp.232-236.

REPRISE DU CADRE ÉPISTOLAIRE

SALUTS ET SIGNATURE: 4,7-18

7 Tout ce qui me concerne, Tychique vous (le) fera connaître, ce frère bien-aimé, et fidèle ministre et co-serviteur dans le Seigneur. **8** que je vous envoie pour cela, afin que vous sachiez ce qui nous concerne et qu'il réconforte vos coeurs. **9** (je vous l'envoie) avec Onésime, ce frère fidèle et bien-aimé, qui est de chez vous. Ils vont feront connaître tout ce qui se passe ici.
10 Aristarque, mon compagnon de captivité vous salue, ainsi que Marc, le cousin de Barnabé, au sujet duquel vous avez reçu des instructions - s'il vient chez vous, recevez le -, **11** ainsi que Jésus, surnommé Justus: eux (sont) les seuls (venus) de la circoncision (qui sont mes) collaborateurs pour le Royaume de Dieu; ils ont été une consolation pour moi. **12** Epaphras, qui est de chez vous, vous salue; (ce) serviteur du Christ Jésus *ne cesse de mener pour vous le combat de la prière*, afin que vous soyez rendus parfaits et pleinement consentants à tout vouloir divin. **13** Je lui rends en effet ce témoignage qu'il se donne beaucoup de peine pour vous, ainsi que pour ceux de Laodicée et de Hiérapolis. **14** Luc le médecin bien-aimé vous salue, ainsi que Dèmas.
15 Saluez les frères qui (sont) à Laodicée, ainsi que Nympha(s) et l'Eglise qui se réunit dans sa maison. **16** Et quand cette lettre aura été lue chez vous, faites qu'elle soit lue aussi dans l'Eglise des Laodicéens, **17** Et dites à Archippe: veille au ministère que tu as reçu dans le Seigneur, afin de (bien) l'accomplir.
18 La salutation (est) de ma main, à moi, Paul. Souvenez-vous de mes chaînes! La grâce (soit) avec vous!

* v.12 litt.: «toujours combattant pour vous dans les prières».

Le passage se laisse diviser en fonction des acteurs:

v.7-9: envoi de Tychique et Onésime avec la lettre: messages;
⌐v.10-14: salutations des collaborateurs de Paul
|v.15-17: salutations de Paul aux Laodicéens
└v.18: salutation finale aux Colossiens.

Col ne tranche pas par la longueur des nouvelles et salutations
finales, qui reviennent en plusieurs des Homologoumena: Rm 16,21-23;
1Co 16,1-24; Ph 4,21-23; 1Th 5,25-28; Phm 23-25. La difficulté vient
cependant de ce que Col mentionne (dans un ordre différent) les mêmes
personnes que Phm, au point qu'on doit se demander si la liste de Col
ne reprend pas, en la copiant originalement, celle de Phm[17]:

Col 4,7-17	LIEUX / TITRES	*Phm*
	l'Eglise en ta maison	<= Philémon v.1
		Apphia
Tychique v.7		
Onésime v.9		v.10.15
Aristarque v.10 =>	compagnon captivité	⌐ v.23 (n°3)
	collaborateur =>	⌟
Marc v.10	<= collaborateur =>	v.23 (n°2)
Barnabé v.10	<= collaborateur	
Jésus v.11	<= collaborateur	
Epaphras salue v.12	compagnon captivité	<= v.23 (n°1)
Luc v.14	collaborateur =>	v.23 (n°5)
Dèmas v.15	collaborateur =>	v.23 (n°4)
Nympha(s) v.15	l'Eglise dans sa maison	
Archippe v.17 =>		v.2

Les nombreux points communs entre les deux passages ont été diver-
sement expliqués: (a) par une proximité des deux lettres dans le temps -
laquelle justifierait les préoccupations de Paul pour les rapports
domestiques et leur mention dans l'une et l'autre lettre; (b) par une
même destination: Epaphras (Col 4,12) et Archippe (Col 4,17) sont de
Colosses et doivent être connus de Philémon, sans doute parce que ce
dernier doit aussi être de Colosses; (c) par la pseudépigraphie: l'Auteur
de Col, un disciple de l'Apôtre, connaissait l'existence de Phm et a
rédigé le cadre épistolaire final en reprenant plusieurs des noms

---

[17] Les listes de Phm et Col semblent à leur tour copiées par 2Tm 4,10-12.

mentionnés. Selon l'hypothèse pseudépigraphique, les deux lettres n'ont pu être écrites en même temps ou presque, parce qu'en Phm, nulle mention n'est faite de la «philosophie» qui menaçait la communauté de Colosses: peut-on imaginer que Paul ait envoyé son billet à Philémon, président d'une communauté locale (Phm 1) sans même faire allusion à cet énorme problème? Argument de poids il est vrai, mais qu'on peut retourner comme les précédents: si Paul écrit une lettre à tous les Colossiens, pourquoi répéter dans un petit billet, sur un problème personnel et urgent, des choses qu'il développe dans la lettre commune? Bref, même bien fondés, les arguments des uns et des autres n'emportent pas totalement la conviction.

v.7-9

Les vv.7-9 sont bâtis concentriquement[18]:

a = v.7a «Tout ce qui me concerne, Tychique vous le fera connaître
b = v.7b lui le frère bien-aimé, aide fidèle et compagnon de service
c = v.8 lui que j'ai envoyé pour que vous sachiez.. et qu'il vous console
b = v.9a avec Onésyme, le frère fidèle et bien-aimé
a = v.9b ils vous feront connaître tout ce qui se passe ici».[19]

Comment interpréter cette composition? Si l'on suit certains manuels, le centre spatial (v.8), où il est question de Paul, devrait recevoir la pointe; mais, du message, autrement dit des nouvelles de Paul, le lecteur ne saura rien, puisque tout sera transmis oralement par Tychique et Onésyme! Paul accentue au contraire les qualifications (ou la compétence) des deux envoyés, lesquelles sont énoncées à la périphérie (*ab* et *ba*). Voyons pourquoi.

La mention de Tychique et la raison de son envoi sont exprimés pratiquement avec les mêmes termes en Ep 6,21-22, sans doute parce qu'il est le porteur des deux lettres. Les Pastorales en font encore un

---

[18] Cf. Zeilinger, «Träger», 178.

[19] Noter que le v.9b est également concentrique:«(α) tout (β) à vous ils feront connaître (α) les choses d'ici».

messager de l'Apôtre[20], et, selon les Actes (cf. 20,4), il est, avec
Trophime, lui aussi nommé en 2Tm 4,20, de la Province d'Asie et
accompagna Paul de Troas à Jérusalem. Bref, le personnage devait être
connu des communautés d'Asie comme un fidèle collaborateur de
l'Apôtre, ayant toute sa confiance pour transmettre nouvelles et
directives, pour lire, commenter, expliquer les propos de la lettre dont il
était le porteur. Les qualificatifs que lui donne l'Auteur,

> .«frère»: qualification globale et identitaire dans la foi;
> .«bien-aimé»: qualifié à partir de l'Auteur, en terme d'affection;
> .«ministre»: qualifié comme ayant une responsabilité[21],
> .«fidèle» ou «digne de confiance»: dont la performance fut
> positivement durable;
> .«co-serviteur»: qualifié encore par son travail de service, et mis
> par l'Apôtre, sur un pied d'égalité avec lui-même.

Ces qualificatifs visent évidemment à asseoir la compétence de Tychique
à tous les niveaux auprès des destinataires de la lettre.

Mais, en plus de la transmission de la lettre, Tychique et
Onésime doivent donner des nouvelles de l'Apôtre. Ils en auraient de
toute façon donné. Pourquoi dès lors, l'Auteur mentionne-t-il ce qui va
de soi? Parce qu'il est resté discret, en fin de lettre, sur sa situation et
son issue? Le procédé est alors un moyen élégant de sauter un point qui,
par son poids émotionnel, aurait pu faire perdre de l'importance à la
partie argumentative de la lettre. S'il s'agit d'un cas de pseudépigraphie,
alors le procédé n'est plus élégant, il devient nécessaire. Mais il y a sans
doute aussi une autre explication, plus historique, et non exclusive des
autres: la situation et le destin dramatique de Paul devaient troubler les
communautés d'Asie. Les risques ou les rumeurs de disparition et de
mort étaient autant de raisons de déstabilisation (que deviendrons-nous?
etc.): consoler les Eglises s'avérait nécessaire.

Mais, en évitant d'appliquer les catégories de la rhétorique gréco-
hellénistique, on ne décidera pas du genre rhétorique de Col uniquement
sur l'expression «et ainsi vos coeurs seront consolés» (v.8b), car la lettre

---

[20] Cf. 2Tm 4,12; Tt 3,12.

[21] Chez Paul, le terme διάκονος ne désigne pas nécessairement une charge spécifique.
Il indique une responsabilité, un service rendu, à quelque niveau que ce soit.

évite justement de parler de Paul et de ce qui se passe là où il se trouve. Le genre rhétorique, nous l'avons vu, ne peut être déterminé sans que soit pris en considération le développement de l'argumentation.

v.10-14

Après avoir qualifié les porteurs de la lettre, Paul continue par une série de salutations, qui se divisent en deux parties: salutations de ses collaborateurs (vv.10-14), et les siennes propres (v.15-17).

Les salutations de ses collaborateurs, sont moins des salutations qu'un panégyrique; elles parlent moins des destinataires (ceux qui sont avec moi saluent tel et tel frère, etc.) que des collaborateurs eux-mêmes, pour signaler leur qualification et leur performance aux service des Eglises.

Cette petite unité littéraire (vv.10-14) peut à son tour être divisée en trois, selon l'origine des collaborateurs, chaque subdivision commençant par le verbe «saluer» à la 3° personne de l'indicatif présent (ἀσπάζεται):

(a) aux vv.10-11, Aristarque[22], Marc[23] et Jésus[24], qui sont tous les trois d'origine juive; Paul en profite pour souligner leur fidélité: rares furent les juifs baptisés qui aidèrent continûment Paul à l'évangélisation des païens, au point qu'il ne peut en nommer que trois! La brièveté de la liste en dit long sur les difficultés qu'a rencontrées Paul, même auprès des chrétiens d'origine juive.

(b) aux vv.12-13, Epaphras, décrit par son origine (Colosses), et sa

---

[22] Selon les spécialistes d'onomastique de l'époque, le nom était assez répandu. Dans le NT, il est mentionné en Phm 24; Ac 19,29; 20,4. Col nomme Aristarque compagnon de captivité (συναιχμάλωτος) de Paul, alors qu'en Phm c'est Epaphras qui reçoit ce qualificatif.

[23] Il est intéressant de voir que Marc, inconnu des Colossiens (sinon il n'aurait pas besoin d'avoir des lettres de recommandation pour recevoir un bon accueil) est présenté comme parent de Barnabé, qui, lui, est connu des Colossiens (et sans doute de tous les baptisés d'alors), et doit certainement être celui dont parlent Ga 2; 1Co 9,6; Ac 4,36; 9,27; 11,22; 11,30; 12,25; 13,1.2.7.43.46.50; 14,12.14.20; 15,2.12.22.25.35.36.37.39. Marc est par contre mentionné sans Barnabé en Phm 24 et 2Tm 4,11.

[24] «Jésus, dit Justus». Toujours selon les spécialistes d'onomastique, beaucoup de juifs de l'époque avaient pris un nom gréco-romain rappelant leur nom en hébreu-araméen, et Justus était un des plus fréquents. Le nom de ce collaborateur de Paul n'apparaît nulle part ailleurs dans le NT.

qualification de δοῦλος Χριστοῦ Ἰησοῦ, comme Paul en Ph 1,1. Au début de la lettre (Col 1,17), l'Auteur a déjà fait son éloge en mentionnant sa performance d'annonceur de l'Evangile et d'enseignant; ce qui est maintenant retenu, c'est uniquement sa prière d'intercession assidue pour ceux de chez lui. Implicitement, l'Auteur indique la qualité spirituelle d'Epaphras: car, dans la tradition juive et chrétienne tous savaient que la prière des justes est puissante sur le coeur de Dieu[25]. La prière d'Epaphras rejoint d'ailleurs celle de Paul en Col 1,9, pour que les croyants de Colosses aient pleine connaissance de la volonté divine - ici: qu'ils y donnent plein consentement[26].

(c) au v.14, Luc et Dèmas, dont l'origine n'est pas mentionnée, sans doute parce qu'ils sont tous deux connus des destinataires. Luc est seulement qualifié par l'affection (ἀγαπητός) que Paul lui porte, et par son métier de médecin.

Pour les défenseurs de la pseudépigraphie de Col, cette liste de collaborateurs, dont Paul vante les mérites, vise à assurer la continuité entre les générations, entre la compétence paulinienne et celle de ses collaborateurs, auxquels incombe désormais de veiller sur «la vérité de l'Evangile».

v.15-17

Les salutations personnelles de Paul aux Eglises de la région donnent des informations sur les communautés locales ainsi que sur la manière dont se diffusaient les écrits apostoliques.

Le v.15a («saluez les frères de Laodicée») suppose que les Eglises de Colosses et de Laodicée avaient des relations au moins épisodiques, et qu'elles se transmettaient les nouvelles respectives.

---

[25] La Bible donne deux beaux exemples d'intercession: Abraham en Gn 18; Moïse en Ex 32. Le judaïsme intertestamentaire a beaucoup développé ce thème: *TestRuben*, 1,7 (Jacob pour Ruben); 4,4 (id.); *TestLevi* 3,5 (les anges pour les péchés d'ignorance des justes); 5,6-7 (l'ange pour Israël); *TestDan* 6,2; *Vie grecque d'Adam et Eve* (connue aussi comme *ApoMoïse*) 6,2 (intercession de Seth pour Adam); 34,2 (des anges pour Adam); 35,1-4; 36,1 (du soleil et de la lune); 2Ba 63,5 (Ezechias pour Jérusalem); *Paralipomènes de Jérémie* 2,3 (Jérémie intercède pour le peuple pécheur); noter que 2Mac 15,14 prête à Jérémie une intercession posthume. Dans les Homologoumena, les intercessions de Paul sont très nombreuses.

[26] Sur ces formules et leur sens, voir l'exégèse de Col 1,9-12.

Le texte du v.15b n'est pas facile, car les témoins les meilleurs sont divisés. Certains voient en la personne nommée un homme (au nominatif: Νύμφας) et d'autres une femme (au nominatif: Νύμφα)[27]. Ceux et celles qui préfèrent le féminin en tirent des conséquences divergentes n'ayant pas toutes la même solidité: (a) cette Nympha serait une riche veuve, ayant une maison assez spacieuse pour permettre à la communauté locale de se réunir pour célébrer «le repas du Seigneur» et d'autres fêtes liturgiques; (b) elle serait aussi la responsable de l'Eglise locale et présiderait le repas du Seigneur. Comment donc lire le syntagme «l'Eglise qui en sa maison» (ἡ κατ'οἶκον ἐκκλησία)[28]? A lui seul, le syntagme ne permet pas de dire si les chrétiens de Colosses formaient une seule (toute l'Eglise de Colosses se réunissait alors chez Nympha) ou plusieurs Eglises locales (celle se réunissant chez Nympha étant l'une d'elles); de plus, «l'Eglise qui (est) chez Nympha(s)» ne désigne pas uniquement la maisonnée ou la famille de cette personne, mais tous les chrétiens se réunissant chez elle/lui pour le repas du Seigneur et les autres célébrations[29]. Nympha(s) était à l'évidence un membre influent et aisé - pour pouvoir recevoir un groupe relativement important[30] chez lui, éventuellement pour les repas - de la communauté; mais cela implique-t-il que la personne chez qui les croyants de la ville se réunissaient était responsable de l'Eglise, qu'elle présidait toutes les assemblées liturgiques? Une réponse ferme exige une étude de toutes les

[27] Voici les lectures des témoins les plus connus: (a) «Nympha et l'Eglise dans sa (αὐτῆς, fém.) maison»: B 1739. (b) «Nymphas et l'Eglise dans sa (αὐτοῦ, masc.) maison»: D K 044. (c) «Nympha(s) et l'Eglise dans leur (αὐτῶν, pl.) maison»: S A C P. Lightfoot considère cette dernière lecture comme originelle, antérieure donc aux deux autres, alors qu'aujourd'hui les spécialistes de critique textuelle y voient très justement un moyen élégant d'éviter le masc. ou le fém.

[28] Voir M. Gielen, «Zur Interpretation der Formel *hè kat'oikon ekklèsia*», qui passe en revue Rm 16,5; 1Co 16,19; Phm 2 et Col 4,15.

[29] Seule une comparaison entre expressions peut, à la rigueur, autoriser des conclusions plus fiables: ainsi le «toute l'Eglise» de Rm 16,23 équivaut-il à «l'Eglise dans la maison de X» (Rm 16,5; 1Co 16,19; Phm 2; Col 4,15)? Selon J. Murphy-O'Connor, *Corinthe au temps de Saint Paul*, Paris 1986, 242, il faut répondre négativement, car «l'Eglise dans la maison de X» est un sous-groupe de la communauté d'une ville.

[30] Selon Murphy-O'Connor, *Corinthe*, 237-241, cela ne devait pas excéder quarante personnes (au grand maximum cinquante).

épîtres pauliniennes et des Actes[31].

Le v.16 nous renseigne sur la manière dont étaient lues et transmises d'Eglise à Eglise les lettres de l'Apôtre[32]. Que celle envoyée à Colosses doive être lue à Laodicée et réciproquement, confirme ce que nous avons sans cesse suggéré au cours des analyses: pour pouvoir être entendu de tous, Paul ne s'attarde pas aux circonstances et positions précises défendues localement, il élargit l'horizon de ses propos, afin qu'ils s'appliquent à d'autres Eglises. Si l'Apôtre ne dit rien sur les modalités de la lecture, c'est qu'elles devaient être évidentes: lecture publique, les croyants étant réunis autour de celui ou de ceux qui apportaient la lettre (ici Tychique et Onésime) et avaient sans doute participé directement ou indirectement à sa rédaction.

Le ministère (διακονία) qu'Archippe a reçu et auquel il doit veiller afin de (bien) l'accomplir n'est pas précisé: la raison de cette ellipse est la même que celle qui vient d'être fournie: Paul ne veut pas insister sur le type de ministère reçu par Archippe; que ce ministère soit essentiel à la vie de l'Eglise locale ou, au contraire, très humble, ce qui importe, c'est le soin avec lequel il est accompli, comme tout service.

v.18

«La salutation est de ma main, à moi, Paul» reprend textuellement 1Co 16,21. Paul entend-il ainsi attester l'authenticité de l'écrit? Mais la liste des salutations qui précèdent (v.10-17) semble lui donner la même fonction que 1Co 16,21. Car, manifestement la salutation finale de 1Co n'a pas pour but de rendre authentique l'écrit, bien plutôt de donner une marque d'affection, un signe d'attention, après une lettre dure en certaines de ses sections. En Col, où le ton est toujours resté chaleureux pour les destinataires, la signature supplée en quelque sorte à l'absence, elle indique un désir de présence personnelle et affectueuse (pour des communautés qui ne l'ont jamais vu). En Phm 19, la signature a encore une autre fonction: elle semble faire de la lettre une reconnaissance de

---

[31] Voir par ex. H.J. Klauck, *Hausgemeinde und Hauskirche*; V. Branick, *The House Church in the Writings of Paul.*

[32] L. Hartman, «On Reading Others' Letters», *HThR* 79 (1986) 137-146, indique bien la fonction universalisante (et, à long terme, canonisante) de ces échanges de lettres entre Eglises.

dette (un IOU)[33], mais ne vise pas d'abord à authentifier l'écrit comme paulinien. Une seule signature a pour fonction d'authentifier une lettre, celle de 2Th 3,17 (identique en tous points à 1Co 16,21 et Col 4,18a) et c'est précisément ce qui, à la différence de Col 4,18a, la rend suspecte, d'autant plus que d'autres salutations ne la précèdent pas. Gardons-nous cependant d'en tirer un argument infaillible en faveur de l'authenticité de Col, car on conçoit aisément qu'un pseudépigraphe intelligent ait tout fait pour ne pas trop insister sur l'authenticité: à trop en rajouter, on devient suspect!

Le fait même que la signature soit suivie d'une demande confirme qu'elle n'avait pas pour fonction de servir à l'authentification *ultime* de Col comme lettre paulinienne. Mais pourquoi l'Apôtre ajoute-t-il: «Souvenez-vous de mes chaînes»? Veut-il indirectement signifier que sa captivité est la conséquence de son amour et de son labeur pour eux[34]? Leur demande-t-il au contraire de ne pas oublier son combat et de rendre grâces pour tout ce qu'ils ont reçu par lui[35]? Veut-il plutôt leur dire qu'ils doivent tenir fermes dans la foi, comme lui-même (cf. Col 1,24-2,5)? Aucune de ces trois hypothèses ne doit être exclue, et la tournure elliptique de la phrase interdit toute conclusion ferme. Mais la mise en contiguïté de la signature (c'est moi, Paul, qui pense à vous!) et de la demande (vous, en retour, n'oubliez pas le Paul prisonnier pour vous) renforce manifestement l'image d'un Paul continûment présent malgré l'absence - celle d'une mort future ou déjà advenue.

Quant à la finale, «La grâce (soit) avec vous!», c'est une des plus brèves du corpus paulinien[36]. Aucun génitif (θεοῦ; χριστοῦ) n'accompagne le terme «grâce» (χάρις) comme dans les Homologoumena («la grâce de N.S.J.C. avec vous»), et cela peut étonner à la fin d'une lettre où les mentions du Christ sont aussi nombreuses. S'agit-il d'un oubli, ou d'un indice de pseudépigraphie[37]? Impossible à dire, mais le modèle est

---

[33] Sur l'IOU, voir Col 2,14.

[34] Cf. le même verbe en 1Th 2,9-11, où l'idée est explicitement développée.

[35] Comme Paul le fait pour les communautés, cf. 1Th 1,2-4.

[36] Cf. Rm 16,23-27; 1Co 16,23-24; 2Co 13,13; Ep 6,23-24; 1Th 5,28; 2Th 3,18; Ph 4,23 = Phm 25. Seules les Pastorales ont une finale aussi (sinon plus brève): 1Tm 6,21b; 2Tm 4,22b; Tt 3,15c.

[37] L'Auteur voulant éviter de plagier les Homologoumena.

nettement paulinien[38]: Paul avait tout dit en rapportant la réponse de Dieu à ses supplications: «ma grâce te suffit» (2Co 12,9). Que souhaiter de mieux à une communauté qui vit les dons de Dieu pour en témoigner?

---

[38] En dehors du corpus paulinien, seul le livre de l'Apocalypse (cf. 22,21) finit de la même façon.

CONCLUSION

Quels problèmes et quelles solutions?

L'itinéraire de Col, par la succession de ses trois sections, est typique de l'expérience chrétienne[1]. Et c'est dans cet itinéraire que s'indique l'originalité du texte, plus que dans les changements thématiques relatifs aux Homologoumena. Certes, il y avait des risques d'hérésie à Colosses, avec les conséquences que l'on sait, mais ce n'est pas d'abord ni seulement dans la partie traitant directement de la *philosophia*, qui semble attirer plus d'un croyant de l'Eglise locale, que réside la spécificité de la lettre. Le recours à la christologie, en ses dimensions seigneuriale et achevée, de l'exorde aux exhortations pérorantes, et à chaque étape de l'argumentation, est certainement le lieu de méditation (ou devrait l'être), mais aussi d'interrogation de l'exégète contemporain, car, par rapport aux Homologoumena, le langage a sensiblement changé, et il importe d'en expliquer, au moins d'en pressentir les raisons:

(a) La première interrogation nous est venue de l'emploi du terme *mystèrion* pour désigner l'Evangile (1,24-2,5), ainsi que de l'insistance sur ses conditions temporelles et spatiales de divulgation, sur son contenu christologique, et sur ses destinataires.

(b) Une autre difficulté, non directement liée à la première, du moins dans le corps de la lettre, venait de la présence des puissances, de leur origine (céleste ou non) et de leur fonction dans l'argumentation. Le lecteur doit aussi se demander pourquoi elles ne sont jamais directement mises en rapport, au niveau syntaxique et argumentatif, avec les pratiques ascétiques ni avec les anges de Col 2,18.

(c) La troisième interrogation est née du glissement des catégories sotériologiques et eschatologiques: les baptisés sont morts, mais aussi déjà *ressuscités* avec le Christ, et ont en lui reçu toute plénitude; la situation des croyants n'est pas de manque, mais de vie en et avec Christ; leur dignité vient de là, et de là seulement; parallèlement, au niveau ecclésiologique, pourquoi cette union unique entre les croyants et leur Seigneur est-elle exprimée en termes de tête et de corps? L'invasion de la christo-

---

[1] Faut-il rappeler combien la mise en évidence de la composition a son importance pour en déterminer la fonction exacte?

logie pour dire la situation des croyants demandait pour le moins d'être soulignée, avant d'être expliquée.

(d) quatrième source de questionnement: les motivations massivement christologiques de la partie exhortative (Col 3,1-4,1), qui n'ont pas ou très peu de parallèles (je parle des motivations, pas des exhortations) dans les Homologoumena. Pourquoi ici encore les motivations de Col sont-elles (doivent-elles?) être christologiques?

Bref, Col pose une série de questions, dont nous avons montré qu'elles étaient liées les unes aux autres, qu'il s'agisse de l'argumentation, qui n'est ni scripturaire ni diatribique ni paradoxale[2], ou des concepts-clefs de *mystèrion*, tête/corps, etc.

Une lettre sur la liberté chrétienne (Col 2,6-23)?

La majorité des commentateurs insistent sur l'hérésie de Colosses (plus ou moins retraçable, comme l'a montré l'excursus à Col 2,6-23). Mais ne confondons pas l'occasion de la lettre (due à la situation de l'Eglise de Colosses et/ou à celle de l'Apôtre) et le thème ou le fil conducteur qui guide son argumentation. Or, si nous voyons comment cette dernière se développe, nous devons admettre que le problème des pratiques ascétiques et rituelles ne fait l'objet que d'une section, dont on ne peut sans préavis dire qu'elle est théologiquement plus dense que les autres, ni surtout «centrale», au sens où les deux autres (1,24-2,5 et 3,1-4,1) auraient pour fonction de la préparer et d'en tirer les conséquences. La section exhortative est d'ailleurs matériellement plus longue que celle sur les pièges de la *philosophia*.

Et si nous examinons cette section 2,6-23, nous constatons que la liberté chrétienne - le mot ἐλευθερία n'apparaît d'ailleurs pas en Col, comme le montre l'excursus sur le vocabulaire[3] - a moins d'importance

---

[2] Le seul paradoxe, relatif au *mystèrion*, que Dieu voulait depuis toujours révéler mais a caché à tous les âges pour ne le faire connaître qu'à la fin des temps, ne vient pas de Col même mais des Homologoumena (et indirectement du livre de Daniel).

[3] A ce propos, répétons, contre quelques exégètes myopes, que ce n'est pas parce qu'un mot (ici «liberté») n'apparaît pas en une section qu'on ne peut résumer cette section par un mot analogue (utilisé cette fois comme métalangage). Il importe toutefois de se demander pourquoi le texte n'emploie pas le mot en question.

que ce qui en est la condition, à savoir le lien entre la plénitude du Christ et celle des croyants. Et, liée à la plénitude reçue par tous les baptisés, leur dignité en Christ. Col, comme Ga, mais à un autre niveau (circoncis ou non, membres du peuple de l'Alliance ou non), fait tout pour éviter une Eglise à deux niveaux: les élites, doctes, visionnaires, dépositaires des révélations célestes, champions d'ascèse aussi, et les autres, inférieurs, dépourvus de révélations spéciales, etc. L'insistance sur la plénitude de TOUS les baptisés en/avec Christ indique bien qu'il en va de la vérité de l'Evangile et de l'efficacité de la médiation christique. L'absence du terme ἐλευθερία n'est pas fortuite, mais montre indirectement - et efficacement - que l'enjeu n'est pas d'abord celui-là.

La manière dont l'Auteur élargit sans cesse les questions pour les rendre universelles, explique aussi, nous l'avons vu, pourquoi il est difficile *et peu intéressant* de reconstruire exactement le milieu de vie de «l'hérésie» née (ou transplantée) à Colosses.

Pourquoi le *mystèrion* (Col 1,24--2,5; 4,3-4)?

Le corps de la lettre, on l'a vu, commence par insister sur la diffusion du *mystèrion*, sans doute parce que s'y donne à reconnaître ce qui, pour l'Apôtre, est l'essentiel, à savoir que Christ est arrivé chez les Gentils, qu'il est demeuré chez eux pour les combler de ses trésors de sagesse (1,28). La nature essentiellement christologique du *mystèrion* va bien avec l'insistance de toute la lettre sur la christologie. On peut même dire que Col fournit progressivement les composantes du *mystèrion*:
- il est fait pour les Gentils (les païens), car ils en sont les destinataires, appelés à la dignité et à la plénitude offerte à qui reçoit le baptême (première section),
- le *mystèrion* est Christ, source de la plénitude de tout baptisé (deuxième section), plénitude qui rend inutiles et vaines toutes les recherches de visions et de révélations par participation au culte céleste[4]. C'est cela même, nous l'avons suggéré au cours des analyses, qui fait pressentir les

---

[4] L'absence du terme ἀποκάλυψις vient aussi de là: si l'Auteur de Col avait déclaré, comme celui d'Eph, que le *mystèrion* lui avait été révélé par une ἀποκάλυψις, il aurait eu bien du mal à montrer que de telles révélations n'étaient pas nécessaires à la plénitude des baptisés.

raisons principales de l'usage du terme (*mystèrion*): si, pour les écrits intertestamentaires en particulier apocalyptiques, les *mystèria* concernant le salut et la fin n'étaient communiqués que par des extases à quelques justes et initiés[5], en ramenant le terme au singulier (LE mystère) et en faisant de tout chrétien son destinataire, l'Auteur de Col souligne drastiquement la modification radicale apportée par l'Evangile à l'attente apocalyptique.

- Christ, qui est encore celui par qui l'agir éthique des croyants arrive à sa perfection (troisième section).

La primauté du Christ: une pan-christologie?[6]

La primauté et la plénitude du Christ déterminent la surabondance des baptisés, qui n'ont donc pas à chercher les révélations ni à être enlevés en la demeure céleste pour y recevoir les mystères leur permettant de connaître à coup sûr l'avenir et, ainsi, d'obtenir le salut. Ils n'ont pas davantage besoin des puissances célestes pour leur ouvrir les cieux, leur interpréter la volonté et les secrets divins: les baptisés ont une fois pour toutes rejoint le Christ en sa résurrection, en sa vie.

Mais cette invasion christologique n'est pas sans poser de graves questions à l'exégèse, d'abord parce qu'elle semble ne pas faire droit à l'action de l'Esprit dans l'Eglise et le monde, ensuite parce qu'en définissant l'Eglise en termes uniquement christologiques (une Eglise corps du Christ), Col donne l'impression de réduire le nombre des métaphores et donc des manières diverses qu'a l'Eglise de vivre son rapport à Dieu (comme peuple de Dieu, Temple de l'Esprit) et au monde. L'exégèse faite ici a montré que le discours de Col ne prétendait aucunement être exhaustif: son insistance christologique visait à établir l'unicité et la radicalité de la médiation christique, rien d'autre. Le tort du commentateur serait de l'interpréter comme un traité complet, alors qu'il n'en a ni

---

[5] Cf., entre autres, 1En 68,1; 69,14; 71,3-4 («Michel, un des saints anges, m'a pris par la main droite, il m'a relevé et m'a conduit vers tous les mystères; etc.»); *Vie grecque d'Adam et d'Eve* (= *Apo Moïse*) 32,3-34,2; 4Esd 10,38-39; *Paralipomènes de Jérémie* 9,22-28, passage manifestement (ré)écrit par un scribe chrétien.

[6] Sur la primauté et seigneurie du Christ, voir Col 1,13.15-20; 2,3; 2,9-15; 2,20; 3,1-4; 3,11b; 3,16; 3,24b; 4,1b.

la forme ni la prétention. La mise en valeur de la situation du Christ, liée en particulier à sa médiation créatrice, témoigne toutefois du développement nécessaire auquel la christologie était appelée: par rapport à toute la série des médiateurs (Loi, Sagesse, Anges supérieurs, sacerdoce, etc.), les premières générations chrétiennes devaient un jour ou l'autre situer le médiateur Jésus en ses différences, en sa singularité - laissant du même coup les ressemblances et les continuités dans l'ombre, pour les minimiser. L'importance quantitative (et qualitative) de la christologie en Col s'explique principalement ainsi.

Mais une question demeure: pourquoi, en Col, la médiation angélique n'est-elle jamais mentionnée comme telle ni jamais explicitement signalée comme une menace pour la médiation du Christ et donc pour la plénitude accordée en lui aux baptisés? En réalité, ce que Col affronte, ce n'est pas d'abord la médiation des anges, bien plutôt le rapport de leur seigneurie et de leur statut à celui de Jésus Christ, dont la médiation créatrice et la primauté peuvent ainsi être soulignées. Si Col 1,16 - mais aussi le reste de la lettre[7] - nomme les êtres célestes par leur nom de fonction et le pouvoir qu'il représente (Trônes, Seigneuries, Principautés, Autorités), ce n'est pas par hasard, nous l'avons vu. Ne disons donc plus que Col inaugure l'ère de la pan-christologie: une première mise au point s'avérait nécessaire, et l'Auteur de Col s'en est chargé, tout simplement.

Colossiens: lettre écrite ou non par Paul?[8]

Mais le plus difficile problème d'exégèse diachronique reste celui de l'authenticité de Col. Sans doute sommes-nous plus souples qu'il y a quelques décennies sur les questions d'authenticité[9], et la pseudépi-

---

[7] Cf. Col 2,10.15. Voir aussi Col 1,13 («l'autorité de la Ténèbre»).

[8] Outre les auteurs cités dans l'introduction, voir Merklein, «Paulinische Theologie», et Lohse, *Kolosser*, 249-257.

[9] A la suite de Schweizer, *Kolosser*, 26-27, on peut imaginer plusieurs cas de figure qui ne vont pas contre l'authenticité, telle qu'elle était perçue à l'époque: (a) un collaborateur de Paul (Timothée, selon Schweizer) écrivant avec la «bénédiction» - après discussion sur les thèmes et les arguments apportés - de l'Apôtre; (b) plusieurs collaborateurs de

graphie n'apparaît plus comme une monstruosité voire une imposture. La
question de l'authenticité de Col ayant déjà été sommairement présentée
dans l'introduction de ce commentaire, aux niveaux littéraire et théologique, elle peut maintenant être reprise avec tout l'acquis des exégèses
de détail.

Au niveau linguistique et stylistique, bien des exégètes s'appuient
aujourd'hui sur les analyses de Bujard pour refuser l'authenticité de Col,
mais aucune analyse sérieuse n'a encore été faite sur la possible
évolution du style paulinien. Si Bujard a eu raison de prendre comme
modèle le plus proche la lettre aux Philippiens, il n'a pas vraiment cons-
truit de *modèle statistique* susceptible de donner des résultats fiables[10]:
plus que de mettre en contraste une lettre avec les autres, il faut vérifier
si des évolutions globales se dessinent. Pour ce faire, une comparaison
avec d'autres écrivains anciens s'avère tout aussi nécessaire.

Contre l'authenticité, l'argument majeur fut pendant un temps
l'absence des grands thèmes pauliniens rencontrés dans les Homologoumena[11]: mais les difficultés affrontées - celles relatives à la primauté du
Christ sur les puissances célestes, avec les conséquences sotériologiques
qu'on peut imaginer - étant d'un tout autre ordre que celles des Homologoumena, on ne voit pas pourquoi l'Auteur (qu'il soit ou non Paul) les
reprendrait. Car, si l'on veut bien y réfléchir un tant soit peu, à quoi
aurait-il servi de développer les thèmes de la justification, de la filiation
ou de l'héritage des croyants, si le Christ, inférieur aux êtres célestes
supérieurs, n'avait pu leur obtenir (et à tous) la plénitude, dans la connaissance de Dieu et de sa volonté, la plénitude de vie et de grâce dès
maintenant - sans besoin d'extases, de révélations spéciales ou extraordi-
naires. Il y a même une profonde logique à ce que le thème de
l'υἱοθεσία («adoption filiale») des baptisés ne soit ni amorcé ni
développé, car le rapport qui fait difficulté est celui entre Christ (et non
entre Dieu) et les croyants: si les croyants n'ont pas en Christ le médiateur total, supérieur à tous les êtres célestes, peuvent-ils prétendre avoir

Paul organisant les thèmes et les arguments, et laissant ensuite le soin de rédiger la lettre
à l'un d'entre eux, rédaction ensuite approuvée et signée par l'Apôtre...

[10] Je parle ici d'analyse des données, laquelle est, comme le savent les spécialistes,
extrêmement difficile à manier. Sans précautions sérieuses, on peut faire dire n'importe
quoi aux statistiques.

[11] Cf. le n°5 de l'excursus 2 sur le vocabulaire de Col.

tout reçu en lui, Dieu ne leur demande-t-il pas de recourir à d'autres médiateurs? Col remonte donc en amont des problèmes traités dans les Homologoumena et se présente comme un embryon de réflexion préalable (théologiquement) au développement (pourtant antérieur chronologiquement) de ces lettres. Nous avons également signalé pourquoi l'Esprit tient peu de place dans les arguments de Col, et, au contraire, la christologisation de l'ecclésiologie y prend une extension grandissante. Bref, plus que le changement d'Auteur, c'est le problème traité qui explique les pleins et les déliés de l'écriture de cette belle lettre[12].

Certains exégètes ont aussi retenu l'absence d'argumentation scripturaire comme signe (évident) du caractère non paulinien de Col. Mais nous avons vu que cette absence est essentiellement due à la thématique du *mystèrion*, qui désigne ce qui justement n'a pas été annoncé par les voix prophétiques et les écrits bibliques. Quant à l'eschatologie de Col elle a aussi des accents nouveaux par rapport aux Homologoumena (sans pour autant être structurellement modifiée): Dieu n'a pas seulement enseveli les croyants avec Christ (Rm 6,4), Il les a déjà ressuscités et mis aux cieux avec lui (Col 3,1-4). Pareille évolution ne s'explique pas par un recours à la pseudépigraphie: avant de déclarer Col deutéro-paulinienne, il importe de considérer les raisons logiques, liées au projet de l'épître et à ses nécessités internes, et dont l'analyse a montré qu'elles étaient d'origine christologique.

Les trois arguments les plus forts en faveur de la pseudépigraphie sont (a) un moins grand usage des contrastes et des paradoxes que dans les Homologoumena, et (b) l'insistance sur les êtres célestes, dont la présence, pourtant massive dans les écrits juifs antérieurs au Nouveau Testament, ne semble avoir pris de l'ampleur dans la réflexion et la théologie chrétiennes qu'après la mort de Paul[13]. (c) Enfin la mention

---

[12] Nous avons également montré pourquoi l'agir divin reçoit moins d'insistance que la médiation du Christ.

[13] Les Homologoumena avaient déjà parlé, plus brièvement il est vrai, du rapport entre le Ressuscité les puissances célestes (ἀρχαί, ἐξουσίαι ou autres; cf. 1Co 15,24; Ph 2,10; Rm 8,38-39) et de la médiation universelle du Christ (1Co 8,8). Les développements de Col relatifs à la supériorité totale du Christ sur les êtres célestes s'enracinent donc bien dans le terreau paulinien. Tous les exégètes pour qui ils ont été écrits seulement après la mort de Paul s'appuient sur Heb, Apo et les apocalypses chrétiennes du II° où l'angélologie prend de l'importance. De toute façon Col semble antérieur à Heb, écrit qui

de l'emprisonnement de Paul, commune à toutes les dernières lettres, pourrait être un excellent moyen pour couvrir sa disparition, sa mort. Ceci dit, aucun argument n'est vraiment contraignant. Il est assurément difficile de déterminer qui est l'auteur de Col, Paul ou l'un de ses collaborateurs. Mais, «in fine dei conti», notre compréhension de l'authenticité ayant heureusement évolué ces dernières années, on peut non seulement déclarer que l'épître est paulinienne, mais qu'elle est très probablement de Paul.

Colossiens et Ephésiens: antériorité de Col?

Le dernier problème, celui de l'antériorité possible/probable de Col sur Ep, et que nos analyses n'ont fait qu'effleurer, reste toujours aussi épineux, même si la totalité ou presque des commentaires tiennent pour assurée l'antériorité de Col. Les indices en faveur de cette hypothèse sont, il est vrai, très nombreux, et, dans l'introduction, nous avons déjà présenté les arguments lexicographiques sur lesquels on peut s'appuyer. Mais au delà des indices disséminés tout au long du texte, et qui vérifient ce que j'ai appelé le principe d'accumulation, deux autres principes, formulés à partir de la pratique exégétique semblent aussi appuyer cette impression de lecture: (a) le plus court (ici, Col) est généralement antérieur, (b) le plus élaboré théologiquement (ici, Ep) est postérieur. Pour vérifiés qu'aient été ces principes de l'exégèse historico-critique, ils laissent tout de même insatisfait le commentateur de Col/Ep, car Col est christologiquement plus développée qu'Eph, alors que cette dernière est plus élaborée au niveau ecclésiologique: les principes de la longueur et de l'élaboration doivent tenir compte des impératifs de chaque discours, et mieux vaut ne pas les appliquer à Col/Ep, sauf pour les codes domestiques. Peut-être même ces codes sont-ils les seuls passages vraiment significatifs pour déterminer l'antériorité de Col. Les présomptions peuvent devenir ici des certitudes...

L'épître aux Colossiens aujourd'hui

a très certainement vu le jour avant 70. Autrement dit, si Col est deutéropaulinienne, elle ne l'est pas de beaucoup!

Au cours des analyses et au début de cette conclusion, nous avons rappelé que l'articulation du corps de la lettre, qui part de l'annonce de l'Evangile et de sa facture apostolique, poursuit avec les implications concrètes et finit avec les exigences éthiques, est typique de l'expérience chrétienne, comme réponse et discernement nés de l'annonce évangélique.

Pour l'exégète et le théologien de métier - chrétiens eux aussi -, c'est la christologie de Col qui devrait d'abord susciter l'intérêt, dans la mesure où elle semble ignorer les questions d'accomplissement des Ecritures et des événements qu'elles «racontent»: l'emploi du vocabulaire du *mystèrion* ne peut pas ne pas provoquer nos interrogations sur ses conséquences pour l'élaboration d'une théologie biblique.

Col est certainement le premier (chronologiquement s'entend) écrit de l'Eglise primitive, où l'union du Christ à son Eglise est autant soulignée, pas encore en termes matrimoniaux - lesquels ramènent irrésistiblement aux questions d'accomplissement -, mais corporels. La corporéité de l'Eglise, ressentie par beaucoup - à tort ou à raison - aujourd'hui plus qu'hier comme une pesanteur, est en réalité une grâce, celle d'un indéfectible attachement au Christ, et une responsabilité, celle de manifester cette dépendance unique. Il n'appartient pas à un commentateur d'en montrer longuement (et pesamment) l'importance. J'espère seulement avoir suffisamment alerté l'attention pour susciter la réflexion des uns et des autres.

EXCURSUS 2

Le vocabulaire de Colossiens[1]

1° Hapax legomena du NT[1]

προακούευιν 1,5 entendre auparavant
ἀρέσκεια 1,10 désir de plaire
ὁρατός 1,16 visible
πρωτεύειν 1,18 être le premier
εἰρηνοποιεῖν 1,20 pacifier
μετακινεῖν 1,23 détourner
ἀνταναπληροῦν 1,24 compléter
πιθανολογία 2,4 discours spécieux
στερέωμα 2,5 fermeté
συλαγωγεῖν 2,8 leurrer
φιλοσοφία 2,8 philosophie
θεότης 2,9 divinité
σωματικῶς 2,9 corporellement
ἀπέκδυσις 2,11 dépouillement
χειρόγραφον 2,14 manuscrit
προσηλοῦν 2,14 clouer
ἀπεκδύεσθαι 2,15; 3,9 se dévêtir
νεομηνία 2,16 nouvelle lune
καταβραβεύειν 2,18 disqualifier
ἐμβατεύειν 2,18 voir (ou prendre possession de)
δογματίζειν 2,20 soumettre à des règles

ἀπόχρησις 2,22 consommation, usage
ἐθελοθρησκία 2,23 culte volontaire
ἀφειδία 2,23 ascèse, sévérité
πλησμονή 2,23 satiété
αἰσχρολογία 3,8 langage grossier
Σκύθης 3,11 Scythe
μομφή 3,13 grief, complainte
βραβεύειν 3,15 régner, arbitrer
εὐχάριστος 3,15 reconnaissant
ἀθυμεῖν 3,21 devenir timide
ἀνταπόδοσις 3,24 récompense
ἀνεψιός 4,10 cousin
παρηγορία 4,11 consolation

2° Hapax legomena chez Paul[2]:

ἀποκεῖθαι 1,5 être mis en réserve
σύνδουλος 1,7; 4,7 co-serviteur
δυναμοῦν 1,11 fortifier
κλῆρος 1,12 part d'héritage
θρόνος 1,16 trône
συνεστηκέναι 1,17 subsister ensemble
ἀπόκρυφος 2,3 caché
παραλογίζεσθαι 2,4 abuser
ἐξαλείφειν 2,14 supprimer
ὑπεναντίος 2,14 qui est contraire

---

[1] Les listes suivantes reprennent, à quelques modifications près, celles établies par Lohse, *Kolosser*, 133-135. Elles suivent l'ordre des versets de Col.

δειγματίζειν 2,15 donner en spectacle
ἑορτή 2,16 fête
σκία 2,17 ombre
θρησκεία 2,18 culte
κρατεῖν 2,19 tenir (fermement)
γεύεσθαι 2,21 goûter
θιγγάνειν 2,21 toûcher
ἔνταλμα 2,22 commandement
τὰ ἄνω 3,1 les choses d'en haut
κρύπτειν 3,3 cacher
τελειότης 3,14 perfection
πλουσίως 3,16 en abondance
πικραίνειν 3,19 s'aigrir, être amer
ἅλας 4,6 sel
ἀρτύειν 4,6 assaisonner
ἀποκρίνεσθαι 4,6 répondre
πόνος 4,13 peine
ἰατρός 4,14 médecin

3° *Mots que Col a en commun seulement avec Ep*

ἀποκαταλλάσσειν 1,20.22 réconcilier
    (Ep 2,16)
ἀπαλλοτριοῦσθαι 1,21 être étranger
    (Ep 2,12)
ῥιζοῦσθαι 2,7 être enraciné
    (Ep 3,17)
συνεγείρειν 2,12 ressusciter-avec
    (Ep 2,6)
συζωοποιεῖν 2,13 faire vivre avec
    (Ep 2,5)
ἁφή 2,19 jointure (Ep 4,16)
αὔξνσις 2,19 croissance (Ep 4,16)
ὕμνος 3,16 hymne (Ep 5,19)

ὀφθαλμοδουλία 3,22 service pour
    attirer l'attention (Ep 6,6)
ἀνθρωπάρεσκος 3,22 voulant plaire
    aux hommes (Ep 6,6)

4° *Mots apparaissant seulement en Col et dans les Homologoumena*

ἱκανοῦν 1,12 rendre capable (2Co 3,6)
ἑδραῖος 1,23 ferme (1Co 7,37; 15,58)
ἀπεῖναι 2,5 être absent
    (1Co 5,3; 2Co 10,1.11; 13,2.10; Ph
    1,27)
συνθάπτεσθαι 2,12 être enseveli avec
    (Rm 6,4)
θριαμβεύειν 2,15 triompher
    (2Co 2,14)
εἰκῆ 2,18 en vain
    (Rm 13,4; 1Co 15,2; Ga 3,4; 4,11)
φυσιοῦσθαι 2,18 être infatué
    (1Co 4,6..18.19; 5,2; 8,1; 13,4)
πάθος 3,5 passion (Rm 1,26; 1Th 4,5)
ἐρεθίζειν 3,21 exaspérer (2Co 9,2)
ἰσότης 4,1 équité (2Co 8,13.14)
συναιχμάλωτος 4,10 compagnon de
    captivité (Rm 16,7; Phm 23)

5° *Mots des Homologoumena manquants en Col*

ἁμαρτία péché
ἀποκάλυψις révélation
δικαιοῦν justifier
δικαιοσύνη justice
δικαίωσις justification
δικαίωμα (juste) jugement

δοκιμάζειν mettre à l'épreuve
δοκιμή épreuve
δόκιμος éprouvé
ἐλευθερία liberté
ἐλευθεροῦν libérer
ἐπαγγελία promesse
ἐπαγγέλλεσθαι promettre
κατεργάζεσθαι effectuer, produire
καυχᾶσθαι être fier, se vanter
καύχημα sujet de fierté
κοινωνία communion
κοινός commun

λοιπός qui reste, restant
νόμος loi
πιστεύειν croire
πείθειν persuader
πεποίθησις confiance
σώζειν sauver
σωτηρία salut
ὑπακοή obéissance
υἱοθεσία adoption filiale

LEXIQUE DES TERMES PLUS TECHNIQUES

Antilegomena. On désigne par ce mot les épîtres de Paul dont l'authenticité est discutée, à savoir Col, Eph, 2Th et les Pastorales (1 et 2Tm, Tt).

Dispositio (en grec *taxis*). Ordonnancement d'un discours, qui comprend au moins une *propositio* et sa *probatio*, et le plus souvent généralement un *exordium*, une *probatio* et une *peroratio*. La *dispositio* peut se retrouver en toute forme de discours, même dans les lettres (cf. H. Probst, *Paulus und der Brief. Die Rhetorik des antiken Briefes als Form der paulinischen Korintherkorrespondenz*, Tübingen 1991). Il n'y a donc pas lieu d'opposer drastiquement composition épistolaire et composition discursive.

Exordium (en grec *prooimion*). Introduction au discours. Sa fonction est de donner le ton, d'établir le contact avec les destinataires et d'annoncer le sujet.

Genres rhétoriques. Les manuels en dénombrent trois: 1) le genre judiciaire (originellement au tribunal, pour accuser ou défendre sur des faits passés); 2) le genre délibératif (originellement à l'agora ou au sénat, au parlement, pour persuader ou dissuader de prendre telle décision en politique, etc.; il regarde l'avenir); 3) le genre épidictique (éloge/blâme de vertus/vices ou de personnes; faire partager les convictions sur la vérité d'une idée, d'un message, d'une religion, etc.). Si les trois genres semblent facilement distincts, dans la pratique il n'est pas aisé de déterminer le genre de certains discours, d'autant que le genre épidictique est longtemps resté un fourre-tout aux contours assez flous. Le genre de Col est manifestement délibératif.

Ceci dit, il faut éviter de trop vite déterminer la genre rhétorique des lettres pauliniennes, car, (a) comme les lettres d'alors, elles savent mélanger les genres (l'épistolographie en relève une bonne vingtaine), (b) le texte peut passer insensiblement d'une rhétorique épistolaire à une rhétorique discursive et vice versa.

Gezerah Shawah (règle régissant les associations verbales).
Littéralement, «principe équivalent». C'est l'une des règles juives (attribuée à Hillel) d'interprétation de l'Ecriture. On raisonne sur des

analogies: deux passages différents des Ecritures (initialement,le principe valait seulement pour deux passages de la Torah, mais il a été étendu aux Prophètes et aux Ecrits) ayant un ou plusieurs termes en commun peuvent être interprétés l'un par l'autre. Autrement dit, sur la base d'une similarité verbale entre deux textes, ce qui est dit de l'un peut être dit de l'autre.

Dans l'épître aux Romains, Paul exploite ce procédé deux fois; cf 4,3.7-8 et 9,25-28. Selon certains (cf. les articles de Manns, Wright), on aurait une gezerah shawah en Col 1,15-20.

Homologoumena. Le terme désigne les épîtres unanimement reconnues comme étant de Paul, à savoir Rm, 1 et 2Co, Ga, Ph, 1Th, Phm.

Partitio (ou *divisio*). Annonce, en quelques lignes, des thèmes ou des parties de la *probatio*. La *partitio* n'est pas toujours une *propositio*, car elle n'indique pas nécessairement la position de l'auteur sur la question qu'il va traiter.

Palistrophie. Forme littéraire, fréquente dans l'AT et le NT, qui sans être nécessairement et parfaitement concentrique (ou même chiastique), car elle ne détermine pas une unité/division littéraire, s'enroule et se déroule par répétition des mêmes mots, expressions ou membres de phrases.

Peroratio (en grec, *epilogos*). Conclusion dont la fonction est souvent double: (a) reprendre, en les résumant au maximum, les points de l'argumentation (pour cette raison, la péroraison est aussi appelée recapitulatio); (b) reprendre, en l'amplifiant, le contact avec les lecteurs/auditeurs.

Probatio (en grec *pistis*). Partie du discours durant laquelle l'orateur ou l'écrivain développe les arguments qui confirment sa thèse ou son point de vue, bref clarifie et fonde la *propositio*. La *probatio* constitue le corps de l'argumentation. En Col elle va de 1,24 à 4,1.

Propositio (en grec *prothesis*). Thèse que l'orateur ou l'auteur va développer et illustrer par une démonstration suivie (la *probatio*). Toute thèse n'est pas une propositio; pour l'être, elle doit être suivie d'un développement qui a pour fonction de la justifier. Ainsi, Col 2,12-13 est bien une thèse de l'Auteur, une affirmation sur laquelle il base sa réflexion, mais elle n'est pas une *propositio*, car elle ne constitue pas une affirmation à démontrer (contre Pokornỳ).

Pseudépigraphe (en grec, *pseudepigraphon*): comme son étymologie l'indique, le terme désigne un écrit dont l'attribution est fausse. Il s'agit donc d'un cas particulier de pseudonymie. L'emploi du terme a sensiblement évolué: car, auparavant on entendait par là les écrits qui n'avaient jamais été acceptés dans le Canon (AT ou NT), alors qu'aujourd'hui on y inclut sans exception les écrits non authentiques, canoniques ou non, attribués à des grands noms de l'histoire biblique.

TABLEAU

des

**Parallélismes et différences
entre
Homologoumena et Antilegomena**

thèmes et motifs	1Th/1-2Co	de Ga à Phm	Colossiens	Ephésiens
eulogie à Dieu	2Co 1,3.20-22			1,3-14
AG pour foi; prière	1Th 1,2-3	Rm 1,8	1,4.9	1,15-16
médiation du Christ		Rm 3,24-25	1,14	1,7
suprématie du Christ	1Co 15,25-27		1,15-20	1,20-22
corps/tête	(1Co 12,12-27)		1,18	1,22s; 4,15; 5,23
création/paix/croix	1Co 8,6b		1,16-20	2,14-18
avant/maintenant		Ga 4,8-9	1,21-23	2,11ss.19-22
construction, temple	1Co 3,5-17			2,20-22
le *mystèrion*	(1Co 2,1)	Rm 16,25-27	1,25-29	3,1-13
vérité de l'Évangile		Ga 2,14	1,5	
ensev/ress. avec Christ		Rm 6,4-8.11.13	2,12-13; 3,1	2,1.5-6
....	....	....	....	....
			3,1-4	
purification			3,5-8	5,3.15
homme vieux/nouveau	2Co 4,16		3,5-11	4,17-24
égalité en Christ		Ga 3,28	3,11	
vices/vertus		Ga 5,16-26	3,8-9.12-14	4,25-5,2
compassion, pardon		Ph 2,1-4	3,12-15	4,1-6; 4,32
unique corps	1Co 12,12-27	Rm 12,4-5	3,15	4,4-6
ministères (dons)	1Co 12,28-30	Rm 12,6-7		4,7-8.11-12
cantiques, AG	1Th 5,18		3,16-17	5,19-20
morale domestique		Phm 10-21	3,18--4,1	5,21-6,9
armure du croyant	1Th 5,8; 2Co 6,7; 10,4	Rm 13,12		6,11-17
AG finale			4,2-4	6,18-20
envoi de Tychique			4,7-8	6,21-22

LISTE DES ABRÉVIATIONS[1]

1En	Version éthiopienne du livre d'Enoch (ou d'Hénoch)
2En	Version slave du livre d'Enoch (ou d'Hénoch)
1QH	Qumran. Hymnes
1QM	Qumran. Livre de la guerre
1QS	Qumran. Règle de la communauté
ANRW	Aufstieg und Niedergang der römischen Welt
AntBibl	Livre des Antiquités Bibliques (Pseudo-Philon)
Apo	Apocalypse (suivie de l'Auteur présumé; ex: ApoMoïse)
AT	Ancien Testament
August	Augustinianum
AUSS	Andrews University Seminary Studies
BAGD	Bauer-Arndt-Gingrich-Danker, Greek-English Lexicon of the
NT	Nouveau Testament
Bib	Biblica
BibLeb	Bibel und Leben
BSac	Bibliotheca Sacra
BJ	Bible de Jérusalem
BO	Bibbia e Oriente
BR	Biblical Research
CBQ	Catholic Biblical Quarterly
CEI	Conferenza Episcopale Italiana (Bibbia patrocinata dalla)
CTJ	Calvin Theological Journal
DBS	Dictionnaire de la Bible. Supplément
EKK	Evangelisch-Katholischer Kommentar
EstBíb	Estudios Bíblicos
EuA	Erbe und Auftrag
EvQ	Evangelical Quarterly
EvT	Evangelische Theologie
ExpT	Expository Times
FS	Festschrift (Hommage)
HThR	Harvard Theological Review
Int	Interpretation
JBL	Journal of Biblical Literature
JETS	Journal of the Evangelical Theological Society
JJS	Journal of Jewish Studies
JSNT	Journal for the Study of the New Testament
JTS	Journal of Theological Studies

[1] Pour les livres bibliques, les abréviations sont celles de la TOB.

Jub	Livre des Jubilés
LTQ	Lexington Theological Quarterly
NTS	New Testament Studies
PG	Patrologie Grecque
PL	Patrologie Latine
PsSal	Psaumes de Salomon
RevExp	Review and Expositor
ResQ	Restoration Quarterly
RHR	Revue de l'Histoire des Religions
RivB	Rivista Biblica
RSV	Revised Standard Version
RTR	Reformed Theological Review
ScEs	Science et Esprit
SNTU	Studien zum Neuen Testament und seiner Umwelt
SPIC	Studiorum Paulinorum Congressus Internationalis Catholicus, Rome 1963
ST	Studia Theologica
SWJT	South Western Journal of Theology
Test	Testament (suivi du nom de l'Auteur présumé; ex: TestLévi)
ThViat	Theologia Viatorum
TWNT	Theologisches Wörterbuch zum Neuen Testament
TLZ	Theologische Literaturzeitung
TOB	Traduction Oecuménique de la Bible
TrinJ	Trinity Journal
TZ	Theologische Zeitschrift
WD	Wort und Dienst
ZNW	Zeitschrift für die Neutestamentliche Wissenschaft

BIBLIOGRAPHIE

I. COMMENTAIRES

ABBOTT T.K., *The Epistles to the Ephesians and to the Colossians*, Edinburgh 1897 (1953).

BENOIT P., «Les épîtres de saint Paul aux Philippiens, aux Colossiens, à Philémon», in *La Sainte Bible*, Paris 1949.

BRUCE F.F., *The Epistles to the Colossians, to Philemon, and to the Ephesians*, London 1957 (1984).

CAIRD G.B., *Paul's Letters From Prison*, Oxford 1976.

CARSON H.M., *The Epistles of Paul to the Colossians and Philemon*, Grand Rapids, Michigan 1960.

CONZELMANN, H., *Der Brief an die Kolosser*, Göttingen [14]1976.

DIBELIUS M. - GREEVEN H., *An die Kolosser, an die Epheser, an Philemon*, Tübingen [3]1953.

ERNST J., *Die Briefe an die Philipper, an Philemon, an die Kolosser, an die Epheser*, Regensburg 1974.

GNILKA J., *Der Kolosserbrief*, Freiburg-Basel-Wien 1980.

HARRIS M.J., *Colossians & Philemon*, Grand Rapids, Michigan 1991.

HENDRICKSEN W., *A Commentary on Colossians & Philemon*, London 1971.

HOPPE R., *Epheserbrief. Kolosserbrief*, Stuttgart 1987.

HUGEDÉ N., *Commentaire de l'épître aux Colossiens*, Genève 1968.

HUBY J., *Saint Paul. Les épîtres de la captivité*, Paris [2]1947.

LÄHNEMANN J., *Der Kolosserbrief. Komposition, Situation und Argumentation*, Gütersloh 1971.

LIGHTFOOT J.B., *Saint Paul's Epistles to the Colossians and to Philemon*, London 1875; Peabody, MA 1987.

LINDEMANN A., *Der Kolosserbrief*, Zürich 1983.

LOHMEYER E., *Die Briefe an die Kolosser und an Philemon*, Göttingen 1956 (remanié par W. Schmauch, en 1964).

LOHSE E., *Die Brief an die an die Kolosser und an Philemon*, Göttingen 1968.

LYONNET S., *Annotationes in Epistulam ad Colossenses*, Roma 1969.

MARTIN R.P., *Colossians: The Church's Lord and The Christian's Liberty. An Expository Commentary with a Present-Day Application*, Exeter 1972.

MARTIN R.P., *Colossians and Philemon*, London 1973; Grand Rapids,

Michigan 1981.

MASSON C., *L'épître de Saint Paul aux Colossiens*, Neuchâtel 1950.

MOULE C.F.D., *The Epistles of Paul the Apostle to the Colossians and Philemon*, Cambridge 1957.

MUSSNER F., *Der Brief an di Kolosser*, Düsseldorf 1965.

O'BRIEN P.T., *Colossians, Philemon*, Waco, Texas 1982.

PATZIA A.G., *Ephesians, Colossians, Philemon*, Peabody, Massachusett 1984.

POKORNÝ P., *Der Brief des Paulus an die Kolosser*, Berlin 1987.

SCHWEIZER E., *Der Brief an die Kolosser*, Köln-Neukirchen 1976.

SCOTT E.F., *The Epistles of Paul to the Colossians, to Philemon, and to the Ephesians*, London 1930.

STAAB K., *Die Gefangenschaftsbriefe*, Regensburg ³1959.

STRACK H.L. - BILLERBECK P., *Kommentar zum Neuen Testament*, München ⁷1978.

THOMPSON G.H.P., *The Letters of Paul to the Ephesians, to the Colossians and to Philemon*, Cambridge 1967.

WILLIAMS A.L., *The Epistles of Paul the Apostle to the Colossians and to Philemon*, Cambridge 1907.

WRIGHT N.T., *The Epistles of Paul to the Colossians and to Philemon. An Introduction and Commentary*, Leicester - Grand Rapids, Michigan 1986.

II. ETUDES

ADINOLFI M., «Le metafore greco-romane della testa e del corpo e il corpo mistico di Cristo», in *SPIC*, Rome 1963, 333-342.

ALETTI J.-N., *Colossiens 1,15-20. Genre et exégèse du texte. Fonction de la thématique sapientielle*, Roma 1981.

ALETTI J.-N., *Comment Dieu est-il juste? Clefs pour interpréter l'épître aux Romains*, Paris 1991.

ALETTI J.-N., «La *dispositio* rhétorique dans les épître pauliniennes. Propositions de méthode», *NTS* 38 (1992) 385-401.

ALLMEN (VON) D., «Réconciliation du monde et christologie cosmique», *RHPR* 48 (1968) 32-45.

ANTONINI B., «La conoscenza della volontà di Dio in Col 1,9b», in *La cristologia in San Paolo*, 301-340.

ARGALL R.A., «The Source of a Religious Error in Colossae», *CTJ* 22

(1987) 6-20.

BALCH D.L., *Let Wives Be Submissive. The Domestic Code in 1 Peter*, Chico CA 1981.

BALCH D.L., «Household Codes», in AUNE D.E. (éd.), *Greco-Roman Literature and the New Testament*, Atlanta 1988, 25-50.

BALCHIN J.F., «Colossians 1:15-20: An Early Christian Hymn? The Argument from Style», *Vox Evangelica* 15 (1985) 65-94.

BAMMEL E., «Versuch zu Col 1,15-20», *ZNW* 52 (1961) 88-95.

BANDSTRA A.J., *Law and the Elements of the World: An Exegetical Study in Aspects of Paul's Teaching*, Kampen 1964.

BANDSTRA A.J., «Did the Colossian Errorists Need a Mediator?», in R.N. LONGENECKER - M.C. TENNEY (éd.), *New Dimensions in New Testament Study*, Grand Rapids 1974, 329-343.

BARCLAY J.M.G., «Mirror-Reading a Polemical Letter: Galatians as a Test Case», *JSNT* 31 (1987) 73-93.

BARRETT C.K., *From First Adam to Last*, London 1962.

BASSLER J.M., *Divine Impartiality. Paul and a Theological Axiom*, Chico, California 1982.

BAUCKHAM R.J., «Colossians 1:24 Again: The Apocalyptic Motif», *EvQ* 47 (1975) 168-170.

BAUGH S.M., «The Poetic Form of Col 1:15-20», *Western Theological Journal* 47 (1985) 227-244.

BEASLEY-MURRAY G.R., «The Second Chapter of Colossians», *RevExp* 70 (1973) 469-479.

BEASLEY-MURRAY P., «Colossians 1:15-20. An Early Christian Hymn Celebrating the Lordship of Christ», in D.A. HAGNER - M.J. HARRIS (éd.), *Pauline Studies* (FS F.F. Bruce), Exeter 1980, 169-183.

BEDALE S., «The Meaning of kephalè in the Pauline Epistles», *JTS* 5 (1954) 211-215.

BENOIT P., Art. «Paul. Epître aux Colossiens», *DBS* VII (1966) 160-162.

BENOIT P., «Corps, tête, plérome dans les épîtres de la captivité», in ID., *Exégèse et théologie* II, Paris 1961, 53-96.

BENOIT P., «Rapports littéraires entre les épîtres aux Colossiens et aux Ephésiens», in *Neutestamentliche Aufsätze* (FS J. Schmid), Regensburg 1963, 11-22.

BENOIT P., «Qumran and the New Testament», in J. MURPHY-O'CONNOR (éd.), *Paul and Qumran*, Chicago 1968, 16-17.

BENOIT P., «L'hymne christologique de Col 1,15-20. Jugement critique sur l'état des recherches», in J. NEUSNER (éd.), *Christianity, Judaism and Other Greco-Roman Cults* (FS M. Smith), Leiden 1975, 226-

263.

BENOIT P., «Colossiens 2:2-3», in W.C. WEINRICH (éd.), *The New Testament Age: Essays in Honor of Bo Reicke*, vol. 1, Macon Georgia 1984, 41-51.

BERNINI G., «La pienezza di Cristo alla luce di alcuni testi veterotestamentari (Col 1,19)», in *La cristologia in San Paolo*, 207-219.

BEST E.C., *An Historical Study of the Exegesis of Colossians 2,14*, Rome 1961.

BIANCHI U. (éd.), *The Origins of Gnosticism*, Leiden 1967.

BIEDER W., *Die kolossische Irrlehre und die Kirche von heute*, Zürich 1952.

BLANCHETTE O.A., «Does the Cheirographon of Col 2,14 represent Christ Himself?», *CBQ* 23 (1961) 306-312.

BOCKMUEHL M., «A Note on the Text of Colossians 4:3», *JTS* 39 (1988) 489-494.

BORNKAMM G., Art. «Μυστήριον», *TWNT* IV (1942) 809-834.

BORNKAMM G., «Die Häresie des Kolosserbriefes», in ID., *Das Ende des Gesetzes*, München ²1966, 139-156 (paru pour la première fois en 1948 en TLZ).

BORNKAMM G., «Die Hoffnung im Kolosserbrief», in ID., *Geschichte und Glaube* II, 1971, 206-213 (originellement paru dans le FS E. Klostermann,   en 1961).

BOSETTI E., «Codici Familiari: Storia della ricerca e prospettive», *RivB* 35 (1987) 129-179.

BOUTTIER M., *En Christ*, Paris 1962.

BOWEN C.R., «The Original Form of Paul's Letter to the Colossians», *JBL* 43 (1924) 177-206.

BOWERS W.P., «A Note on Colossians 1:27a», in G.F. HAWTHORNE (éd.), *Current Issues in Biblical and Patristic Interpretation* (FS M.C. Tenney), Grand Rapids, Michigan 1975, 110-114.

BRANICK V., *The House Church in the Writings of Paul*, Wilmington, Delaware 1989.

BREYTENBACH C., «Paul's Proclamation and God's 'Thriambos' (Notes on 2 Corinthians 2:14-16b)», *Neotestamentica* 24 (1990) 257-271.

BROWN R.E., «The Semitic Background of the New Testament Mysterion», *Bib* 39 (1958) 426-448; *Bib* 40 (1959) 70-87.

BRUCE F.F., *Paul: Apostle of the Heart Set Free*, Grand Rapids, Michigan 1977.

BRUCE F.F., «Colossians Problems, Part 3: The Colossian Heresy», *BSac* 141 (1984) 201-204.

BRUCE F.F., «Christ as Conqueror and Reconciler», *BSac* 141 (1984) 291-

302.

BUCK C.H. - TAYLOR G., *St Paul: A Study of the Development of his Thought*, New York 1969.

BUCKLEY T.W., *The Phrase Firstborn of Every Creature (Col 1,15) in the Light of its Jewish and Hellenistic Background*, Rome 1961.

BUJARD W., *Stilanalytische Untersuchungen zum Kolosserbrief als Beitrag zur Methodik von Sprachvergleichern*, Göttingen 1973.

BURGER C., *Schöpfung und Versöhnung. Studien zum liturgischen Gut im Kolosser- und Epheserbrief*, Neukirchen 1975.

BURNEY C.F., «Christ as the ΑΡΧΗ of Creation», *JTS* 27 (1925/26) 160-177.

CAMBE M., Art. «Puissances célestes», *DBS* IX, 336-381.

CANNON G.E., *The Use of Traditional Materials in Colossians*, Macon 1983.

CANTALAMESSA R., «Cristo immagine di Dio. Le tradizioni patristiche su Colossesi I,15», *Rivista di Storia e Letteratura Religiosa* 16 (1980) 181-212 et 345-380.

CARR W., *Angels and Principalties. The Background, Meaning and Development of the Pauline Phrase «hai archai kai hai exousiai»*, Cambridge 1981.

CERFAUX L., «En faveur de l'authenticité des épîtres de la captivité», *RechBib* 5 (1989) 85-112.

CERVIN, R.S., «Does kephalè mean Source or Authority Over in Greek Literature? A Rebuttal», *Trinity Journal* 10 (1989) 85-112.

CHARLESWORTH J.H., «A Prolegomenon to a New Study of the Jewish Background of the Hymns and Prayers in the New Testament», *JJS* 33 (1982) 265-285.

CHRISTOPHER G.T., «A Discourse Analysis of Colossians 2:16-3:17», *GTJ* 11 (1990) 205-220.

CIPRIANI S., «Sapienza e Legge in Colossesi ed Efesini», *RivB* 35 (1987) 283-289.

COPPENS J., «Le Mystère dans la théologie paulinienne et ses parallèles qumraniens», *Recherches Bibliques* V (1960) 142-165.

COUTTS J., «The Relationship of Ephesians and Colossians», *NTS* 3 (1957-58) 201-207.

Cristologia in San Paolo (la). Atti della XIII settimana biblica (1974), Brescia 1976.

CROUCH J.E., *The Origin and Intention of the Colossian Haustafel*, Göttingen 1972.

DACQUINO P., «Cristo capo del corpo che è la Chiesa», in *La cristologia in San Paolo*, 131-175.

DAVIES W.D., *Paul and Rabbinic Judaism: Some Rabbinic Elements in Pauline Theology*, London 1948.

DEICHGRÄBER R., *Gotteshymnus und Christushymnus in der frühen Christenheit. Untersuchungen zu Form, Sprache und Stil der frühchristlichen Hymnen*, Göttingen 1967.

DELLING G., Art. «πλήρης», «πληρόω», «πλήρωμα», *TWNT* VI, 283-304.

DEL VERME M., *Le formule di ringraziamento nell'epistolario paolino*, Roma 1971.

DEMARIS R.E., *The Reconstruction of the Colossian Philosophy*, Columbia University 1990.

DIBELIUS M., «The Isis Initiation in Apuleius and Terated Initiatory Rites», in F.O. FRANCIS - W.A. MEEKS, *Conflicts at Colossae*, 61-121 (l'original allemand parut en 1917).

DOTY G.W. , *Letters in Primitive Christianity*, Philadelphia 1973

DUBARLE A.-M., «L'origine dans l'A.T. de la notion paulinienne de l'Eglise Corps du Christ», in *SPIC*, Rome 1963, 231-240.

DUFF P.B., «Metaphor, Motif and Meaning: the Rhetorical Strategy behind the Image 'Led in Triumph' in 2 Corinthins 2:14», *CBQ* 53 (1991) 79-92.

DUNN J.D.G., *Christology in the Making*, London 1980.

DUPONT J., *Gnosis. La connaissance religieuse dans les épîtres de Saint Paul*, Louvain 1949.

DUPONT J., *La réconciliation dans la théologie de Saint Paul*, Bruges-Paris 1953.

DURWELL F., «Le Christ, premier et dernier (Col 1,13-20)», *Bible et vie chrétienne* 54 (1963) 16-28.

EASTON B.S., «New Testament Ethical Lists», *JBL* 51 (1932) 1-12.

ECKART K.G., «Exegetische Beobachtungen zu Kol 1,9-20», *ThViat* 7 (1960) 87-107.

ECKART K.G., «Urchristliche Tauf- und Orientationsliturgie. Col 1,9-20; Act 26,18», *ThViat* 8 (1961) 23-37.

EGAN R.B., «Lexical Evidence of Two Pauline Passages», *NT* 19 (1977) 34-62.

EITREM S., «EMBATEYΩ. Note sur Col 2,18», *ST* 2 (1948) 90-94.

ELLINGWORTH P., «Colossians i.15-20 and its Context», *ExpT* 73 (1961) 252-253.

ELTESTER F., *Eikon im Neuen Testament*, Berlin 1958.

ERNST J., *Pleroma und Pleroma Christi. Geschichte und Deutung eines Begriffs der paulinischer Antilegomena*, Regensburg 1970.

EVAN R.B., «Lexical Evidence on Two Pauline Passages», NT 19 (1977) 34-62.

EVANS C.A., «The Colossian Mystics», Bib 63 (1982) 188-205.

EVANS C.A., «The Meaning of plèrôma in Nag Hammadi», Bib 65 (1984) 259-265.

FESTORAZZI F., «L'uomo immagine di Dio», BO 6 (1964) 105-118.

FEUILLET A., Art. «Plérôme», DBS VIII, 18-40.

FEUILLET A., «L'Église plérôme du Christ», NRT 78 (1956) 449-472.

FEUILLET A., «La création de l'univers dans le Christ d'après l'Épître aux Colossiens (i.16a)», NTS 12 (1965) 1-9.

FEUILLET A., Le Christ sagesse de Dieu d'après les épîtres pauliniennes, Paris 1966.

FISCHER K.M., Tendenz und Absicht des Epheserbriefes, Göttingen 1973.

FITZMYER J.A., «Another Look at KEPHALE' in 1 Corinthians 11.3», NTS 35 (1989) 503-511.

FLEMINGTON W.F., «On the Interpretation of Col 1:24», in W. HORBURY - B. MCNEILL (éd.), Suffering and Martyrdom in the New Testament, Cambridge 1981, 84-90.

FOERSTER N., «Die Irrlehrer des Koloserbriefes», in W.C. VAN UNNIK - A.S. VAN DER WOUDE (éd.), Studia Biblica et Semitica (FS Th. Vriezen), Wageningen 1966, 71-80.

FOSSUM J., «Colossians 1,15-18 in the Light of Jewish Mysticism and Gnosticism», NTS 35 (1989) 183-201.

FOWL S.E., The Story of Jesus in the Ethics of Paul. An Analysis of the Hymnic Material in the Pauline Corpus, Sheffield 1990, 103-154.

FRANCIS F.O., «Humility and Angelic Worship in Col 2:18», ST 16 (1962) 109-134.

FRANCIS F.O., A Re-examination of the Colossian Controversy, PhD Dissertation, Yale University 1965.

FRANCIS F.O., «Visionary Discipline and Scriptural Tradition at Colossae», LTQ 2 (1967) 71-81.

FRANCIS, F.O. - WEEKS, W.A. (éd.), Conflicts at Colossae: A Problem in the Interpretation of Early Christianity Illustrated by Selected Modern Studies, Cambridge MA, 1973.

FRANCIS F.O., «The Background of EMBATEYEIN in Legal Papyri and Oracle Inscriptions», in ID., Conflicts at Colossae, 197-207.

FRANCIS F.O., «The Christological Argument of Colossians», in J. JERVELL - W.A. MEEKS (éd.), God's Christ and His People, Oslo 1977, 192-208.

FRANKOWSKI J., «Early Christian Hymns Recorded in the New Testament:

A Reconsideration of the Question in the Light of Heb 1,3», *BZ* 27 (1983) 183-194.

GABATHULER H.J., *Jesus Christus, Haupt der Kirche - Haupt der Welt. Der Christushymnus Kolosser 1,15-20 in der theologischen Forschung der letzten 130 Jahre*, Zürich 1965.

GARDNER Jane F., - WIEDEMANN T., *The Roman Household. A Source Book*, London - New York 1991.

GEWIESS J., «Die Begriffe *plèroun* und *plerôma* im Kolosser-und Epheserbrief», in *Festschrift M. Meinertz*, Münster 1951, 128-151.

GEWIESS J., «Die apologetische Methode des Apostels Paulus im Kampf gegen die Irrlehre in Kolossä», *BibLeb* 3 (1962) 258-270.

GIAVINI G., «La struttura letteraria dell'inno cristologico di Col 1», *RivB* 15 (1967) 317-320.

GIAVINI G., «Riflessi della cristologia di Col 1 sulla lettura di Gen 1-3», in *La cristologia in San Paolo*, 257-267.

GIBBS J.G., *Creation and Redemption. A Study in Pauline Theology*, Leiden 1971.

GIELEN M., «Zur Interpretation der Formel *hè kat'oikon ekklèsia*», *ZNW* 77 (1986) 109-125.

GIEM P., «SABBATON in Col. 2,16», *AUSS* 19 (1981) 198-206.

GLASSON T.F., «Colossians 1,15.18 and Sirach 24», *NT* 11 (1969) 154-156.

GONZÁLEZ RUIZ J.M., «Sentido soteriologico de kefalé en la cristologia de S. Pablo», *Antologia Annua* I, Roma 1953, 185-224.

GRÄSSER E., «Kol 3,1-4 als Beispiel einer Interpretation secundum homines recipientes», *ZTK* 64 (1967) 139-168.

GRECH P., «Colossesi e la Gnosi», in *La cristologia in San Paolo*, 81-95.

GRUDEM W., «Does kephalè (Head) Mean Source or Authority Over in Greek Literature? A Survey of 2,336 Examples», *Trinity Journal* 6 (1985) 38-59.

GRUDEM W., «The Meaning of kephalè (Head): A Response to Recent Studies», *Trinity Journal*, 11 (1990) 3-72.

GUERRA F., «Col 2,14-15: Cristo, la croce e le potenze celesti», *RivB* 35 (1987) 27-50.

GUNTHER J.J., *St. Paul's Opponents and Their Background: A Study of Apocalyptic and Jewish Sectarian Teachings*, Leiden 1973.

GUSTAFSON W., «The Afflictions of Christ, What is Lacking», *BR* 8 (1963) 28-42.

HABERMANN J., *Präexistenzaussagen im Neuen Testament*, Frankfurt 1990.

HAFEMANN, *Suffering and the Spirit. An Exegetical Study of II Cor. 2:14 - 3:3 within the Context of the Corinthian Correspondance*, Tübingen

1986 (réédité à Grand Rapids, Michigan 1990).

HANSON S., *The Unity of the Church in the New Testament. Colossians and Ephesians*, Uppsala 1946.

HARTMAN L., «Universal Reconciliation (Col 1,20)», *SNTU* 10 (1985) 109-121.

HARTMAN L., «On Reading Others' Letters», *HThR* 79 (1986) 137-146.

HARTMAN L., «Code and Context: A Few Reflections on the Parenesis of Col 3:6--4:1», in G.F. HAWTHORNE - O. BETZ (éd.), *Tradition and Interpretation in the New Testament* (FS E.E. Ellis), Grand Rapids - Tübingen 1987, 237-247.

HARVEY A.E., «The Use of Mystery Language in the Bible», in *JTS* 31 (1980) 320-336.

HAYS R.B., *The Faith of Jesus Christ*, Chico CA 1983

HEGERMANN H., *Die Vorstellung vom Schöpfungsmittler im hellenistischen Judentum und Christentum*, Berlin 1961.

HELYER L.R., «Colossians 1:15: Pre-Pauline or Pauline?», *JETS* 26 (1983) 167-179.

HELYER L.R., Recent Researc on Colossians 1:15-20 (1980-1990)», *GTJ* 12 (1991) 51-67.

HENDRICKS W.L., «All in All. Theological Themes in Colossians», in *SWJT* 16 (1975) 23-35.

HERON A., «Logos, Image Son: Some Models and Paradigms in Early Christology», in R.W.A. MCKINNEY (éd.), *Creation, Christ and Culture* (FS T.F. Torrance), Edinburgh 1976, 43-62.

HOCKEL A., *Christus der Erstgeborene. Zur Geschichte der Exegese von Kol 1,15*, Düsseldorf 1965.

HOLLENBACH B., «Col 2.23. Which Things Lead to the Fulfillment of the Flesh», *NTS* 25 (1978/9) 254-261.

HOLTZMANN H.J., *Kritik der Epheser- und Kolosserbriefe auf Grung einer Analyse ihres Verwandschaftsverhältnisses*, Leipzig 1872.

HOOKER M.D., «Were there false teachers in Colossae?», in B. LINDARS - S.S. SMALLEY (ed,), *Christ and Spirit in the New Testament* (FS C.F.D. Moule) Cambridge 1973, 315-331.

HOOKER M.D., «Interchange and Suffering», in W. HORBURY - B. MCNEIL (éd.), *Suffering and Martyrdom in the New Testament*, Cambridge 1981, 70-83.

HOUGHTON H.P., «The Coptic Apocalypse», in *Aegyptus* 39 (1959) 40-91.

HOUSE H.W., «Neither...Male nor Female... in Christ Jesus», *BSac* 145 (1988) 47-56.

HOUSE H.W., «Heresies in the Colossian Church», *BSac* 149 (1992) 45-59.

HOUSE H.W., «The Doctrine of Christ in Colossians», *BSac* 149 (1922) 180-192.

JERVELL J., *Imago Dei, Gen 1,26f im Spätjudentum, in der Gnosis und in den paulinischen Briefen*, Göttingen 1960.

KAMLAH E., *Die Form der katalogischen Paränese im Neuen Testament*, Tübingen 1964.

KÄSEMANN E., *Leib und Leib Christi. Eine Untersuchung zur paulinischen Begrifflichkeit*, Tübingen 1933.

KÄSEMANN E., «Eine urchristliche Taufliturgie», in *Exegetische Versuche und Besinnungen* I, Göttingen 1964, 34-51 (publié pour la première fois en 1949).

KÄSEMANN E., «Erwägungen zum Stichwort Versöhnungslehre im Neuen Testament», in *Zeit und Geschichte* (FS R. Bultmann), Tübingen 1964, 47-59.

KÄSEMANN E., «Das Theologische Problem des Motivs vom Leibe Christi», in *Paulinische Perspektiven*, Tübingen 1969, 178-210.

KEHL N., *Der Christushymnus Kol 1,12-20. Eine motivgeschichtliche Untersuchung zu Kol 1,12-20*, Stuttgart 1967.

KEHL N., «Erniedrigung und Erhöhung in Qumran und Kolossä», *ZTK* 91 (1969) 364-394.

KIERNIKOWSKI Z., «Identità e dinamismo della vita cristiana secondo Col 1,3-11», *RivB* 33 (1985) 191-228.

KILEY M., *Colossians as Pseudepigraphy*, Sheffield 1986.

KLAUCK H.J., *Hausgemeinde und Hauskirche im frühen Christentum*, Stuttgart 1981.

KREMER J., *Was an den Leiden Christi noch mangelt. Eine interpretationsgeschichtliche und exegetische Untersuchung zu Kol 1,24b*, Bonn 1956.

LAMARCHE P., *Christ vivant. Essai sur la christologie du Nouveau Testament*, Paris 1968.

LAMARCHE P., «Structure de l'épître aux Colossiens», *Bib* 56 (1975) 453-463.

Lambrecht J., «Thanksgivings in 1 Thes 1-3», in R.F. Collins (éd.), *The Thessalonian Correspondance*, Leuven 1990, 183-205.

LANGKAMMER H., «Die Einwohnung der absoluten Seinsfülle in Christus. Bemerkungen zu Kol 1,19», *BZ* NF 12 (1968) 258-263.

LARCHER C., *Études sur le livre de la Sagesse*, Paris 1969.

LARSSON E., *Christus als Vorbild. Eine Untersuchung zu den paulinischen Tauf- und Eikontexten*, Uppsala 1962.

LEANEY A.R.C., «Colossians ii.21-23 (The Use of PROS)», *ExpT* 64

(1952/3) 92.

LÉGASSE S., «Etre baptisé dans la mort du Christ. Etude de Rm 6,1-14», *RB* 98 (1991), 544-559.

LEVISON J.R., «2 Apoc. Bar. 48:42--52:7 and the Apocalyptic Dimension of Colossians 3:1-6», JBL 108 (1989) 93-108.

LINCOLN A.T., *Paradise Now and Not Yet*, Cambridge 1981.

LINDEMANN A., *Die Aufhebung der Zeit. Geschichtsverständnis und Eschatologie im Epheserbrief*, Gütersloh 1975.

LINDEMANN A., «Die Gemeinde von Kolossä. Erwägungen zum Sitz im Leben eines pseudo-paulinischen Briefes», *WD* NF 16 (1981) 111-134.

LOHSE E., «Imago Dei bei Paulus», in *Libertas Christiana* (FS F. Delakat), München 1957, 122-135.

LOHSE E., «Christologie und Ethik im Kolosserbrief», in *Apophoreta* (FS E. Haenchen), Berlin 1964, 156-168.

LOHSE E., «Christusherrschaft und Kirche im Kolosserbrief», NTS 11 (1964/5) 203-216.

LOHSE E., «Pauline Theology in the Letter to the Colossians», *NTS* 15 (1969) 211-220.

LONA H.E., *Die Eschatologie im Kolosser- und Ephserbrief*, Würzburg 1984.

LÖWE H., «Bekenntnis, Apostolat und Kirche im Kolosserbrief», in D. LÜHRMANN (éd.), *Kirche* (FS G. Bornkamm), Tübingen 1980, 299-314.

LÜHRMANN D., «Wo man nicht mehr Sklave oder Freier ist. Überlegungen zur Struktur früchristlicher Gemeinden», *WD* 13 (1975) 53-83.

LUZ U., «Überlegungen zum Epheserbrief und seiner Paränese», in H. MERKLEIN (éd.), *Neues Testament und Ethik* (FS R. Schnackenburg), Freiburg 1989, pp.376-396.

LYONNET S., «Saint Paul et le gnosticisme. La lettre aux Colossiens», in U. BIANCHI (éd.), *Le Origini dello Gnosticismo. Colloquio di Messina, (Aprile 1966)*, Leiden 1967, 538-551.

LYONNET S., «L'hymne christologique de l'épître aux Colossiens et la fête du nouvel an», *RSR* 48 (1960) 93-100.

LYONNET S., «Col 2,18 et les Mystères d'Apollon Clarien», *Bib* 43 (1962) 417-435.

LYONNET S., «Ruolo cosmico di Cristo in Col 1,15ss in luce di quello della Tora», in *La cristologia in San Paolo*, 57-79.

MACDONALD D.R., *There is No Male and Female: The Fate of a Dominical Saying in Paul and Gnosticism*, Philadelphia 1987.

MCDONALD Margaret Y., *The Pauline Churches. A Socio-Historical Study of Institutionalization in the Pauline and Deutero-Pauline Writings*,

Cambridge-New York 1988.

MALHERBE A.J., «Ancient Epistolary Theorists», *Ohio Journal of Religious Studies* 5 (1977) 3-17

MANNS F., «Col 1,15-20: midrash chrétien de Gen 1,1», *RevScRel* 53 (1979) 100-110.

MARCHESELLI CASALE C., «La struttura letteraria di Col 1,(14b)15-20. La celebrazione cultuale della funzionalità ministeriale del primato-servizio di Cristo Signore», in *Parola e Spirito* (FS S. Cipriani), Brescia 1982 vol. I, 497-519.

MARCHESELLI CASALE C., «La comunità cristiana di Colossi esprime la sua fede in Gesù Cristo», RIVB 31 (1983) 273-291.

MARTELET G., «Premier-né de toute créature», *Communio* (fr.) 1 (1976), fasc.3, 30-48.

MARTIN R.P., «Reconciliation and Forgiveness in the Letter to the Colossians», in R.J. BANKS (éd.), *Reconciliation and Hope* (FS L.L. Morris) Grand Rapids, Michigan 1974, 104-124.

MASON H.J., *Greek Terms for Roman Institutions. A Lexicon and Analysis*, Toronto 1974.

MAURER C., «Die Begründung der Herrschaft Christi über die Mächte nach Kolosser 1,15-20», *WD* NF 4 (1955) 79-93.

MCCLELLAN J.B., «Colossians II.18: A Criticism of the Revised Version and an Exposition», *Expositor*, series 7, 9 (1910) 385-398.

MCCOWN W., «The Hymnic Structure of Colossians 1:15-20», *EvQ* 51 (1979) 156-162.

MCIVER M.E., «The Cosmic Dimension of Salvation in the Thought of Saint Paul», *Worship* 40 (1966) 156-164.

MERK O., *Handeln aus Glauben. Die Motivierungen der paulinischen Ethik*, Marburg 1968.

MERKLEIN H., «Paulinische Theologie in der Rezeption des Kolosser- und Epheserbriefes», in K. KERTELGE (éd.), *Paulus in den neutestamentlichen Spätschriften. Zur Paulusrezeption im Neuen Testament*, Freiburg-Basel-Wien 1981, 25-69.

MERKLEIN H., «Eph 4,1-5,20 als Rezeption von Kol 3,1-17», in P.G. MÜLLER - W. STENGER (éd.), *Kontinuität und Einheit* (FS F. Mussner), Freiburg 1981, 194-210.

MERKLEIN H., «Einstehung und Gehalt des paulinischen Leib-Christi Gedanken», in ID. *Studien zu Jesus und Paulus*, Tübingen 1987, 319-344.

MEUZELAAR J.J., *Der Leib des Messias. Eine exegetische Studie über den Gedanken vom Leib Christi in den Paulusbriefen*, Assen 1961.

MICHAELIS W., Art. «Πρωτότοκος», *TWNT* VI, 872-882.

MICHAELIS W., «Das unbetonte *kai autos* bei Lukas», *ST* 4 (1950) 86-93.

MICHAELIS W., *Versöhnung des Alls. Die frohe Botschaft von der Gnade Gottes*, Gümligen-Bern 1950.

MONTAGNINI F., «Linee di convergenza fra la sapienza veterotestamentaria e l'inno cristologico di Col 1», in *La cristologia in San Paolo*, 37-56.

MOULE C.F.D., «The New Life in Colossians 3,1-7», *RevExp* 70 (1973) 481-493.

MOYO A., «The Colossian Heresy in the Light of Some Gnostic Documents from Nag Hammadi», *Journal of Theology for Southern Africa* 48 (1984) 30-44.

MÜLLER K., «Die Haustafel des Kolosserbriefes und das antike Frauenthema», in G.DAUTZENBERG (éd.), *Die Frau im Urchristentum*, Freiburg-Wien-Basel 1983, 263-319.

MÜNDERLEIN G., «Die Erwählung durch das Pleroma. Bemerkungen zu Kol 1,19», *NTS* 8 (1961/2) 264-276.

MUNRO G.L., «Col III,18-IV,2 and Eph V.21-VI.9: Evidences of a Late Stratum?», *NTS* 18 (1972) 434-447.

NEUGEBAUER F., *In Christus. Eine Untersuchung zum paulinischen Glaubensverständnis*, Göttingen 1961.

O'BRIEN P.T., «Col 1.20 and the Reconciliation of All Things», *RTR* 33 (1974) 45-53.

O'BRIEN P.T., *Introductory Thanksgivings in the Letters of Paul*, Leiden 1977.

O'BRIEN P.T., «Principalities and Powers: Opponents of the Church», in D.A. CARSON (éd.), *Biblical Interpretation and the Church*, Nashville 1984, 110-150.

O'NEILL J.C., «The Source of the Christology in Colossians», *NTS* 26 (1979/80) 87-100.

OLBRICHT T.H., «Colossians and Gnostic Theology», *RestQ* 14 (1971) 65-79.

OLLROG W.H., *Paulus und seine Mitarbeiter*, Neukirchen-Vluyn 1979.

OVERFIELD P.D., «Pleroma: A Study in Content and Context», *NTS* 25 (1978/9) 348-388.

PANIMOLLE S.A., «L'inabitazione del plèrôma nel Cristo (Col 1,19)», in *La cristologia in San Paolo*, 177-205.

PENNA R., *Il mystèrion paolino: traiettoria e costituzione*, Brescia 1978.

PERCY E., *Der Leib Christi in den paulinischen Homologoumena und Antilegomena*, Lund-Leipzig 1942.

PERCY E., *Die Probleme der Kolosser- und Epheserbriefe*, Lund 1946.

PERELS O., «Kirche und Welt nach dem Epheser- und Kolosserbrief», *TLZ* 76 (1951) 391-400.

PERETTO E., «L'inno cristologico di Col 1,15-20 dagli gnostici ad Ireneo», *Augustinianum* 15 (1975) 257-274.

PERRIMAN A., «His Body which is the Church...Coming to Terms with Metaphors», EQ 62 (1990) 123-142.

PITTA A., *Disposizione e Messaggio della Lettera ai Galati. Analisi retorico-letteraria*, Roma 1992.

PLACES (des) E., *La religion grecque*, Paris 1969.

PÖHLMANN W., «Die hymnische All-Prädikationen in Kol 1,15-20», *ZNW* 64 (1973) 53-74.

POLHILL J.B., «The Relationship Between Ephesians and Colossians», *RevExp* 70 (1973) 439-450.

POLLARD T.E., «Colossians 1:12-20: A Reconsideration», *NTS* 27 (1980/1) 572-575.

PRÜMM K., Art. «Mystères», *DBS*, VI, Paris 1957, 1-225.

RAMOROSON L., «Structure de Col 1,5--3,4», *ScEs* 29 (1977) 313-319.

RAMOROSON L., «L'Eglise, corps du Christ dans les écrits pauliniens: simples esquisses», *ScEs* 30 (1978) 129-141.

RESE M., «Church and Israel in the Deuteropauline Letters», *ScotJournTheol* 43 (1990) 19-32.

REUSS J., «Die Kirche als Leib Christi und die Herkunft dieser Vorstellung bei dem Apostel Paulus», *BZ* NF 2 (1958) 103-127.

REY B., *Créés dans le Christ Jésus*, Paris 1966.

REYNIER Ch., *Evangile et mystère. Les enjeux théologiques de l'épître aux Ephésiens*, Paris 1992.

ROBINSON J.M., «A Formal Analysis of Colossians 1,15-20», *JBL* 76 (1957) 270-287.

ROBINSON J.M., «Die Hodajot-Formel in Gebet und Hymnus des Frühristen-tums», in *Apophoreta* (FS E. Haenchen), Berlin 1964, 194-235.

ROSENSTIEHL J.-M., *L'apocalypse d'Elie*, Paris 1972.

ROWLAND C., «Apocalyptic Visions and the Exaltation of Christ in the Letter to the Colossians», *JSNT* 19 (1983) 73-83.

RUDOLPH K. (éd.), *Gnosis und Gnostizismus*, Darmstadt 1975.

SACCHI A., «La riconciliazione universale (Col 1,20)», in *La cristologia in San Paolo*, 221-245.

SALAS A., «Primogenitus omnis creaturae (Col 1,15b)», *EstBib* 28 (1969) 33-59.

SANDERS E.P., «Literary Dependence in Colossians», *JBL* 85 (1966) 28-45.

SANDERS J.T., *The New Testament Christological Hymns. Their Historical*

Religious Background, Cambridge 1971.

SAPPINGTON T.J., *Revelation and Redemption at Colossae*, Sheffield 1991.

SARACINO F., «Forma e Funzione di una Formula Paolina: Gal 3,28», *RivBib* 28 (1980) 385-406.

SAUNDERS E.W., «The Colossian Heresy and Qumran Theology», in B.L. DANIEL - M.J. SUGGS (éd.), *Studies in the History and Text of the New Testament*, Salt Lake City 1967, 133-145.

SCHATTENMANN J., *Studien zum neutestamentlichen Prosahymnus*, München ²1965.

SCHENKE H.-M., «Der Widerstreit gnostischer und kirchlicher Christologie im Spiegel des Kolosserbriefes», *ZTK* 61 (1964) 391-403.

SCHILLE G., *Frühchristliche Hymnen*, Berlin 1965.

SCHILLE H., Art. «Κεφαλη», *TWNT* III, 672-682.

SCHLIER H., *Mächte und Gewalten im Neuen Testament*, Freiburg 1958.

SCHNACKENBURG R., «Die Aufnahme des Christushymnus durch den Verfasser des Kolosserbriefes», in *EKK Vorarbeiten* 1, Zürich-Neukirchen 1969, 33-50.

SCHRAGE W., «Zur Ethik der neutestamentlichen Haustafeln», *NTS* 21 (1975) 1-22.

SCHWANZ P., *Imago Dei als christologisch- anthropologisches Problem*, Helle 1970.

SCHWEIZER E., «Kolosser 1,15-20», in *EKK Vorarbeiten* 1, Zürich - Neukirchen 1969, 5-31.

SCHWEIZER E., «Die Elemente der Welt Gal 4,3.9; Kol 2,8.20», in O. BÖCHER - K. HAACKER (éd.), *Verborum Veritas* (FS G. Stählin), Wuppertal 1970, 245-259.

SCHWEIZER E., «Christus und Geist im Kolosserbrief», in B. LINDARS - S.S. SMALLEY (éd.), *Christ and Spirit in the New Testament* (FS C.F.D. Moule), Cambridge 1973, 297-313.

SCHWEIZER E., «Christ in the Letter to the Colossians», *RevExp* 70 (1973) 451-467.

SCHWEIZER E., «Versöhnung des Alls. Kol 1,20», in G. STRECKER, *Jesus Christus in Historie und Theologie* (FS H. Conzelmann), Tübingen 1975, 487-501.

SCHWEIZER E., «Zur neueren Forschung am Kolosserbrief», *Theologische Berichte* 5 (1976) 163-191.

SCHWEIZER E., «Gottesgerechtigkeit und Lasterkataloge bei Paulus», in J. FRIEDRICH - W. PÖHLMANN - P. STUHLMACHER (éd.), *Rechtfertigung* (FS E. Käsemann), Tübingen-Göttingen 1976, 461-477.

SCHWEIZER E., «The Letter to the Colossians - Neither Pauline nor Post-

Pauline?», in *Pluralisme et oecuménisme en recherches théologiques* (FS S. Dockx), Gembloux 1976, 1-16.

SCHUBERT P., *Form and Function of the Pauline Thanksgivings*, Berlin 1939.

SCHULZ S., *Die Mitte der Schrift*, Stuttgart-Berlin 1976.

SCHÜSSLER FIORENZA E., «Wisdom Mythology and the Christological Hymns of the New Testament», in R.L. WILKEN (éd.), *Aspects of Wisdom in Judaism and Early Christianity*, Notre Dame 1975, 17-41.

STEINDORFF G., *Die Apokalypse des Elias. Eine unbekannte Apokalypse und Bruchstücke der Sophonias-Apokalypse*, Leipzig 1899.

STEINMETZ F.J., *Protologische Heils-Zuversicht. Die Strukturen des soteriologischen und christologischen Denkens im Kolosser- und Epheserbrief*, Frankfurt a.M. 1969.

STOWERS S.W., *Letter Writing in Greco-Roman Antiquity*, Westminster 1986.

TESTA E., *Gesù pacificatore universale*, Assisi 1956.

TESTA E., «Gesù pacificatore universale. Inno liturgico della Chiesa Madre (Col 1,15-20 + Ef 2,14-16)», *StBibFr* 19 (1969) 5-64.

TREBILCO P., *Jewish Communities in Asia Minor*, Cambridge 1991.

TRUDINGER L.P., «A Further Brief Note on Col 1:24», *EvQ* 45 (1973) 36-38.

URBAN A., «Kosmische Christologie», *EuA* 47 (1971) 472-486.

VANNI U., «Immagine di Dio invisibile, primogenito di ogni creazione (Col 1,15)», in *La cristologia in San Paolo*, Brescia 1976, 97-113.

VANNI U., «Homoiôma in Paolo», *Gregorianum* 58 (1977) 321-345 et 431-470.

VAWTER B., «The Colossians Hymn and the Principle of Redaction», *CBQ* 33 (1971) 62-81.

VERNER D.C., *The Household of God. The Social World of the Pastoral Epistles*, Chico CA, 1983.

VERSNEL H.S., *Triumphus. An Inquiry into the Origin, Development and Meaning of the Roman Triumph*, Leiden 1970.

VIELHAUER P., *Geschichte der urchristliche Literatur*, Berlin 1975.

VIRGULIN S., «L'origine del concetto di plèrôma in Ef 1,23», in *SPCIC* II, 156-161.

VOGT E., «Mysteria in textibus Qumran», *Bib* 37 (1956) 247-257.

VÖGTLE A., *Die Tugend- und Lasterkataloge in Neuen Testament*, Münster 1936.

VOLZ P., *Die Eschatologie der jüdischen Gemeinde im neutestamentlichen*

Zeitalter, Tübingen ²1934.

WAGENFÜHRER M.A., *Die Bedeutung Christi für Welt und Kirche. Studien zum Kolosser- und Epheserbrief*, Leipzig 1941.

WEDDERBURN A.J.M., *Baptism and Resurrection. Studies in Pauline Theology against Its Graeco-Roman Background*, Tübingen 1987.

WEISS H., «The Law in the Epistle to the Colossians», *CBQ* 34 (1972) 294-314.

WENGST K., *Christologische Formeln und Lieder des Urchristentums*, Gütersloh ²1972.

WENGST K., «Versöhnung und Befreiung. Ein Aspekt des Themas Schuld und Vergebung im Lichte des Kolosserbriefes», *EvT* 36 (1976) 14-26.

WESSELS G.F., «The Eschatology of Colossians and Ephesians», *Neotestamentica* 21 (1987) 183-202.

WHITE J.L., «Introductory Formulae in the Body of the Pauline Letter», *CBQ* 9 (1971) 183-202.

WHITE J.L., *The Form and Function of the Body of the Greek Letter. A Study in the Letter Body in the Non-literary Papyri and in Paul the Apostle*, Montana, ²1972.

WIBBING S., *Die Tugend- und Lasterkataloge im Neuen Testament*, Berlin 1959.

WILDERBERGER H., «Das Abbild Gottes», *TZ* 21 (1965) 245-259 et 481-501.

WILEY G.W., «A Study of 'Mystery' in the New Testament», *GTJ* 6 (1985) 349-360.

WILLIAMSON L., «Led in Triumph: Paul's Use of triambeuô», *Int* 22 (1968) 317-332.

WILLMS H., *Eikôn. Eine begriffsgeschichtliche Untersuchung zum Platonismus. I. Band: Philo von Alexandreia*, Münster 1935.

WILSON R., *Gnosis and the New Testament*, Philadelphia 1968.

WINK W., *Naming the Powers*, Philadelphia 1984.

WRIGHT N.T., «Poetry and Theology in Colossians 1,15-20», *NTS* 36 (1990) 444-468.

YAMAUCHI E.M., «Sectarian Parallels: Qumran and Colosse», *BSasc* 121 (1964) 141-152.

YAMAUCHI E.M., *Pre-Christian Gnosticism*, Grand Rapids ²1983.

YATES R., «The Worship of Angels (Col 2:18)» *ExpT* 97 (1985) 12-15.

YATES R., «Colossians and Gnosis», *JSNT* 27 (1986) 49-68.

YATES R., «Col 2,14: Metaphor of Forgiveness», *Bib* 71 (1990) 249-259.

YATES R., «Colossians 2.15: Christ Triumphant», *NTS* 37 (1991) 573-591.

ZEILINGER F., *Der Erstgeborene der Schöpfung. Untersuchungen zur*

Formalstruktur und Theologie des Kolosserbriefes, Wien 1974.

ZEILINGER F., «Die Träger der apostolischen Tradition im Kolosserbrief», in A. FUCHS (éd.), *Jesus in der Verkündigung der Kirche*, Linz 1976, 175-190.

TABLE DES MATIERES

ACHEVÉ D'IMPRIMER
EN   MAI   1993
PAR L'IMPRIMERIE
DE LA MANUTENTION
A MAYENNE
N° 161-93